この中で知っているのはどれですか？

...ko razumete naslednje?     **Co pani tutaj rozumie?**

무엇을 여기에서 이해합니까?     **Hvad forstår du her?**     **Wat verstaat u?**

**Bunları anlıyor musunuz?**     **Mit ért?**     ¿Puede Vd. comprender ya algo?

# Themen
**Ausgabe in zwei Bänden**

Lehrwerk für
Deutsch als Fremdsprache

## Kursbuch 1

von Hartmut Aufderstraße, Heiko Bock,
Mechthild Gerdes, Helmut Müller,
Jutta Müller

Projektbegleitung: Hans-Eberhard Piepho

# Max Hueber Verlag

## Pictogramme

 Dieser Text ist auf Kassette.

 Hörtext

 Für diese Übung brauchen Sie Schreibpapier.

 Lesetext

 Zusammenfassende Aufgabe

 Hinweis auf die Grammatik im Anhan S. 194–224

Beratende Mitwirkung: Heidelies Müller · Buseck-Trohe; Dagmar Paleit · Klein-Winternheim
Projektleitung/Verlagsredaktion: Mechthild Gerdes · München; Werner Bönzli · Reichertshausen
Gestaltungskonzeption: Hans Peter Willberg · Eppstein
Layout: Yvonne Streit · Budenheim; Erwin Faltermeier · München
Illustrationen: Joachim Schuster · Baldham; Ruth Kreuzer · Mainz
Umschlagillustration: Dieter Bonhorst · München
Herstellung: Erwin Faltermeier · München

Dieser Band umfaßt das ganze Kursbuch „Themen 1" und
die Lektionen 1–5 des Kursbuches „Themen 2"

4.
1993  92  91  90  | Die letzten Ziffern bezeichnen Zahl und Jahr des Druckes.
Alle Drucke dieser Auflage können, da unverändert,
nebeneinander benutzt werden.
1. Auflage
© 1987 Max Hueber Verlag, München
Gesamtherstellung: Ludwig Auer GmbH, Donauwörth
Printed in the Federal Republic of Germany
ISBN 3–19–001471–X

# nhalt

**1.**

> Guten Tag,
> Thomas Meyer.

> Guten Tag,
> mein Name ist
> Young.

| ○ | Guten Tag, | mein Name ist ...<br>ich heiße ... | | □ | Guten Tag, | mein Name ist ...<br>ich heiße ... |

**2.**

> Entschuldigung,
> sind Sie ...?

> Nein, ich heiße ...

| ○ | Entschuldigung, | sind Sie Herr Meier?<br>(Frau/Fräulein Meier?)<br>heißen Sie Meier? | □ | Nein,<br><br>Ja. | ich bin<br>ich heiße<br>mein Name ist | Peter Miller.<br>(Luisa Tendera.) |

**3.**

> Ich bin
> Vásquez Jiménez.

> Wie bitte?

| ○ | Mein Name ist<br>Ich heiße | Vásquez Jiménez. | □ | Wie bitte?<br>Entschuldigung, wie heißen Sie? |

○ Vás-quez – Ji-mé-nez.      □ Ich verstehe nicht. Buchstabieren Sie bitte!

○ J-i-m-e-n-e-z

A B C D E F G H I J K L M N O P Q R S T U V W X Y ℤ

| | | |
|---|---|---|
| ○ Entschuldigung, | sind<br>heißen | Sie ...? |

| |
|---|
| □ Nein, ich ...<br>mein Name ...<br>(Ja.) |

| | |
|---|---|
| ○ Und ist das | Frau ...?<br>Herr ...?<br>Fräulein ...? |

| |
|---|
| □ Ja.<br>(Nein, das ist ...) |

S.194, 1a–c
+ 2

Guten Tag, Frau/Herr/Fräulein ...
○ Wie geht es Ihnen?
(Wie geht's?)

Danke. Auch gut.
○ (Es geht.)
(Auch nicht so gut.)

| | | |
|---|---|---|
| □ Danke, | gut.<br>(es geht.) | <br> |
| | (Nicht so gut.) |  |

Und Ihnen?

**Nordamerika**
Kanada
USA

**Südamerika**
Bolivien
Peru
Brasilien
Argentinien
Chile
Venezuela
Kolumbien
Uruguay
...

**Afrika**
Senegal
Ägypten
Elfenbeinküste
Zaire
Tansania
Kenia
Sudan
Ghana
Nigeria
Äthiopien
...

**Europa**
Spanien
Österreich
Frankreich
Italien
Dänemark
Türkei
Ungarn
Polen
Rumänien
Bundesrepublik Deutschland
DDR (Deutsche
Demokratische Republik)
Belgien
Niederlande
Griechenland
Schweden
Norwegen
Finnland
...

**Asien**
Indien
Japan
China
Indonesien
Thailand
Iran
Israel
Libanon
...

**Australien**

Ich komme aus Großbritannien
aus Frankreich
... ...
aber:
aus der Schweiz
aus der DDR
aus der Türkei
aus (den) USA
aus der Bundesrepublik
Deutschland
von der Elfenbeinküste
aus den Niederlanden
... ... ...

S. 194, 1d

◗ Guten Morgen!
☐ Guten Morgen!
◗ *Fisch.*
☐ Wie bitte?
◗ Fisch.
☐ Ich verstehe nicht.
◗ Ich heiße Fisch.
☐ Ach so.
*Bach.*
◗ Wie bitte?
☐ Bach.
◗ Ich verstehe nicht.
☐ Ich heiße Bach.
◗ Ach so.
Ja dann – auf Wiedersehen!
☐ Auf Wiedersehen!

*Fisch*          *Bach*

◗ Guten Tag!
☐ Guten Tag!
◗ *Fisch.*
☐ Wie bitte?
◗ Mein Name ist Fisch.
☐ Was? – Sie heißen Fisch?
◗ Ja. Warum?
☐ Ich heiße *Bach.*
◗ Wie bitte?
☐ Mein Name ist Bach.
◗ Komisch – Sie heißen Bach?
Und woher kommen Sie?
☐ Ich komme aus Fischbach.
◗ Was? – Sie kommen aus Fischbach?
☐ Ja. Warum? Und Sie?
◗ Wie bitte?
☐ Woher kommen Sie denn?
◗ Ich komme auch aus Fischbach.
☐ Na so was!

*Mond*

*See*

*Kuh*

*Faß*

*Wein*

*Berg*

## Wer ist das?

Das ist Maria Theresia.
Sie kommt aus Österreich.

G

Das ist Willy Brandt.
Er kommt
aus der Bundesrepublik.

C

F

A

D

B

*Wer ist das?*
*Woher kommt*

E

Das sind Dick und Doof.
Sie kommen aus USA.

H

*Kleopatra. –*
*Aus Ägypten.*

S. 194, 1d
+ 2

| o Wer ist das? | | | □ Das | ist ...| |
| | | | | sind ... | |

| o | Ist | das ...? | □ | Nein, | das | ist ... |
| | Sind | | | Ja, | | sind ... |

| o Woher | kommt ...? | | □ | Er | kommt | |
| | kommen ...? | | | Sie | ist | aus ... |
| | | | | Sie | kommen | |
| | | | | | sind | |
| | | | | (Aus ...) | | |

| o | Kommt | ... | aus ...? | □ Nein, aus ... |
| | Kommen | | | (Ja.) |
| | | | | (Das weiß ich nicht.) |

    Lösung: Seite 1

| Kurs: G I | Institut Deutsch als Fremdsprache Teilnehmerliste | | Raum: 306 |
|---|---|---|---|
| **Name** | **Vorname** | **Land** | **Stadt** |
| Brooke | Ronald | USA | Atlanta |
| Destrée | Lucienne | Frankreich | Marseille |
| Ergök | Levent | Türkei | Izmir |
| El-Tahir | Ibrahim | Tunesien | Tunis |
| Honti | Kaaroly | Ungarn | Budapest |
| Tendera | Luisa | Italien | Palermo |
| Jiménez | Vásquez | Peru | Lima |
| Miller | Peter | USA | Boston |
| Young | Yasmin | Korea | Seoul |
| Salt | Linda | Großbritannien | Bristol |
| Maddi | Amadu | Ghana | Accra |

### Woher kommt . . . ?

○ Er heißt Ronald Brooke.
  Woher kommt er?
  ▢ Er kommt aus Atlanta in USA.
○ Sie heißt . . . Woher kommt sie?
  ▢ Sie kommt aus . . .
○ . . .
  ▢ . . .

### Wer ist das?

○ Er kommt aus Atlanta, USA. Wer ist das?
  ▢ Das ist Ronald Brooke.
○ Sie kommt aus . . . Wer ist das?
  ▢ Das ist . . .
○ . . .
  ▢ . . .

### 3. Kommt . . . ?

a) ○ Kommt Ronald Brooke aus USA?
   ▢ Ja.
b) ○ Kommt Lucienne Destrée aus Marokko?
   ▢ Nein, sie kommt aus Frankreich.
c) ○ . . .
   ▢ . . .
d) ○ . . .
   ▢ . . .

**1** **Zahlen: 0–100**

0: null

| | | | | |
|---|---|---|---|---|
| 1: eins | 10: zehn | 100: (ein)hundert | 11: elf | 21: einundzwanzig |
| 2: zwei | 20: zwanzig | | 12: zwölf | 22: zweiundzwanzig |
| 3: drei | 30: dreißig | | 13: dreizehn | 23: dreiundzwanzig |
| 4: vier | 40: vierzig | | 14: vierzehn | 24: vierundzwanzig |
| 5: fünf | 50: fünfzig | | 15: fünfzehn | 25: fünfundzwanzig |
| 6: sechs | 60: sechzig | | 16: sechzehn | 26: sechsundzwanzig |
| 7: sieben | 70: siebzig | | 17: siebzehn | 27: siebenundzwanzig |
| 8: acht | 80: achtzig | | 18: achtzehn | 28: achtundzwanzig |
| 9: neun | 90: neunzig | | 19: neunzehn | 29: neunundzwanzig |

○ Kaufmann.
  □ Wer ist da bitte?
○ Kaufmann.
  □ Ist da nicht zweiunddreißig –
    sechsunddreißig – zwanzig?
○ Nein, hier ist zweiundvierzig –
  sechsundfünfzig – zwanzig.
  □ Oh, Entschuldigung.
    Auf Wiederhören.

**Spielen Sie den Dialog.**

○ ...

□ Wer ist da bitte?

○ ...

□ Ist da nicht ...?

○ Nein, hier ist ...

□ Oh, Entschuldigung.
Auf Wiederhören.

○ 1. Sager                 42 56 99
   2. Fotokopien Brigitte Lang  96 85 29
   3. Franz Fuchsgruber       93 61 73
   4. Horst Freund             96 82 25
   5. Taxi Stöhr               96 88 80

□ anrufen:
1. Heinz Meyer
2. Otto Kreuzer       32 66 99
3. Maria Müller       96 85 27
4. Lisa u. Karl Bode  96 62 73
5. Waltraud Lang    96 82 24
                    96 88 75

## e viele Wörter finden Sie?

Lösung von Seite 14:

Kleopatra (Ägypten), Napoleon (Frankreich), Albert Schweitzer (Deutschland), Richard Wagner (Deutschland), Heinrich Heine (Deutschland), Drakula (Transsylvanien), Marilyn Monroe (USA), Pablo Picasso (Spanien)

| K | O | M | M | E | N | M |
|---|---|---|---|---|---|---|
| G | U | T | E | N | F | O |
| A | N | D | H | E | R | R |
| U | A | R | E | I | A | G |
| C | M | E | I | N | U | E |
| H | E | I | S | S | E | N |

## as heißt das?

A E M N = Name
EGNTU ABDEN =
EGNTU EGMNOR =
AFRU =
ADEKN =
EEHISSN =
DEEEEHINRSW =

## Wieviel ist das?

1. vierzig + drei + acht = ?
2. sieben + zehn + vier = ?
3. sechzig – zwanzig = ?
3. achtzehn – zwölf + drei = ?
5. sechsunddreißig – fünfzehn = ?
6. vier + dreizehn + vierundzwanzig = ?
7. siebenundsiebzig – neununddreißig = ?

## as paßt nicht?

du – heißen – Sie – wie?
aus – kommen – Sie – woher?
ist – Meier – bin – mein – Name.
heiße – ich – komme – Meier.
, ich – komme – nicht – verstehe.

## oher kommen Sie?

3

1. Hören Sie den Dialog.

2. Beantworten Sie dann:

a) Wie heißt sie?

Peters | Salt | Fischer

b) Ist sie aus . . .?

Bristol | München | Deutschland

c) Wie heißt er?

Linda | Rolf | Peter

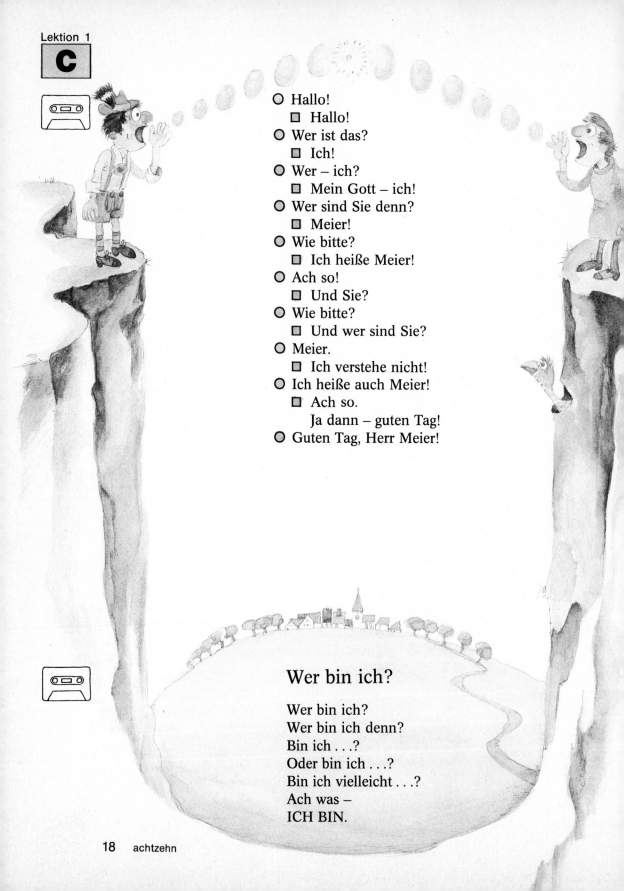

**C**

○ Hallo!
   ◻ Hallo!
○ Wer ist das?
   ◻ Ich!
○ Wer – ich?
   ◻ Mein Gott – ich!
○ Wer sind Sie denn?
   ◻ Meier!
○ Wie bitte?
   ◻ Ich heiße Meier!
○ Ach so!
   ◻ Und Sie?
○ Wie bitte?
   ◻ Und wer sind Sie?
○ Meier.
   ◻ Ich verstehe nicht!
○ Ich heiße auch Meier!
   ◻ Ach so.
     Ja dann – guten Tag!
○ Guten Tag, Herr Meier!

## Wer bin ich?

Wer bin ich?
Wer bin ich denn?
Bin ich . . .?
Oder bin ich . . .?
Bin ich vielleicht . . .?
Ach was –
ICH BIN.

Köln

Brehmweg

12

Lore und Bernd

... Programmierer

... Grafikerin

**Bäcker**  **Krankenschwester**  **Student**  **Mechaniker**  **Bauer**  **Ingenieur**

## 1. Was sind Sie von Beruf?

*Ich bin Lehrerin. Und was sind Sie von Beruf?*

*Ich bin Angestellter. Und Sie?*

*Ich bin ...*

**DIE BERUFE DER DEUTSCHEN**

Die häufigsten Berufe in 1000

| Männer | | Frauen |
|---|---|---|
| Kfz-Mechaniker 313 | 154 Friseuse | |
| Maschinist 321 | 165 Hauswirtschafterin | |
| Lehrer 358 | 174 Köchin | |
| Maurer 392 | 195 Groß-Einzelhandelskaufm. | |
| Lagerist 400 | 198 Buchhalterin | |
| Groß-Einzelhandelskaufm 402 | 203 Sprechstundenhelferin | |
| Ingenieur 405 | 216 Näherin | |
| Unternehmer u.ä. 427 | 220 Warenprüferin, Packerin | |
| Elektriker 434 | 289 Krankenschwester | |
| Landwirt, Bauer 596 | 336 Lehrerin | |
| Techniker 682 | 345 Sekretärin | |
| Kraftfahrer 686 | 497 Raumpflegerin | |
| Polizisten, Soldaten 689 | 703 Landwirtin, Bäuerin | |
| Büro-angestellter Schlosser 803 | 933 Verkäuferin | |
| 1 283 | | Bü-angeste |

## 2. Wie heißt er?

a) Wie heißt er/sie?  c) Was ist er/sie von Beruf?

b) Wie alt ist er/sie?  d) Wo wohnt er/sie?

...erner Borghardt, Hamburg, ...aufmann, 62 Jahre

Wynn Hopper, London, Bankangestellte, 23 Jahre
Heinrich Gruber, München, Kunsthändler, 34 Jahre

...oris Brecht, Berlin, ...erkäuferin, 38 Jahre

S. 196, 2

1 Klaus Henkel
Ingenieur

2 Jan van Groot
Programmierer

3 Anton Becker
Kaufmann

4 Rita Kurz
Sekretärin

Müller
& Co.

5 Jochen Pelz,
Werner Beil
Schlosser

6 Paul Schäfer
Mechaniker

7 Margot Schulz
Telefonistin

○ Guten Tag, ist hier noch frei?
　□ Ja, bitte.
○ Sind Sie hier neu?
　□ Ja, ich arbeite hier erst drei Tage.
○ Ach so, und was machen Sie?
　□ Ich bin Mechaniker.
　　Und Sie?
○ Ich bin Programmierer.
　Übrigens: Ich heiße Jan van Groot.
　□ . . .
○ . . . .

S. 196, 2

○ Ist hier frei?

□ Ja, bitte.
　(Natürlich, bitte.)

○ Sind Sie hier neu?

□ Ja, ich arbeite hier erst drei Tage.
　(Nein, ich arbeite hier schon vier Monate.)

○ Und was machen Sie?
　(Was sind Sie von Beruf?)

□ Mechaniker.
　Und Sie?

　(Ich bin Mechaniker.)
　Und Sie?

○ Ich bin Programmierer.
　Übrigens, ich heiße . . .

□ . . .

## B1 Leute, Leute . . .

1. Das ist Lore Sommer.
   Sie ist Deutsche und lebt in Hamburg.
   Sie ist verheiratet und hat zwei Kinder.
   Sie ist Grafikerin.

3. Levent Ergök und seine Kollegen.
   Er ist Automechaniker bei Mannesmann
   in Essen und seit drei Jahren
   in der Bundesrepublik.
   Frau und drei Kinder sind in der Türkei,
   denn Wohnen, Essen und Trinken
   sind teuer in Deutschland.

**Essen**

**Bundesrepublik
Deutschland**

5. Peter-Maria Glück, Schausteller, wohnt
   im Wohnwagen.
   Er ist heute in Stuttgart, morgen in Heidelberg
   und übermorgen in Mannheim.
   Er hat fünf Kinder.

**Mannheim**
**Heidelberg**

**Stuttga**

7. Barbara und Rolf Link wohnen in Muri bei Zürich.
   Sie arbeiten zusammen.
   Rolf Link ist Bauer, Barbara ist Bäuerin.

**Zürich**

**Schweiz**

### Ergänzen Sie.

| Name | Beruf | Wohnort | Familienstand | Kinder |
|---|---|---|---|---|
| Lore Sommer | Grafikerin | Hamburg | verheiratet | 2 |
| Levent Ergök | | | | |
| Barbara und Rolf Link | | | | |
| Peter-Maria Glück | | | | |
| Hildegard Reichel | | | | |

2. Das sind Monika Sager, Manfred Bode und Karla Reich.
   Sie wohnen zusammen in Berlin.
   Monika studiert Medizin,
   Manfred ist Lehrer und Karla Sekretärin.

Berlin

eutsche
emokratische
epublik

Dresden

4. Hildegard Reichel ist Ingenieurin in Dresden.
   Sie arbeitet in der Produktion und leitet eine
   Gruppe von zwanzig Männern und Frauen.
   Sie hat vier Kinder.

6. Das ist Klaus Henkel.
   Er ist Chemiker und arbeitet bei Siemens in Wien.
   Er ist ledig und wohnt allein.
   Er ist vierzig Jahre alt.

 Wien

Österreich

| Name | Beruf | Wohnort | Familienstand | Kinder |
|------|-------|---------|---------------|--------|
| Monika Sager | | | | |
| Manfred Bode | | | | |
| Karla Reich | | | | |
| Klaus Henkel | | | | |

**B2**

**1**

○ Hallo, Ibrahim.
　▣ Tag, Yasmin.
　　Sag mal, was machst du denn hier?
○ Ich lerne hier Deutsch.
　Ich möchte doch in Köln Chemie studieren.
　▣ Ach ja, richtig.
　　Das ist übrigens meine Lehrerin, Frau Guldner.
　　△ Guten Tag.
○ Ich heiße Yasmin Young.
　　△ Kommen Sie aus Japan?
○ Nein, aus Korea.
　　△ Sie sprechen aber gut Deutsch.
○ Na ja, es geht.

Sie → Bekannte
　　　und
　　　Fremde

du → Freunde
　　　Studenten
　　　Familie
　　　Kinder

○ Hallo, │ Ibrahim.
　Tag,　│ . . .

□ Tag,　　│ Yasmin.
　Hallo,　│ . . .

Was machst du denn hier?

○ Ich lerne hier Deutsch.
　Ich möchte doch │ in Köln Chemie studieren.
　　　　　　　　│ in . . .

□ Ach ja, richtig.
　Das ist übrigens │ meine Lehrerin, . . .
　　　　　　　　│ mein Lehrer, . . .
　　　　　　　　│ . . .

△ Guten Tag.
　(Tag.)

○ Ich │ heiße │ Yasmin Young.
　　　│ bin　│ . . .

△ Kommen Sie │ aus Japan?
　Sind Sie　　│ aus . . .

○ Nein, │ aus Korea.
　　　　│ aus . . .
　(Ja.)

△ Sie sprechen aber gut Deutsch.

○ Na ja, es geht.
　(Danke.)

S. 195, 1a, b
+ 196, 2

### 1. Was machst du denn hier?

○ Was │ machst du │ denn hier?
　　　│ machen Sie │

S. 195 +
S. 197, 3

☐ Ich lerne Spanisch.
○ Und warum?
☐ Ich möchte in Mexiko arbeiten.

| Spanisch | . . . . | . . . . | . . . . | . . . . | . . . . |
|---|---|---|---|---|---|
| Mexiko arbeiten | Frankreich studieren | Österreich studieren | London arbeiten | Kairo studieren | Lissabon wohnen |

### 2. Was machen Sie?

*Ich arbeite in Köln. Ich bin Sekretärin. Und Sie?*

*Ich studiere Chemie. Und was machen Sie?*

*Ich studiere ...*

### 3. Wo arbeiten Sie? Wo arbeitest du?

S. 197

○ Herr Glock, wo arbeiten Sie?
☐ In Köln.
○ Und wo wohnen Sie?
☐ Auch in Köln.
○ Was sind Sie von Beruf?
☐ Programmierer.

| Herr Glock | Heiner | Frau Thomas | Dagmar | Frau Bär |
|---|---|---|---|---|
| Köln | München | Wuppertal | Düsseldorf | Oldenburg |
| Köln | Glonn | Solingen | Neuss | Rastede |
| Programmierer | Packer | Kauffrau | Lehrerin | Sekretärin |

S. 197

○ Hast du Feuer?
   □ Nein, leider nicht.
○ Wartest du hier schon lange?
   □ Es geht. Zwei Stunden.
○ Ich komme aus Schweden.
   Und woher kommst du?
   □ Ich komme aus Bruck.
○ Wo liegt das denn?
   □ Bei Wien.
     Ich bin Österreicher.

---

○ Hast du Feuer?

□ Nein, leider nicht.
(Ja, hier.)

○ Wartest du hier schon lange?

□ Es geht. Zwei Stunden.
(Ja, schon sieben Stunden.)
(Nein, erst fünf Minuten.)

○
| Ich | komme | aus | Schweden |
|-----|-------|-----|----------|
| | bin | | England/Spanien |
| | | | Peru/Italien |
| | | | . . . |

Und woher kommst du?

□
| Ich | komme | aus | Bruck |
|-----|-------|-----|-------|
| | bin | | Toulon/Burgdorf |
| | | | Arenzano/Maniza |
| | | | . . . |

(Aus . . .)

○
| Wo | liegt | das denn? |
|----|-------|-----------|
| | ist | |

□
| Bei | Wien |
|-----|------|
| | Marseille/Bern |
| | Genua/Izmir |
| | . . . |

| Ich bin | Österreicher. |
|---------|---------------|
| | . . . |

|  |  | | |
|---|---|---|---|
| ‌talien | Italie<u>ner</u> | Italien<u>erin</u> | italien<u>isch</u> |
| JSA (Amerika) | Amerika<u>ner</u> | Amerika<u>nerin</u> | amerika<u>nisch</u> |
| .. | ... | ... | ... |
| ‌Jngarn | Ungar | Ungar<u>in</u> | ungar<u>isch</u> |
| .. | ... | ... | ... |
| ‌Frankreich | Franz<u>ose</u> | Franz<u>ösin</u> | franz<u>ösisch</u> |
| .. | ... | ... | ... |
| ‌Türkei | Türk<u>e</u> | Türk<u>in</u> | türk<u>isch</u> |
| ‌Griechenland | Griech<u>e</u> | Griech<u>in</u> | griech<u>isch</u> |
| .. | ... | ... | ... |
| ‌China | Chin<u>ese</u> | Chin<u>esin</u> | chin<u>esisch</u> |
| .. | ... | ... | ... |
| ‌Deutschland | Deutsch<u>er</u> | Deutsch<u>e</u> | deutsch |

## Studieren und arbeiten?

Amadu, der Student    . . . der Packer    . . . der Kellner

1. Hören Sie den Dialog.

2. Was ist hier richtig (r)? Was ist hier falsch (f)?

a) Amadu Maddi kommt aus Ghana.
b) Er ist Elektrotechniker von Beruf.
c) Er möchte in Ghana studieren.
d) Wohnen, Essen und Trinken sind teuer.
   Also arbeitet er in den Ferien.
e) Es gibt viel Arbeit in der Bundesrepublik Deutschland.

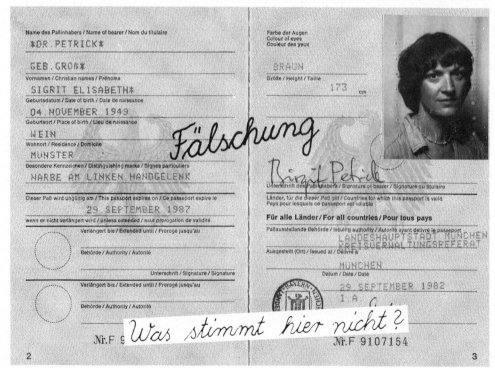

**Original**

| | |
|---|---|
| Name des Paßinhabers / Name of bearer / Nom du titulaire | Farbe der Augen / Colour of eyes / Couleur des yeux |
| *DR.PETRICK* | |
| GEB.GROß* | BRAUN |
| Vornamen / Christian names / Prénoms | Größe / Height / Taille |
| BIRGIT ELISABETH* | 173 cm |
| Geburtsdatum / Date of birth / Date de naissance | |
| 04.NOVEMBER 1942 | |
| Geburtsort / Place of birth / Lieu de naissance | |
| WIEN | |
| Wohnort / Residence / Domicile | |
| MÜNCHEN | |
| Besondere Kennzeichen / Distinguishing marks / Signes particuliers | |
| NARBE AM LINKEN HANDGELENK | Unterschrift des Paßinhabers / Signature of bearer / Signature du titulaire |

Dieser Paß wird ungültig am / This passport expires on / Ce passeport expire le
29 SEPTEMBER 1987
wenn er nicht verlängert wird / unless extended / sauf prorogation de validité

Länder, für die dieser Paß gilt / Countries for which this passport is valid
Pays pour lesquels ce passeport est valable

**Für alle Länder / For all countries / Pour tous pays**

Paßausstellende Behörde / Issuing authority / Autorité ayant délivré le passeport
LANDESHAUPTSTADT MÜNCHEN
KREISVERWALTUNGSREFERAT

Ausgestellt (Ort) / Issued at / Délivré à
MÜNCHEN
Datum / Date / Daté
29 SEPTEMBER 1982
I A

Nr.F 9107154   Nr.F 9107154

2   3

---

**Fälschung**

| | |
|---|---|
| Name des Paßinhabers / Name of bearer / Nom du titulaire | Farbe der Augen / Colour of eyes / Couleur des yeux |
| *DR.PETRICK* | |
| GEB.GROß* | BRAUN |
| Vornamen / Christian names / Prénoms | Größe / Height / Taille |
| SIGRIT ELISABETH* | 173 cm |
| Geburtsdatum / Date of birth / Date de naissance | |
| 04.NOVEMBER 1949 | |
| Geburtsort / Place of birth / Lieu de naissance | |
| WEIN | |
| Wohnort / Residence / Domicile | |
| MÜNSTER | |
| Besondere Kennzeichen / Distinguishing marks / Signes particuliers | |
| NARBE AM LINKEN HANDGELENK | Unterschrift des Paßinhabers / Signature of bearer / Signature du titulaire |

Dieser Paß wird ungültig am / This passport expires on / Ce passeport expire le
29 SEPTEMBER 1987
wenn er nicht verlängert wird / unless extended / sauf prorogation de validité

Länder, für die dieser Paß gilt / Countries for which this passport is valid
Pays pour lesquels ce passeport est valable

**Für alle Länder / For all countries / Pour tous pays**

Paßausstellende Behörde / Issuing authority / Autorité ayant délivré le passeport
LANDESHAUPTSTADT MÜNCHEN
KREISVERWALTUNGSREFERAT

Ausgestellt (Ort) / Issued at / Délivré à
MÜNCHEN
Datum / Date / Daté
29 SEPTEMBER 1982
I A

**Was stimmt hier nicht?**

Nr.F 9107154

2   3

# nterviewspiel

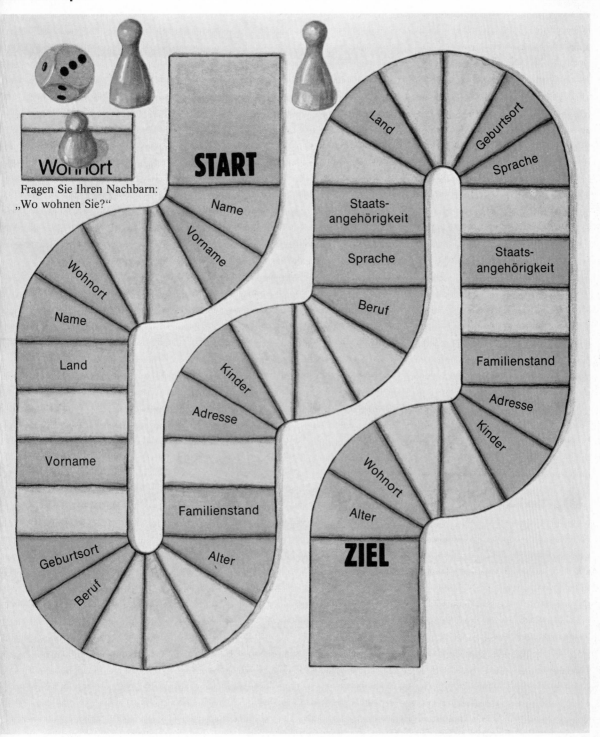

**Wohnort**

Fragen Sie Ihren Nachbarn:
„Wo wohnen Sie?"

START

Name
Vorname
Wohnort
Name
Land
Vorname
Geburtsort
Beruf
Kinder
Adresse
Familienstand
Alter

Land
Geburtsort
Sprache
Staats-
angehörigkeit
Sprache
Beruf
Staats-
angehörigkeit
Familienstand
Adresse
Kinder
Wohnort
Alter

ZIEL

## 1. Was wissen Sie von Nyerere?

Julius Nyerere

Björn Borg

Papst Johannes Paul II.

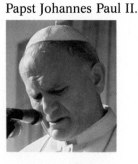

Berichten Sie über:
Geburtsort,
Staatsangehörigkeit
Beruf,
Wohnort,
. . .

Fidel Castro

Mutter Theresa

Simone de Beauvoir

Butiama/Tanganika   französisch   schwedisch   Havanna   Daressalam/Tansania   kubanisch

Tennisspieler   Paris   Wadowice   Politiker   Papst   Politiker   Paris   Vatikanstadt

polnisch   tansanisch   Kalkutta

Ordensschwester   Mayare/Ostkuba   Monaco   Schriftstellerin   Södertälje   Skopje/Jugoslawien

jugoslawisch

## 2. Wer ist das?

Personenraten: Antworten Sie nur „ja" oder „nein".

Ist sie | weiblich? / männlich?

Kommt | er / sie | aus...?

Ist | er / sie | ledig? / verheiratet?

................  Ist das...?

Ja.

Nein.

# Herr Weiß aus Schwarz

◗ Wie heißen Sie?
　□ Weiß.
◗ Vorname?
　□ Friedrich.
◗ Wohnhaft?
　□ Wie bitte?
◗ Wo wohnen Sie?
　□ In Schwarz.
◗ Geboren?
　□ Wie bitte?
◗ Wann sind Sie geboren?
　□ Am 5. 5. 55.
◗ Geburtsort?
　□ Wie bitte?
◗ Wo sind Sie geboren?
　□ In Weiß.
◗ Sind Sie verheiratet?
　□ Ja.
◗ Wie heißt Ihre Frau?
　□ Isolde, geborene Schwarz.
◗ Sie sind also Herr Weiß –
　wohnhaft in Schwarz –
　geboren in Weiß –
　verheiratet mit Isolde Weiß –
　geborene Schwarz?
　□ Richtig.
◗ Und was machen Sie?
　□ Wie bitte?
◗ Was sind Sie von Beruf?
　□ Ich bin Elektrotechniker.
　　Aber ich arbeite – schwarz.
◗ Das ist verboten.
　□ Ich weiß.

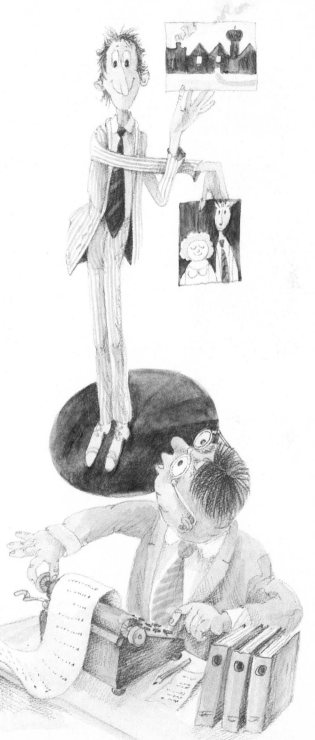

## Wer knoselt wo?

Herr Friedrich Krummnagel maselt aus Bingstedt,
knoselt in Grasdorf und heuzt in Fürchterlingen.
Frau Isolde Krummnagel maselt nicht aus Bingstedt –
sie maselt aus Fürchterlingen.
Aber sie knoselt auch in Grasdorf.
Isolde Krummnagel heuzt nicht.
Fräulein Gerti Krummnagel heuzt auch nicht –
sie schickert noch. Sie maselt aus Grasdorf.
Gerti silkte gern in Fürchterlingen schickern,
aber das ist leider nicht möglich.
Deshalb schickert sie in Bingstedt.

Verblummern Sie das? Ja?
Dann orzen Sie bitte!

*Knoselt, maselt, heuzt, schickert, silkte,*
*verblummern* und *orzen*
sind Phantasiewörter.
Wie heißen die Wörter richtig?

Bingstedt

Grasdorf          Fürchterlingen

## Der Nichtstuer

- ○ Was machen Sie denn da?
  - □ Nichts.
- ○ Nichts? Was heißt das, nichts?
  - □ Nichts, das heißt nichts.
- ○ Sie arbeiten also nicht?
  - □ Nein, ich arbeite nicht.
- ○ Sie studieren auch nicht?
  - □ Nein, ich studiere nicht.
- ○ Sie lernen also auch nichts?
  - □ Nein, ich lerne nichts.
- ○ Das verstehe ich nicht.
  - □ Das macht nichts.

25 m²
Kinderzimmer

Schlafzimmer
35 m²

Kinder-
zimmer
29 m²

Bad
14 m²

**Dachgeschoß**

**Einfamilienhaus**
5 Zimmer, 160 m²
Miete 1190,— DM + NK
Klug, Kiefernring 5, Lollar
Tel. 06403/5229

Eßzimmer
22 m²

Wohnzimmer
60 m²

Küche
18 m²

WC

**Erdgeschoß**

**Einfamilienhaus**

...immer-Wohnung 82 m²
...ernes Hochhaus,
...e 580,— DM + NK,
...rnring 18, Schulze
...403/2788 Lollar

**Hochhaus**

**Kiefernring**

**Reihenhäuser**

Schlaf-
zimmer
16 m²

Bad
4 m²

Küche
8 m²

Kinder-
zimmer
11 m²

Wohn-
zimmer
22 m²

Kinder-
zimmer
11 m²

**Wohnung (4. Stock)**

**B1**

1

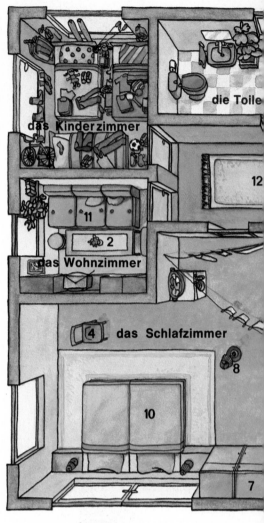

das Kinderzimmer

die Toile

das Wohnzimmer

11

2

12

das Schlafzimmer

4

8

10

7

Das ist Familie Komischmann:

Herr und Frau Komischmann
und drei Kinder.
Sie haben eine Wohnung in Seltsam.
Die Wohnung ist groß:
ein Wohnzimmer, ein Schlafzimmer,
ein Kinderzimmer,
ein Eßzimmer, eine Küche,
ein Bad und eine Toilette.
Das Schlafzimmer ist groß und hell.
Das Badezimmer ist auch sehr groß.

**Aber was ist hier komisch?**

Das Wohnzimmer ist klein und dunkel.
Das Eßzimmer . . .

ein Flur        – der Flur
eine Wohnung – die Wohnung
ein Bad        – das Bad

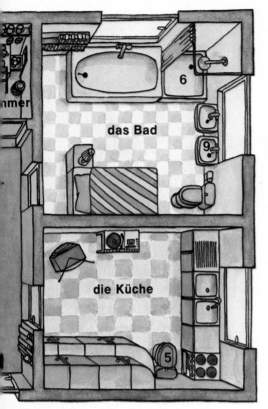

das Bad

die Küche

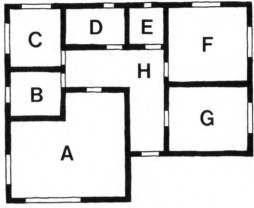

**Was meinen Sie? Wie ist es besser?**

Zimmer A ist kein Schlafzimmer,
sondern besser ein . . .
Zimmer B ist . . .

**Vie heißt das . . .?**

○ Nr. 4, wie heißt das auf deutsch?
  □ | Stuhl.
    | Das ist ein Stuhl.

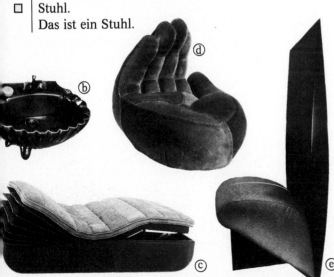

**Was ist denn . . .?**

○ Was ist denn ©?
  □ Ein Bett.
○ Das ist doch kein Bett.
  □ Doch.

S. 198, 1

**2** „der" oder „ein" – „die" oder „eine" – „das" oder „ein"?

| | | |
|---|---|---|
| das Dorf | der Platz | die Mühle |
| die Fabrik | das Bauernhaus | die Stadt |
| die Wassermühle | die Kirche | das Wohnhaus |

Das ist . . . Platz
in Rothenburg. Das
ist . . . Stadt in Süd-
deutschland. . . . Stadt ist
800 Jahre alt und hat
11 800 Einwohner.

Das ist . . . Bauernhaus
in Vechta. Vechta ist
. . . Stadt bei Oldenburg.
. . . Stadt hat
24 000 Einwohner.

Das ist . . . Kirche in Bayern
. . . Kirche heißt
„Wieskirche" und liegt bei
Füssen.

Das ist . . . Fabrik
in Rüsselsheim.
Hier arbeiten 8000 Leute.
. . . Fabrik produziert
Autos.

Das ist . . . Dorf im
Engadin. Das Engadin
liegt in der Schweiz.
. . . Dorf ist nicht sehr
groß, aber schon 500 Jahre
alt.

Das ist . . . Wassermühle
in Norddeutschland.
. . . Mühle ist jetzt . . . Wohnh
Es gibt ein Zimmer,
. . . Küche und . . . Bad.

### Wie finden Sie die Stühle?

Der Stuhl Nummer 1 ist praktisch. Der Stuhl Nummer 2 ist ...
... ... Nummer 3 ist ... ... ... Nummer 4 ist ...
... ... Nummer 5 ist ... ... ... Nummer 6 ist ...
... ... Nummer 7 ist ... ... ... Nummer 8 ist ...
... ... Nummer 7 ist schön. ... ... Nummer 4 ist häßlich.
... ... ... ... ... ... ...

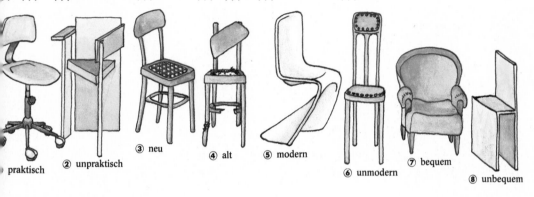

① praktisch ② unpraktisch ③ neu ④ alt ⑤ modern ⑥ unmodern ⑦ bequem ⑧ unbequem

### Und wie finden Sie die Lampen?

Ich finde, | Nummer 2 ist praktisch, aber häßlich.
... | ...

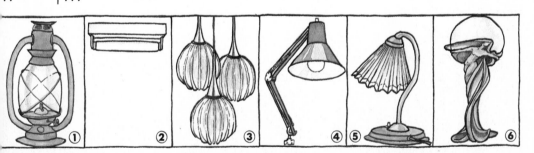

① ② ③ ④ ⑤ ⑥

○ Du, das Wohnzimmer ist phantastisch
  □ Findest du?
○ Ja, sehr gemütlich,
  und die Möbel sind sehr schön.
  Sind die neu?
  □ Nicht alle, nur der Schrank,
    die Couch und die Stühle.
○ Die Sessel und der Tisch nicht?
  □ Nein, die sind alt.
○ Und die Lampe, die ist toll.
  Die gefällt mir.
  □ Komm, und hier ist das Bad . . .

| | Das | Wohnzimmer | ist | phantastisch. |
|---|---|---|---|---|
| ○ | Der | . . . | | prima. |
| | Die | . . . | | schön. |
| | | | | nicht schlecht. |

□ Findest du?

| | Ja, | sehr | gemütlich. |
|---|---|---|---|
| | | schön | hell. |
| | | | groß. |
| | | | praktisch. |
| | | die Möbel sind schön. |

○ Sind die Möbel neu?

| | Nein, | nur | der Stuhl. |
|---|---|---|---|
| | Nicht alle, | | die . . . |
| | | | das . . . |

(Ja.)

| ( | Ist | der Sessel | neu? ) |
|---|---|---|---|
| | | die . . . | |
| | | das . . . | |

□

(Ja.)

| ( | Nein, aber | der Stuhl. ) |
|---|---|---|
| | | die . . . |
| | | das . . . |

| | Und | die Lampe, die | ist | toll. |
|---|---|---|---|---|
| | | der Sessel, der | | phantastisch. |
| ○ | | das Bett, das | | . . . |
| | Die | gefällt mir. | | |
| | Der | | | |
| | Das | | | |

| □ | Komm, und hier ist | das Bad. |
|---|---|---|
| | | . . . . . . |

# ZU VERMIETEN

## Wohnungen

**2-ZW,** 69 m² Wfl. in Frankfurt zu verm., Miete DM 430,–+NK. Mo.-Fr. 9-13 Uhr. Tel. 06198/9053 ①

**Heusenstamm, 2-ZW,** 70 m², Blk., Tiefgarage, Abstellplatz, DM 570,–+NK 170,– Tel. 06104/1251 ②

## Zimmer

**1-ZW. Westend,** 17,5 m², Kochni., Tel., DM 220,–+NK z.1.12. Tel. 748636, 10-12 und 18-20 Uhr

**Frankfurt, Dahlmannstr., neu möbliertes Zi.** m. Kü.-Ben., Bad/WC, an Herrn, DM 240,– / DM 39,– + 1 x Kt. Tel. 06194/32741 ②

## Häuser

**Urberach, 1-Fam.-Hs.,** 220 m² Wfl. mit all. Komf., 8 Zi., ca. 700 m² Garten, Terr., Garage DM 1.650,–/NK/Kt. Paul Immobilien, Rödermark, Tel. 06074/67395 ①

**Bad Homburg, exkl.** Reihenhaus. 150 m² Wfl., 6 Zi., Küche, 2 Bäder, sep. WC, Terrasse, Garage, DM 1.200.– Kaltmiete Immobilien TRON, Tel. 06081/7450

**1 Fam.-Hs., Hofheim, 135 m²,** Frankfurt ② 20 km, DM 1.200,–+NK u. Kt. Klopprogge Immobilien, Tel. 06192/8077

## Bungalows

**Bungalow,** 4 Zi., Küche, 2 Bäder, wertvoll exkl. möbliert, 170 m² Wfl., sof., DM 4.000,–, Zuschriften unter FR 300 604 ①

**Bungalow in Nidda,** sehr exkl. mit gr. Schwimmhalle usw. DM 5.000,– **Bartel+Kleinath GmbH + Co. KG.** Immobilien 590522/590864

**Glashütten/Ts.,** 1 Fam.-Bungalow ② von Priv. zu verm., 4 Zi., Diele, Küche, Bad, 2 WC, 120 m² Wfl., Tel. 63784

**Frankfurt, 3 Zi., 96 m²** Wfl., Du., WC, ca. 50 m² Terr., Garten, Garage, DM 1.500,– + KT./NK. Tel. 0611/316317

Zi = Zimmer

Wfl. = Wohnfläche

1 Fam.-Hs. = Einfamilienhaus

2-ZW = 2-Zimmer-Wohnung

NK = Nebenkosten

Kt. = Kaution

|  | Wo? | Wieviel Zimmer? | Wie groß? | Wie teuer? |
|---|---|---|---|---|
| Wohnung 1 | Frankfurt | 2 | 69 m² | 430,– DM |
| Wohnung 2 |  |  |  |  |
| Haus 1 |  |  |  |  |
| Haus 2 |  |  |  |  |
| Bungalow 1 | – | 4, 1 Küche, 2 Bäder | 170 m² | 4000,– DM |
| Bungalow 2 |  |  |  |  |
| Zimmer 1 |  |  |  |  |
| Zimmer 2 |  |  |  |  |

**Beschreiben Sie:**

Die Wohnung 1 liegt in Frankfurt/Main und hat 2 Zimmer.
Sie ist 69 m² (Quadratmeter) groß und kostet 430,– DM (Mark).

Die Wohnung . . . liegt in . . . und hat . . .
Das Haus . . .
Der Bungalow . . .
Das Zimmer . . .

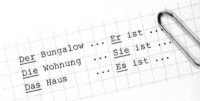

Der Bungalow . . . Er ist . . .
Die Wohnung . . . Sie ist . . .
Das Haus . . . Es ist . . .

S. 198, 2

# B3

## Wohnen in der Bundesrepublik Deutschland

| Land | Währung | Ankauf 7.9.82 | Verkauf 7.9.82 |
|------|---------|------|------|
| Australien | 1 A $ | 2,250 | 2,500 |
| Belgien | 100 bfrs | 4,800 | 5,050 |
| Dänemark | 100 dkr | 27,250 | 29,250 |
| England | 1 £ stg | 4,230 | 4,380 |
| Irland | 1 £ | 3,350 | 3,550 |
| Finnland | 100 Fmk | 50,750 | 52,750 |
| Frankreich | 100 FF | 34,500 | 36,500 |
| Griechenland | 100 Dr | 3,000 | 4,000 |
| Japan | 100 Yen | 0,900 | 0,930 |
| Italien | 1000 Lit | 1,740 | 1,840 |
| Jugoslawien | 100 Din | 3,600 | 4,600 |
| Kanada | 1 can $ | 1,950 | 2,050 |
| Luxemburg | 100 lfr | 4,800 | 5,050 |
| Niederlande | 100 hfl | 90,000 | 92,000 |
| Norwegen | 100 nkr | 35,000 | 37,000 |
| Österreich | 100 ÖS | 14,130 | 14,360 |
| Portugal | 100 Esc | 1,500 | 3,000 |
| Schweden | 100 skr | 39,000 | 41,000 |
| Schweiz | 100 sfrs | 116,250 | 119,250 |
| Spanien | Ptas | 2,130 | 2,280 |
| Türkei | 100 T £ | 1,100 | 2,000 |
| U.S.A. | 1 US $ | 2,430 | 2,530 |
| Goldmünzen | | | |

+ zuzüglich derz. MWST

### RDM Preisspiegel
### für Wohnungsmieten
(Stand Frühjahr 1982)

#### A. Großstädte über 500 000 Einwohne

| | Altbau DM/m² | Neubau DM/m |
|--|------|------|
| Berlin | 3 | 12–14 |
| Hamburg | 8 | 13 |
| München | 8 | 12 |
| Köln | 5 | 7–9 |
| Bremen | 5–6 | 8,5–9 |
| Hannover | 5–6,5 | 8–10 |
| Nürnberg | 4,5 | 8 |
| Essen | 6 | 8,5 |

#### B. Großstädte unter 500 000 Einwohne

| | Altbau DM/m² | Neubau DM/m |
|--|------|------|
| Kassel | 4,5–5,5 | 6–6,5 |
| Flensburg | 6,5 | 8 |
| Würzburg | 3,5 | 6,5–7 |
| Bonn | 7 | 9–12 |
| Oldenburg | 4,5 | 7 |
| Lübeck | 6–7 | 9 |
| Friedrichshaf. | 3,5 | 6 |
| Freiburg | 5,2 | 6,3 |

RDM = Ring deutscher Makle

1. Wo ist Wohnen teuer/billig?
2. Wieviel kostet eine Altbauwohnung mit 80 m² in München, Würzburg, Essen, . . .?
3. Wieviel kostet eine Neubauwohnung mit 80 m² in München, . . .?
4. Wieviel ist das in £, US $, . . .?

---

### Zahlen 100 – 1 000 000

| | | | |
|--|--|--|--|
| 100: (ein)hundert | 400: . . . | 1000: (ein)tausend | 10 000: zehntausend |
| 200: zweihundert | 500: . . . | 2000: . . . | 100 000: hunderttausend |
| 300: dreihundert | 600: . . . | 3000: . . . | 1 000 000: eine Million |
| 321: dreihundert-einundzwanzig | 685: sechshundert-fünfundachtzig | 3277: . . .  4000 | 2 000 000: zwei Millionen  2 536 842: . . . |
| | 700: . . . | | |
| | 800: . . . | | |
| | 900: . . . | | |
| | 933: . . . | | |

**2 Zi-Whg.**, Bad, ruh. Lage
Tel.: 968583, 16-18 Uhr

O Koch. Guten Tag.
   Die Wohnung in der Zeitung, ist die noch frei?

☐ Ja.
Prima, wie groß ist die Wohnung denn?
☐ 62 Quadratmeter.
Aha. Und was kostet sie?
☐ 480,– Mark.
Und wo liegt die Wohnung?
☐ In Altona, Bachstraße 5.
Gut.
Ich möchte sofort kommen.
Geht das?
☐ Ja. Aber drei Leute sind schon hier.

☐ Nein. Sie ist leider schon weg.
O Oh schade.
   Vielen Dank.
   Auf Wiederhören.

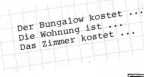

Der Bungalow kostet … Der/Er ist …
Die Wohnung ist … Die/Sie ist …
Das Zimmer kostet … Das/Es ist …

| | | | | | |
|---|---|---|---|---|---|
| Die Wohnung | in der Zeitung, ist | die | noch frei? | | ☐ Ja. |
| Das Haus | | das | | | |
| Der Bungalow | | der | | | |

| | | |
|---|---|---|
| Wie groß ist | die Wohnung? | ☐ 62 Quadratmeter. |
| Wieviel Quadratmeter hat | … | … |

| | | |
|---|---|---|
| Was kostet | sie? | ☐ 480,– Mark. |
| Wie teuer ist | es? | … |
| | er? | |

| | |
|---|---|
| Wo liegt die Wohnung? | In Altona, Bachstraße 5. |
| (Wie ist die Adresse?) | ☐ (Altona, Bachstraße 5.) |

S. 199, 4

> Wir suchen ein neues Haus.
> Wir haben eins in Bruchköbel.
> Es liegt sehr schön. Es hat
> fünf Zimmer: das sind 98 Quadratmete
> Aber es kostet 1200,– DM.
> Das ist sehr teuer,
> ich verdiene nur 2900,– DM im Mona
> Ich arbeite in Frankfurt,
> das ist 20 Kilometer von Bruchköbel
> Die Verkehrsverbindungen
> – Bus, Bahn und auch Auto –
> sind sehr schlecht.
> Und dann gibt es hier nur
> wenige Geschäfte.

5 Personen (3 Kinder)
2900,– DM pro Monat.
Herr Werner ist Automechaniker,
Frau Werner ist Hausfrau.

Was ist für Herrn Werner

| positiv (+) | negativ (−)? |
|-------------|--------------|
| liegt sehr schön | ... |
| ... | ... |

> Wir wohnen in Frankfurt,
> in Sachsenhausen.
> Die Wohnung ist schön
> und nicht zu teuer.
> Sie ist aber sehr klein,
> nur drei Zimmer.
> Hier ist zwar alles nicht weit,
> Schule, Geschäfte, Kinos und so weiter.
> Aber die Wohnung ist leider sehr laut,
> sie liegt direkt
> im Stadtzentrum.

Was ist für Frau Krause

| positiv (+) | negativ (−)? |
|-------------|--------------|
| nicht teuer | ... |
| ... | ... |

3 Personen (1 Kind)
4300,– DM pro Monat.
Herr und Frau Krause arbeiten beid
Sie ist Lehrerin, er ist Ingenieur.

Suchen Sie eine neue Wohnung oder ein Haus für Familie Werner und Familie Krause.
Lesen Sie die Anzeigen auf S. 39.

**ohnungssuche**

Hören Sie Dialog 1, und ergänzen Sie dann den Text.

Herr Andoljsek möchte . . . mieten.
Frau Pohl hat ein . . . frei.
Es kostet . . . DM.
Herr Andoljsek ist . . . von Beruf.
Er kommt aus . . .

Er bekommt das Zimmer nicht.
Warum nicht? . . .

Hören Sie Dialog 2, und beantworten Sie dann:
Was ist richtig? (r) / Was ist falsch? (f) / Ich weiß nicht. (?)

a) Das Zimmer ist schon weg.
b) Die Möbel sind alle neu.
c) Das Zimmer hat keine Dusche.
d) Das Haus liegt ruhig.
e) Das Zimmer ist sehr billig.
f) Das Zimmer ist schön groß und hell.
g) Das Zimmer kostet 260,– DM mit Nebenkosten.

Hören Sie Dialog 3, und beantworten Sie dann die Fragen:

a) Ist das Zimmer noch frei?
b) Wie groß ist das Zimmer?
c) Wieviel kostet es?
d) Ist das Haus neu?
e) Wie ist das Zimmer?
f) Wie heißt die Adresse?

# Wohnen – alternativ

*Herr Peißenberg (○) zeigt seinen Gästen ( □ und △ ) die neue Wohnung.*

○ Hier ist die Küche, da schlafen wir.
   □ Ach, Sie schlafen in der Küche?
     △ Wie interessant!
○ Ja, wir schlafen immer in der Küche.
   □ Und wo kochen Sie?
○ Kochen?
  Wir kochen natürlich
  im Schlafzimmer.
     △ Was? – Sie kochen wirklich
       im Schlafzimmer?
○ Ja, natürlich.
   □ Sehr interessant!

     △ Und das hier, das ist wohl das Bad?
○ Ja, da wohnen wir.
   □ Wie bitte? – Sie wohnen im Bad?
○ Ja. Wir finden das sehr gemütlich.
   □ Gemütlich, na ja.
    Ich weiß nicht.
     △ Aber es ist sehr originell.

○ Und hier das Wohnzimmer, da baden wir!
   □ Was? Sie baden wirklich im Wohnzimmer?
○ Ja, das ist so schön groß.
  Wissen Sie, wir leben nun mal alternativ.
     △ Das stimmt.
○ Wir möchten jetzt essen.
  Sie essen doch mit?
   □ Essen? Wo denn? O Gott, nein!
    Ich habe leider keine Zeit.
     △ Ich leider auch nicht.
      Auf Wiedersehen, und vielen Dank!

Essen und Trinken

das Obst

der Käse

die Wurst

die Kartoffeln

der Salat

die Milch

das Gemüse

der Reis

der Fisch

das Bier

der Wein

das Glas

das Wasser

die Butter

das Fleisch

das Ei

der Löffel

das Brot

der Kuchen

die Gabel

der Teller

das Messer

## B1

KARL MEINEN (Angestellter)          ANNA ZIRBEL (Rentnerin)

| | | | |
|---|---|---|---|
| Frühstück  | *zu Hause:* 1 Brötchen mit Marmelade und Butter, Kaffee | | *zu Hau* 2 Butte mit Käs Kaffee |
| Mittagessen | *in der Kantine:* 3 Käsebrote, 1 Cola | | *zu Hau* Rindflei suppe |
| Kaffee  | *im Büro:* Kaffee | *im Café:* Tee und Kuchen | |
| Abendessen  | *zu Hause:* Kotelett, Kartoffeln und Gemüse, 1 Flasche Bier | *zu Hause:* 2 Wurstbrote, Milch | |

👉 **1. Was ißt Herr Meinen? Was ißt Frau Zirbel? Was ißt Herr Kunze?**

S. 199, 1    a) Zum Frühstück ißt Herr Meinen ein Brötchen mit Butter und Marmelade.
Er trinkt Kaffee.
Zum Mittagessen ißt er drei Käsebrote und trinkt eine Cola.
Später trinkt Herr Meinen einen Kaffee.
Zum Abendessen ißt er ein Kotelett, Kartoffeln und Gemüse und trinkt eine Flasche Bier.

```
Nom.                        Akk.
ein  (der) Salat                 einen Salat.
eine (die) Suppe     Er ißt eine Suppe.
ein  (das) Brot                  ein   Brot.
```

b) Zum Frühstück ißt Frau Zirbel ... Sie trinkt ...
Zum Mittagessen ißt sie ... Sie trinkt ...
Später ...
Zum Abendessen ißt sie ...

c) Zum Frühstück ißt Herr Kunze ... Zum Mittagessen ißt er ...

👉 **2. Und was essen Sie?**

S. 200, 2 +
201, 4
Zum Frühstück esse ich ... Ich trinke ...

ERNHARD KUNZE (Student)

*u Hause:*
ichts

*der Universität:* Salat

*im Schnell-
imbiß:*
Kaffee,
1 Brötchen

*zu Hause:*
rot mit Wurst und Käse,
1ineralwasser

das Brötchen      die Butter

die Marmelade

das Käsebrot     die Suppe

das Kotelett     der Salat

**Essen Sie Kotelett?**

| Essen | Sie (gerne) | Kotelett? |
| Trinken | | . . . |

■ — Ja, sehr gern.

— Nein, | das | ist zu | fett. Ich | esse | lieber | Hähnchen.
| . . . | | . . . | trinke | | . . .

| otelett | Wein | Kuchen | Gulaschsuppe | Campari |
| ett | sauer | süß | scharf | bitter |
| ähnchen | Bier | Obst | Rindfleischsuppe | Sherry |

**Ißt man bei Ihnen viel . . . ?**

| Ißt | man bei Ihnen viel | Kartoffeln? |
| Trinkt | | Milch? |
| | | . . . |

— Ja.

— Nein, aber man | ißt | viel . . .
| | trinkt |

**Die Küche in der Bundesrepublik**

| | Vor 30 Jahren | Verbrauch an Nahrungsmitteln je Einwohner in kg | Heute |
|---|---|---|---|
| Kartoffeln | 186 | | 81 |
| Trinkmilch | 104 | | 84 |
| Brot | 97 | | 63 |
| Obst, Südfrüchte | 51 | | 116 |
| Gemüse | 50 | | 64 |
| Fleisch | 37 | | 91 |
| Zucker | 29 | | 36 |
| Fett | 21 | | 26 |
| Eier | 8 | | 17 |
| Käse | 5 | | 14 |

## Kalte Vorspeisen

| | |
|---|---|
| Matjesfilet »Nordisch« mit Speckkartoffeln | 7,75 |
| Käseteller mit Butter und Radieschen | 9,50 |
| Roher Schinken, Bauernbrot und Butter | 7,50 |
| Schinkenplatte gekocht | 10,50 |

## Warme Vorspeisen

| | |
|---|---|
| Gemüsesuppe | 3,– |
| Bayerische Leberknödelsuppe | 4,– |
| Französische Zwiebelsuppe | 4,50 |
| Rindfleischsuppe | 3,50 |

## Hauptgerichte

### Vom Rind

| | |
|---|---|
| Rheinischer Sauerbraten mit Kartoffeln und Rotkohl | 11,– |
| Mexikanisches Rindersteak, mit grüner Pfefferrahmsauce, pommes frites u. gem. Salat | 14,– |
| Kalbsrahmbraten mit Spätzle und Salatteller | 14,50 |
| Kalbsgeschnetzeltes »Züricher Art« mit frischen Champignons, Sahne, Eierspätzle | 16,75 |

### Vom Schwein

| | |
|---|---|
| Bayerische Schweinshaxe mit Kartoffelkloß und Speckkrautsalat | 12,– |
| Niederbayerischer Schweinebraten mit Kartoffelknödel und Salat | 13,50 |

### Fisch

| | |
|---|---|
| Forelle Müllerin mit Kräuterbutter, Salzkartoffeln und Salatteller | 11,– |
| Ganze Nordseescholle »Finkenwerder Art« mit Speck und Zwiebeln, Kräuterkartoffeln | 16,50 |

## Salate

| | |
|---|---|
| Kleiner bunter Salatteller | 3,50 |
| Großer Salatteller mit gekochtem Schinken und Ei | 9,– |

## Dessert

| | |
|---|---|
| Vanilleeis mit heißen Himbeeren, Schlagsahne | 5,– |
| Gemischter Eisbecher | 3,– |
| Schokoladenpudding mit Vanillesauce | 3,20 |

## Getränke

| | |
|---|---|
| Coca-Cola, Fanta 0,3 l | 1,50 |
| Apfelsaft | 1,50 |
| Mineralwasser | 1,50 |
| Exportbier 0,5 l | 2,80 |
| Frankenwein 0,2 l | 4,80 |

1. Welche Wörter kennen Sie?

2. Welche Gerichte kennen Sie?

3. Was gibt es auch in Ihrem Land? Was gibt es bei Ihnen nicht?

4. Was möchten Sie essen?

   *Vorspeise:* Gemüsesuppe, . . .
   *Hauptgericht:* Rindersteak, . . .
   *Nachtisch:* Vanilleeis, . . .
   *Getränk:* . . .

   Und was möchten Sie trinken?

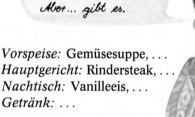

*Kalbsrahmbraten gibt es nicht. Aber . . . gibt es.*

5. Ordnen Sie zu:

| Schweinefleisch | Rindfleisch | Kalbfleisch | Fisch |
|---|---|---|---|
| Schweinefilets | . . . | . . . | . . . |
| . . . | . . . | . . . | . . . |

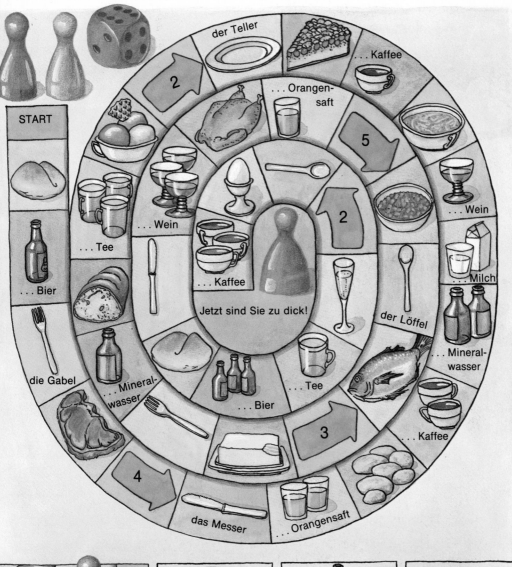

START

... Bier

... Tee

... Wein

... Kaffee

Jetzt sind Sie zu dick!

der Teller

... Orangensaft

... Kaffee

... Wein

... Milch

der Löffel

... Mineralwasser

... Kaffee

die Gabel

... Mineralwasser

... Bier

... Tee

3

das Messer

... Orangensaft

2

5

2

4

...ie sind hier. Sagen Sie:
„Das ist ein Brötchen."

ein Glas Wein –
3 Gläser Wein

eine Flasche Bier –
2 Flaschen Bier

eine Tasse Kaffee –
2 Tassen Kaffee

S. 201, 3

## B2

○ Wir möchten gern bestellen.
　□ Bitte, was bekommen Sie?
○ Ich nehme eine Gemüsesuppe
　und einen Salatteller.
　□ Und was trinken Sie?
○ Ein Glas Weißwein.
　□ Und Sie?
　　△ Ein Steak bitte.
　　Aber keine Pommes frites,
　　lieber Reis. Geht das?
　□ Ja, natürlich!
　Und was möchten Sie trinken
　　△ Einen Apfelsaft.

*Und ich?*

| Nom. | Akk. |
|------|------|
| ein | – ich nehme einen Salatteller. |
| eine | – ich nehme eine Suppe. |
| ein | – ich nehme ein Hähnchen. |

| ○ | Wir möchten | gern | bestellen. | | □ | Bitte, was bekommen Sie? |
| | Ich möchte | | | | | (Bitte schön?) |

| ○ | Ich | nehme | eine Gemüsesuppe. | | □ | Und was trinken Sie? |
| | | möchte | ... | | | (Und was möchten Sie trinken?) |
| | Ich | nehme | ein Bier. | | | Und was essen Sie? |
| | | möchte | ... | | | (Und was möchten Sie essen?) |

| ○ | Ich | möchte | ein Glas | Rotwein. |
| | | nehme | eine Tasse | ... |
| | Ich | möchte | ein Kotelett. | |
| | | nehme | ... | |

Und Sie?
□ (Und was | möchten | Sie?)
　　　　　 | bekommen |

| | Ein | Steak bitte. |
| | ... | ... |
| △ | Aber keine | Pommes frites, lieber | Reis. |
| | | ... | ... |
| | Geht das? | |

Ja, natürlich.
□ (Natürlich.)
(Nein, leider nicht.)

S. 200

◐ Wir möchten bezahlen.
   ▢ Zusammen oder getrennt?

◐ Getrennt bitte.
   ▢ Und was bezahlen Sie?
◐ Die Forelle und den Wein.
   ▢ Das macht 19,50 DM.
     △ Und ich bezahle das Schinkenbrot
      und den Apfelsaft.
   ▢ Das macht 9,30 DM.

○ Zusammen.
   ▢ Das macht 28,80 DM.

```
                              Akk.
Ich bezahle   den Apfelsaft.
              die Roulade.
              das Käsebrot.
```

**. Herr Ober, ich bekomme . . .**

◐ Herr Ober,
ich bekomme kein Käsebrot,
sondern ein Kotelett.
   ▢ Oh, entschuldigen Sie.

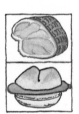

S. 200, 2b

**2. Herr Ober . . .!**

◐ Herr Ober, das Fleisch ist kalt!
   ▢ Oh, entschuldigen Sie.

| Fleisch | Brot | Schweinebraten | Milch | Kuchen | Ei | . . . |
|---------|------|----------------|-------|--------|-----|-------|
| kalt | alt | zu fett | sauer | nicht frisch | kalt | . . . |

**3. Was bezahlen Sie?**

○ Ich bezahle . . .

# ADDI – Preisinformationen

*sind zuverlässige Wegweiser für den günstigen Einkauf.*

**MILFINA H-Schlagsahne**
**30 % Fettgehalt**
    0,2-l-Tetrabrik-Pack. **-,95**
**Hochland Schmelzkäse-**
**Scheibli** Holländer, Chester,
Emmentaler
45 % Fett i. Tr. je 200-g-Pack. **1,79**
**MILFINA Erntebecher**
fettarmer Joghurt mit versch.
Früchten    250-g-Becher **-,69**
**BELLASAN Sonnenblumen-**
**Margarine**   500-g-Becher **1,39**
**MILFINA H-Vollmilch**
**3,5 % Fettgehalt**
    1-l-Tetrabrik-Pack. **-,95**
**Maiskeimöl** 0,5-Liter-Flasche **1,59**
**Knäckebrot** 250-g-Packung **-,69**

**Papier-Taschentücher**
6 x 10 Stück   Packung **-,79**
**Deutscher Sekt**
**SCHLOSS AUERBACH**
trocken   0,75-l-Flasche **5,29**
**Französischer Land-Rotwein**
Le Rouge   1-l-Flasche **2,79**
**KARLSKRONE Edel-Pils**
    0,33-l-Dose **-,49**
**Pepsi-Cola** 0,33-Liter-Dose **-,42**
**Orangensaft**
   1-l-Tetrabrik-Packung **-,99**
**ALBRECHT KAFFEE extra**
besonders aromareich, gemahlen
   500-g-Vacuum-Pack. **8,49**
**TANDIL Vollwaschmittel**
   3-kg-Tragepackung **5,98**

**Langkorn-Spitzenreis**
2 Kochbeutel à 125-g-Pack. **-,59**
**Nudeln** versch. Sorten
   je 500-g-Paket **-,79**
**Zucker**   1000-g-Packung **1,69**
**Weizenmehl** Type 405
   1000-g-Packung **-,89**
**Serbische Bohnensuppe**
   850-ml-Dose **1,79**
**Geschälte ganze Tomaten**
   425-ml-Dose **-,49**
**Champignons I. Wahl**
   425-ml-Dose **1,99**
**Thunfisch** in Dressingsauce mit
Gemüsebeilage 210-ml-Dose **1,19**
**VITA-Marmelade**
Aprikose   je 450-g-Glas **1,39**

## Was brauchen wir noch?

- Was brauchen wir noch?
  - ☐ Milch.
- Und wieviel?
  - ☐ Zwei Packungen.

2× Milch
1× Vita Marmelade
4× Joghurt
2× Orangensaft
8× Bier
3× Champignons
1× Reis

```
   -- A D D I --
      05-07-83
2 ...        1,90
1 ...        1,39
4 ...        2,76
2 ...        1,98
8 ...        3,92
3 ...        5,97
1 ...        0,59
         * 18,51 TL
```

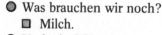

2 Packungen Milch
1 Glas Marmelade
4 Becher Joghurt
2 l Orangensaft
?
?
?

```
   -- A D D I --
      10-09-83
2 ...        2.78
2 ...        3.18
3 ...        2.85
4 ...        7.16
1 ...        5.29
5 ...        3.45
2 ...        1.38
         * 25.89 TL
```

```
   -- A D D I --
      04-05-83
2 ...        3.58
3 ...        4.17
4 ...        1.68
1 ...        1.19
5 ...        3.95
3 ...        1.47
1 ...        5.98
2 ...        1.18
         * 23.20 TL
```

S. 199, 1   Das haben die beiden gekauft.          Und was hat Frau Berger, Herr Müller gekauft?

## 1. Schmeckt der Fisch?

○ Schmeckt | der Fisch?
        | . . .

■ Danke, | er | ist | phantastisch.
  Ja, | . . | schmeckt | sehr gut.
                 | gut.

## 2. Nehmen Sie doch noch etwas!

○ Nehmen Sie | doch noch etwas Fisch!
  Nimm | . . .
     Danke, gern.

■ Nein danke, | ich habe noch genug.
    Danke, | ich bin satt.
          | ich möchte nicht mehr.

S. 201, 5

## 3. Was ist das?

○ Das schmeckt | sehr gut.
            | phantastisch.
            | prima.

Was ist das?
■ Das ist Zwiebelhähnchen.
  Das ist Hähnchen mit Zwiebeln.

*Ich esse lieber Krötensuppe.*

| Zwiebel-hähnchen | Strammer Max | Rouladen | Pfannkuchen | Gulasch |
|---|---|---|---|---|
| Hähnchen mit Zwiebeln | Brot mit Schinken und Ei | Rindfleisch mit Schinken, Gurke und Zwiebeln | Eier, Mehl und Milch | Rind- und Schweinefleisch mit Zwiebeln |

**B3** **Einladung zum Essen**

1. Hören Sie den Dialog.

2. Beurteilen Sie die folgenden Sätze:
   richtig (r) / falsch (f) / ich weiß nicht (?)

a) Die drei Freunde essen keine Vorspeise.
b) Sie trinken Bier.
c) Sie essen Salat als Vorspeise.
d) Sie trinken Wein.
e) Sie essen Kartoffeln.
f) Sie essen Schweinefleisch.
g) Sie trinken Kaffee zum Nachtisch.
h) Sie essen Obst als Nachtisch.
i) Sie essen Suppe.
j) Sie essen Hähnchen.

robieren geht über studieren

# Zwiebelhähnchen

*(für 4 Personen)*

\* \* \* \* \* \* \* \* \* \* \* \* \* \* \* \* \* \* \* \* \* \* \* \*

**Das brauchen Sie:**   2 Hähnchen        Basilikum
                        (ca. 1½ Kilo),    3 Löffel Öl       125 g Mandeln
                        Salz, Pfeffer,    ½ Liter Fleischbrühe   Petersilie
                        Curry, Thymian,   1½ Pfund Zwiebeln (rot)   1 Tasse Reis

\* \* \* \* \* \* \* \* \* \* \* \* \* \* \* \* \* \* \* \* \* \* \* \* \* \* \* \*

**So kochen Sie:**

Die Hähnchen
in Stücke
schneiden.

Zwiebeln
schälen, klein
schneiden und
zu den
Hähnchen
geben, nochmal
10 Minuten
kochen.

Mit Salz,
Pfeffer, Curry,
Thymian und
Basilikum
würzen.

Mandeln in
kleine Stücke
schneiden.
Das Essen
mit Petersilie
bestreuen.

In Öl braten.
Fleischbrühe
dazugeben und
20 Minuten
kochen.

Reis
20 Minuten
in Salzwasser
kochen.
Reis und
Hähnchen
servieren.

# Ein schwieriger Gast

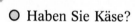

○ Haben Sie Käse?
  ☐ Ja.
○ Dann bitte ein Glas Käse.
  ☐ Ein Glas Käse?
○ Ja.
  ☐ Sie meinen: ein Stück Käse?
○ Nein, ich meine ein Glas Käse.
  ☐ Entschuldigung, ein Glas Käse haben wir nicht.
○ Was haben Sie denn?
  ☐ Kartoffelsalat, Würstchen, Kotelett, Schinken . . .
○ Gut, dann bitte ein Stück Kartoffelsalat.
  ☐ Ein Stück Kartoffelsalat?
○ Ja.
  ☐ Sie meinen: einen Teller Kartoffelsalat?
○ Nein, ich meine ein Stück Kartoffelsalat.
  ☐ Tut mir leid, ein Stück Kartoffelsalat haben wir nicht.
○ Dann nicht. – Haben Sie was zu trinken?
  ☐ Bier, Limonade, Wein, Sekt . . .
○ Gut. Dann bitte einen Teller Bier.
  ☐ Einen Teller Bier?
○ Ja.
  ☐ Sie meinen: ein Glas Bier?
○ Nein, ich meine einen Teller Bier.
  ☐ Verzeihung, einen Teller Bier haben wir nicht.
○ Was haben Sie denn überhaupt?
  ☐ Nun, wir haben zum Beispiel Käse, Omelett . . .
○ Gut, dann bitte ein Glas Käse . . .
  ☐ . . .

## 1. Wo ist was?

| | |
|---|---|
| Deck 3, 5: | ein Schwimmbad, eine Bar |
| Deck 7: | ein Restaurant |
| Deck 6: | ein Café |
| Deck 4, 10: | ein Sport- und Fitnesszentrum |
| Deck 6–9: | Kabinen |
| Deck 6: | eine Bibliothek, ein Friseur, ein Geschäft |
| Deck 7: | eine Bank |
| Deck 8: | eine Küche |
| Deck 9: | eine Metzgerei |
| Deck 10: | ein Krankenhaus, ein Kino |
| Deck 11: | die Maschine |

## 2. Was machen die Leute?

Auf Deck 5: Sie | trinken ...
machen Musik.
treffen Leute.
flirten.
hören Musik.
spielen.
sprechen zusammen.
gehen spazieren.
bedienen Leute.
...

## 3. Wo schwimmt jemand?

Wo | flirtet | jemand?          Auf Deck ...
schläft
arbeitet
bedient
ißt
trinkt
kocht
liest
tanzt
...

## 4. Wo geht jemand spazieren?

Wo | kauft | jemand | ein?          Auf Deck ...
sieht | fern?
spielt | Tischtennis?
... | ...

☞

S. 202, 1 + 2

**Arbeit und Freizeit**

| Frank Michel, Kellner | Anne Hinkel, Krankenschwester | Klaus Berger, Koch | Frieda Still, Architektin |

 fünf Uhr

 steht auf    steht auf    steht auf    ...läft

 sieben Uhr

fängt seine Arbeit an    macht Betten    holt Fleisch    ...läft

 halb zehn

bedient Frieda    bringt Medikamente    schneidet Fleisch und Kartoffeln    ...hstückt

 elf Uhr

räumt auf    bringt Essen    kocht Suppe    ...st ein Buch

**1. Wann steht Frank Michel auf?**
Um ... Uhr.
Wann steht ... auf?

**2. Was macht Frank Michel um ... Uhr?**
Er bedient Frieda Still.
S. 203, 4 + 5    Was macht ...?

**3. Beschreiben Sie:**
a) Frank Michel ist Kellner.
Er steht um fünf Uhr auf.
Um sieben Uhr fängt er seine Arbeit an.
Um halb zehn bedient er Frieda Still.
Um elf räumt er auf.
Um ...

| ...ank Michel,<br>...llner | Anne Hinkel,<br>Krankenschwester | Klaus Berger,<br>Koch | Frieda Still,<br>Architektin | |
|---|---|---|---|---|
|  |  |  |  | |
| schreibt die<br>Bestellung auf | macht Pause | gibt Essen aus | ißt zu Mittag | ein Uhr |
|  |  |  |  |  |
| räumt auf | macht einen Verband | räumt die Küche auf | schwimmt | drei Uhr |
|  |  |  |  |  |
| sieht fern | trifft Freunde | trinkt ein Bier | bestellt Essen | sechs Uhr |
|  |  |  |  |  |
| geht schlafen | geht schlafen | trinkt noch<br>ein Bier | tanzt | neun Uhr |

Anne Hinkel ist Krankenschwester.
Sie steht um fünf Uhr auf.
Um . . . Uhr macht sie Betten.
Um . . .

c) Um fünf Uhr schläft Frieda Still noch.
Da steht der Kellner auf.
Um sieben Uhr schläft Frieda Still auch noch.
Da macht die Krankenschwester die Betten.
. . .

Täglich von 19–2 Uhr

**Discothek**

*Jet-Dancing*

Münster Straße 55, Telefon 21 20 12

中國飯店 China-Restaurant **MANDARIN**
Am Hofbräuhaus, Ledererstr. 21,
Telefon 22 68 88 Inh.: Paul Kao
Warme Küche v. 11.30–15 U., 18–23 U.

*Pfälzer Weinkeller*

warme Küche bis 22.00 Uhr
geöffnet 10.00–23.30 Uhr
München 2, Klenzestr. 8, Telefon 22 72 16

*Café Lug* und seine Konditorei
früher königl. Hofkonditorei Rottenhöfer
gegründet 1825
**außergewöhnliche Auswahl an Kuchen und Torten
feinste Schokoladenspezialitäten**
Amalienstraße 25/26 · Telefon 22 29 15, 9 – 19 Uhr

*Philoma* TANZ-CAFÉ-BAR
Täglich Tanz für Jung & Alt
Von 16 Uhr bis 2, Samstag 3 Uhr
Damen und Herren – Bitten zum Tanz
Kl. Schmankerl · Gute Weine · Bier vom Faß
Mü 2, Forststraße 12, Telefon 43 12 61

Schwabings Treffpunkt für nette Leute, Musik
Küche bis 24.00 DAB-Bier im Ausschank
**CLOCHARD**
Türkenstraße 90 München-Schwabing-2723390

| Was kann man hier machen? | | Wann geöffnet? | Wo? |
|---|---|---|---|
| Discothek Jet-Dancing | tanzen, . . . | 19.00–2.00 Uhr | Münsterstr. 55 |
| Restaurant Mandarin | | | |
| Pfälzer Weinkeller | | | |
| Café Lug | | | |
| Tanz-Café Philoma | | | |
| Clochard | | | |

Akk.
→ in den Weinkeller
(der Weinkeller)
Wohin? → in die Discothek
(die Discothek)
→ ins Café
(das Café)
→ ins "Clochard"

*Gehen wir nachher noch weg?*

*Wohin denn?*

*Ins Café Lug. Einen Kaffee trinken.*

*Ja, gut.*

Frage:
1. Wohin g...
2. Wann w...rge...
3. Wie fah... wir...

*Gehen Sie nachher noch mit? In den Pfälzer Weinkeller?*

*Ich gehe mit!*

*Nein, ich kann leider nicht. Ich muß noch arbeiten.*

S. 203, 5

○ Ich möchte mal wieder essen gehen.
  Kommst du mit?
  □ Ja vielleicht. Wann denn?
○ Kannst du Montag abend?
  □ Um wieviel Uhr?
○ So um acht.
  □ Um acht? Tut mir leid, da kann
    ich nicht. Da muß ich arbeiten.
○ Und . . .? Geht es da?
  □ . . .

S. 202, 3

| Ich möchte | mal wieder | essen | gehen. |
| | nächste Woche | tanzen | |
| | . . . | ins Kino | |
| | | (Theater/Konzert) | |

Kommst du mit?
(Hast du Lust?)                              □ Ja vielleicht. Wann denn?

| Kannst du | Montag abend | ? |
| Hast du | . . . | Zeit? |

□ Um wieviel Uhr?
  (Wann?)

So um acht.

| □ | Tut mir leid, | da kann ich nicht. |
| | | da geht es nicht. |

| Und . . .? | | | Da | muß ich arbeiten. |
| Geht es | da? | □ | | möchte . . . |
| Kannst du | | | (Ja, das geht.) | |

## 1. Was muß Frau Herbst alles machen?

Frau Herbst ist Buchhändlerin. Sie arbeitet 40 Stunden pro Woche.
Aber sie hat auch eine Familie. Was muß sie alles machen? Sie muß . . .

Ein Freund möchte mit Frau Herbst
– um 10.00 Uhr einkaufen gehen,
– um 13.00 Uhr Mittagessen gehen,
– um 14.00 Uhr schwimmen gehen,
– um 18.00 Uhr spazierengehen,
– um 19.00 Uhr ins Kino gehen,
– um 21.00 Uhr essen gehen.

Was sagt Frau Herbst?
– Tut mir leid. Da kann ich nich▪
  Da muß ich . . .
– . . .
– . . .
– . . .

## 2. Was kann man hier machen?

Man kann . . .

An der Isar in München

Kinderspielplatz

Tischtennis

Bodenschach

Kiosk

Ballspielplatz

Rodelhügel

Parkplatz

Grillplatz

Spiel- und
Freizeitzentrum

Skilanglauf

Gaststätte

—————  Radweg

—————  Bademöglichkeit

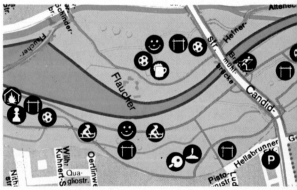

Tischtennis spielen – rodeln – laufen – Skilanglauf machen – radfahren – Schach spielen – Ball
spielen – parken – grillen – spazierengehen – schwimmen – einkaufen – essen und trinken

## Wir müssen gehen.

Komm, wir müssen gehen!
Das Kino fängt um neun Uhr an.

 Wir haben noch Zeit.
  Es ist erst Viertel nach acht.

Ach ja, richtig.

## nd was macht Birgit heute abend?

30. Woche

JULI

Kino 20.30

Mo 25

206-159

17.30 Hans

Di 26

207-158

Claudia

Mi 27

208-157

Claudia + Hans
Schwimmen

Do 28

209-156

frei!

Fr 29

210-155

Theater 20.00

Sa 30

211-194

So 31

212-153

4

. Hören Sie den Dialog.
. Hören Sie den Dialog noch einmal, und sehen Sie den Terminkalender an.
  Vergleichen Sie:

| | Was *sagt* Birgit? | Was *macht* Birgit? |
|---|---|---|
| Montag | Ich gehe ins Kino. | Sie geht ins Kino. |
| Dienstag | . . . | . . . |
| Mittwoch | . . . | |
| Donnerstag | | |
| Freitag | | |
| amstag | | |

Das Institut für Arbeitsmarkt- und Berufsforschung fragte Deutsche:

| Wie viele Stunden in der Woche möchten Sie arbeiten? | | |
| --- | --- | --- |
| Antwort: | | |
| | 1962 | 1980 |
| 40 Stunden | 44 % | 12 % |
| 35 Stunden | 56 % | 88 % |

a) Wie viele Stunden in der Woche arbeiten SIE?
b) Und wie viele Stunden in der Woche möchten Sie arbeiten?

Das Institut Allensbach fragte Leute in verschiedenen Ländern:

**Berufsstolz**

Frage: „Sind Sie stolz auf Ihre Arbeit, Ihren Beruf? Was antworten Sie?"

| | USA | England | Japan | Deutschl. | Frankr. | Italien | Spanien | Holland | Belgien |
| --- | --- | --- | --- | --- | --- | --- | --- | --- | --- |
| | in Prozent | | | | | | | | |
| „Sehr stolz" | 84 | 79 | 37 | 15 | 13 | 29 | 42 | 19 | 30 |
| „Etwas stolz" | 14 | 18 | 44 | 38 | 46 | 43 | 41 | 55 | 47 |
| „Wenig stolz" | 2 | 2 | 9 | 29 | 16 | 14 | 12 | 15 | 11 |
| „Überhaupt nicht stolz" | – | 1 | 3 | 11 | 17 | 12 | 2 | 4 | 6 |
| „Weiß nicht" | – | – | 7 | 7 | 8 | 2 | 3 | 7 | 6 |
| | 100 | 100 | 100 | 100 | 100 | 100 | 100 | 100 | 100 |

a) Vergleichen Sie die Meinung der Deutschen mit der in USA, England, ... und der in Ihrem Land.
b) Wie beantworten SIE die Frage?

## Sind die Deutschen faul?

● Ein Japaner arbeitet 2114 Stunden im Jahr, ein Deutscher 1700 Stunden.

● Ein Japaner arbeitet fünfeinhalb bis sechs Tage in der Woche, ein Deutscher knapp fünf.

● Ein Japaner hat höchstens 20 Arbeitstage Urlaub im Jahr, ein Deutscher ungefähr 30 Arbeitstage.

● In einem japanischen Betrieb sind im Schnitt zwei bis drei Prozent der Mitarbeiter krank, in einem deutschen ständig zehn bis zwölf.

|  | Japan | Bundesrepublik | Ihr Land |
|---|---|---|---|
| Arbeitsstunden pro Jahr | 2114 |  |  |
| Arbeitstage pro Woche |  |  |  |
| Urlaubstage pro Jahr |  |  |  |
| Kranke Arbeitnehmer |  |  |  |

Und wie ist die Situation in Ihrem Land?

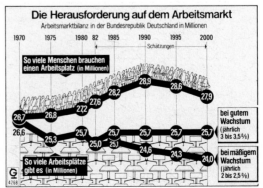

## Feierabend

○ Und was machen wir heute abend?
   □ Hm. – Hast du eine Idee?
○ Ich schlage vor, wir gehen mal ins Kino.
   □ Kino. – Ich weiß nicht.
○ Oder hast du keine Lust?
   □ Ich schlage vor, wir gehen mal ins Theater.
○ Theater. – Ich weiß nicht.
   □ Oder hast du keine Lust?
○ Ich schlage vor, wir gehen mal ins Kabarett.
   □ Kabarett. – Ich weiß nicht.
○ Oder hast du keine Lust?
   □ Ich schlage vor, wir gehen mal ins Konzert.
○ Konzert. – Ich weiß nicht.
   □ Oder hast du keine Lust?
○ Offen gesagt – nicht so sehr.
   □ Ja, dann.
○ Ach, weißt du was: wir bleiben heute mal
   zu Hause.
   □ Wie immer!
○ Und sehen fern.
   Das kostet wenigstens nichts.

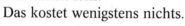

## Wir Macher

ich mache Sport
du machst Yoga
er macht Politik
sie macht Theater
wir alle machen Fehler
ihr alle macht Dummheiten
sie alle machen Quatsch

**„Deutschland"** von einem japanischen Schüler aus Toyohashi

## B1

### Alles falsch!

Bilder und Texte – was paßt zusammen?

A

② Das ist das Schloß Neuschwanstein.
Es ist eine Attraktion für Touristen
aus aller Welt.

C

B

① Das Ruhrgebiet ist ein
Industriezentrum. Dort leben
und arbeiten 8,5 Millionen
Menschen.

E

③ Frühling, Sommer, Herbst
und Winter: Der Schwarzwald
ist immer schön. Der Winter
ist hier besonders romantisch.

D

⑧ Der Rhein ist heute
eine internationale
Wasserstraße. Er
fließt durch
die Schweiz, die Bundesrepublik
Deutschland und Holland.

④ Ein deutsches Märchen heißt
„Die Bremer Stadtmusikanten“: Vier Ti
wandern nach Bremen. Darum sind sie
jetzt das Symbol der Stadt Bremen.

F

⑥ Das ist der Kölner Dom,
eine typisch gotische Kirche.
Sie ist die größte
in Deutschland.

G

⑤ Viele Deutsch
fahren im Urlaub
in die Alpen. Aber
nicht alle steigen a
die Zugspitze, den
höchsten deutschen
Berg (2964 m).

⑦ Sommer, Sonne, Urlaub:
Tausende fahren an die
Ostsee nach Travemünde,
Grömitz oder Kiel.

H

| Bild | A | B | C | D | E | F | G | |
|------|---|---|---|---|---|---|---|---|
| Text | | | | | | | | |

S. 204, 3

**Die Personen hier möchten Urlaub machen. Wohin fahren sie?**

S. 204, 3

□ in die Alpen

□ an die Ostsee

□ an den Rhein

err Meier

Herr Waxlhuber

□ nach Berlin

□ auf die Zugspitze

□ ins Ruhrgebiet

□ ins Ruhrgebiet

□ an die Ostsee

□ in den Schwarzwald

lerr Carstens

Herr Patterson

□ nach Köln

□ auf die Zugspitze

□ in den Schwarzwald

□ nach Bremen

□ auf den Kölner Dom

□ auf den Brocken

Die Hexe

Herr Jetter

□ nach Bremen

□ in die Alpen

□ nach Holland

**Eine Postkarte.
Ergänzen Sie:**

```
Wohin ... ?
Präposition  + Akk.
auf  )
in   )        den Berg
an   )        die Stadt
              das Wasser
! in  + das =  ins
  an           ans

nach Hamburg
(Orts- und Ländernamen)
```

Kneippkurort 5787 OLSBERG/Hochsauerland

*Ihr Lieben!*

*Wir sind jetzt schon drei
Tage hier. Das Wetter ist
schlecht und es ist wahn-
sinnig langweilig. Man
kann nicht ... Schwimm-
bad gehen und auch
nicht ... den Tennisplatz.
Morgen fahren wir ... das
Ruhrgebiet, und dann
möchten wir noch ... den
Rhein und ... Köln
fahren.
Liebe Grüße     Monika
              + Alexander*

Aufn. u. Verlag FOTO-KRÄLING, 5788 Winterberg-Siedlinghausen.
Ges. gesch.

2912

VOLKSSOUVERÄNITÄT
GRÜNDGEDANKEN
DER DEMOKRATIE
60
DEUTSCHE BUNDESPOST

*Familie

Erwin Christoph

Germaniastraße 33/II

8000    München 40*

**SCHLOSSHOTEL WALTHER**

**FERNPASS-HOTEL**

**PENSION OASE**

**PENSION HUBERTUSHOF**

**SCHLOSSHOTEL WALTHER** ♠♠♠♠♠ 👓👓👓

Das neue Luxushotel liegt direkt im Zentrum der Stadt. Es hat 200 Zimmer. Alle Zimmer haben Blick auf die Donau. Die Zimmer sind klimatisiert. Das Hotel hat drei Restaurants, zwei Konferenzräume, Bar, Nachtclub. Eigene Garagen.

**FERNPASS-HOTEL** 👓👓 ☞

Das Haus mit persönlicher Atmosphäre. Moderne Komforträume. Sehr gute österreichische Küche. Ruhige Lage. 30 Zimmer.

**PENSION OASE** ☞☞

Ein Haus mit langer Tradition, besonders schöne und ruhige Lage mit herrlichem Blick auf die Stadt und das Waldviertel. Gemütliche Zimmer mit Bad, Dusche, Balkon. Am Abend können Sie kleine warme und kalte Speisen bekommen.

**PENSION HUBERTUSHOF** 👓👓

In der schönsten und ruhigsten Lage von Linz. Alle Zimmer mit Bad oder Dusche, großer Garten, Parkplatz, 5 Min. vom Zentrum.

**GASTHOF HUBER** ☞

Ruhige Lage am Wald, Trimm-Dich-Pfad.

**FREILINGER FORELLENHOF**

Gemütliche Zimmer mit Frühstück, 10 Min. vom Zentrum.

**PRIVATZIMMER**

1. Nist, Wolfgang
   Zentrale, aber ruhige Lage, Frühstück.

2. Hofmann, Hans
   Alle Zimmer mit Dusche und Balkon, Tischtennis.

3. Lintner, Hermann
   Kinderspielplatz

**CAMPINGPLATZ**

3 km vom Zentrum, an der Donau, Schwimmbad 5 Min.

| | |
|---|---|
| ♠♠♠♠♠ | Luxus-Hotel |
| 👓👓👓 | internationale Küche |
| 👓👓 | hervorragende Küche |
| ☞ | ruhig |
| ☞☞ | besonders ruhig |

| | 🛏 | 🛏🛁 | 🛏🛏 | 🛏🛏🛁 |
|---|---|---|---|---|
| | Preise pro Person | | | |
| Schloßhotel | – | 630 | – | 420 |
| Fernpaß-Hotel | 200-270 | 350-500 | 250 | 270-410 |
| Oase | – | 300-340 | – | 220-250 |
| Hubertushof | 150-180 | 180-220 | 130-160 | 160-180 |
| Huber | 120-130 | – | 110-120 | – |
| Forellenhof | 120 | 160 | 135 | 150 |
| Nist, Wolfgang | 110 | – | 90 | – |
| Hofmann, Hans | 100 | – | 90 | – |
| Lintner, Hermann | 85 | – | 75 | – |

**1** Welchen Gasthof, welches Hotel, welche Pension möchten Sie nehmen?

| | Komparativ | Superlativ |
|---|---|---|
| ruhig, | ruhiger, | am ruhigsten |
| billig, | billiger, | am billigsten |
| groß, | größer, | am größten |
| gut, | besser, | am besten |

*Das Schloßhotel finde ich gut. Die Zimmer sind klimatisiert, und es gibt drei Restaurants.*

*Das Fernpass-Hotel finde ich besser. Es ist ruhiger und billiger.*

*Ich nehme die Pension Oase. Sie ist kleiner, und die Zimmer haben Dusche.*

*Privatzimmer finde ich am besten. Die sind am billigsten.*

*Aber die Pension Hubertushof liegt schöner und zentraler.*

S. 204, 4a
+ 205, 4b

● Wir suchen ein Doppelzimmer
für ungefähr 600 Schilling.
Können Sie etwas empfehlen?
☐ Ja, da haben wir das Schloßhotel.
Das Doppelzimmer kostet 840 Schilling.
● 840 Schilling, das ist zu teuer.
☐ Dann gibt es noch die Pension Oase.
Die ist billiger. 500 Schilling.

S. 203, 1

– Mit oder ohne Frühstück?
– Mit Bad oder Dusche?
– Liegt | das Hotel | ruhig?
　　　　| die Pension | zentral?
　　　　| der Gasthof |
– Wie weit ist es zum Zentrum?
– Kann man da auch essen?
– Hat das Zimmer einen Balkon?　　　Gut, das Zimmer nehmen wir.

---

Wir suchen | ein Doppelzimmer
Ich suche | ein Einzelzimmer

für ungefähr . . . Schilling.
möglichst zentral.
möglichst ruhig.

Können Sie etwas empfehlen?

Da | haben wir | das Hotel . . .
　 | gibt es | die Pension . . .
　　　　　　| den Gasthof . . .

Das | Doppelzimmer | kostet . . . Schilling.
　 | Einzelzimmer

☐ ⎧Das | liegt | zentral, | nur 5 Min. zum Zentrum.⎫
　 ⎨Die | ist | | direkt im Zentrum.　　　　　⎬
　 ⎩Der | | | 　　　　　　　　　　　　　　　⎭

　 ⎧Das | liegt sehr ruhig.⎫
　 ⎨Die |　　　　　　　　⎬
　 ⎩Der |　　　　　　　　⎭

. . . Schilling.　　　　　　　Das ist zu teuer.
(Direkt im Zentrum.　　　　Das ist zu laut.)
(5 Kilometer zum Zentrum.　Das ist zu weit.)

Dann | gibt es noch | die Pension . . .
　　 | haben wir noch | das Hotel . . .
　　　　　　　　　　 | den Gasthof . . .

☐ Die | ist billiger.　　Nur . . . Schilling.
　 Das | ist ruhiger.
　 Der | liegt zentraler.

## 1. Welchen Gasthof können Sie empfehlen?

S. 205, 4b
+ 5

○ Welchen Gasthof │ können Sie empfehlen?
Welche Pension
Welches Hotel
■ Den Gasthof Eden.
○ Und warum nicht die Pension Berghof?
■ Der Gasthof Eden ist billiger.

| Gasthof Eden 1 Zi. = 40,– DM | Gasthof Stern im Zentrum | Hotel Jägerhof | Hotel Waldhaus | Hotel Alte Krone | Gasthof Neuwirt |
|---|---|---|---|---|---|
| billig | zentral | modern | ruhig | schön | klein |
| Pension Berghof 80,– DM | Pension Schröder 12 km zum Zentrum | Hotel Berlin | Gasthof Schell Zentrum | Pension Gudrun | Hotel zum Bären |

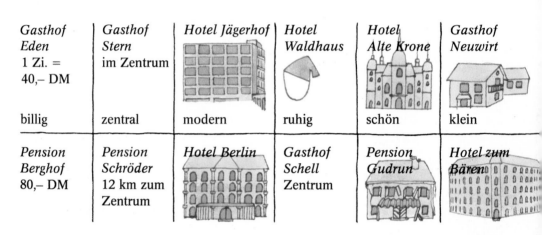

## 2. Wohin fahren Sie?

S. 205, 4b

○ Wohin fahren Sie dieses Jahr?
Wieder in den Taunus?
■ Nein, nach Österreich,
ins Salzkammergut.
Das ist schöner.

| (der) Taunus | (die) Nordsee | (der) Harz |
|---|---|---|
| (das) Salz- kammergut | (der) Wörther- see | (das) Wald- viertel |
| schön | warm | billig |
| (der) Chiemsee | (das) Sauerland | (der) Schwarzwald |
| (die) Steier- mark | (die) Wachau | (die) Tauern |
| wenig Touristen | Essen gut | Wetter gut |

Waldviertel
Wachau
Wien
Salz-
kammer-
gut
ÖSTERREICH
Steiermark
Tauern
Wörthersee

# ...erkehrsmittel in der Bundesrepublik Deutschland und in Berlin

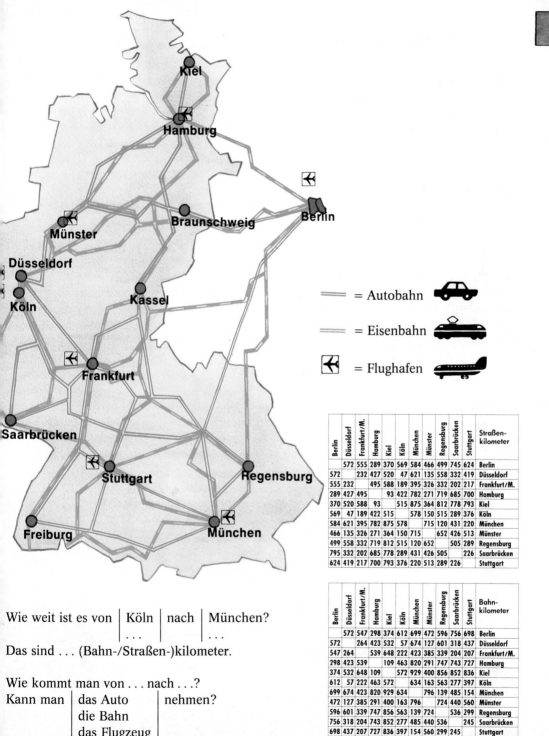

=== = Autobahn

=== = Eisenbahn

✈ = Flughafen

| | Berlin | Düsseldorf | Frankfurt/M. | Hamburg | Kiel | Köln | München | Münster | Regensburg | Saarbrücken | Stuttgart | Straßen-kilometer |
|---|---|---|---|---|---|---|---|---|---|---|---|---|
| | | 572 | 555 | 289 | 370 | 569 | 584 | 466 | 499 | 745 | 624 | Berlin |
| | 572 | | 232 | 427 | 520 | 47 | 621 | 135 | 558 | 332 | 419 | Düsseldorf |
| | 555 | 232 | | 495 | 588 | 189 | 395 | 326 | 332 | 202 | 217 | Frankfurt/M. |
| | 289 | 427 | 495 | | 93 | 422 | 782 | 271 | 719 | 685 | 700 | Hamburg |
| | 370 | 520 | 588 | 93 | | 515 | 875 | 364 | 812 | 778 | 793 | Kiel |
| | 569 | 47 | 189 | 422 | 515 | | 578 | 150 | 515 | 289 | 376 | Köln |
| | 584 | 621 | 395 | 782 | 875 | 578 | | 715 | 120 | 431 | 220 | München |
| | 466 | 135 | 326 | 271 | 364 | 150 | 715 | | 652 | 426 | 513 | Münster |
| | 499 | 558 | 332 | 719 | 812 | 515 | 120 | 652 | | 505 | 289 | Regensburg |
| | 795 | 332 | 202 | 685 | 778 | 289 | 431 | 426 | 505 | | 226 | Saarbrücken |
| | 624 | 419 | 217 | 700 | 793 | 376 | 220 | 513 | 289 | 226 | | Stuttgart |

| | Berlin | Düsseldorf | Frankfurt/M. | Hamburg | Kiel | Köln | München | Münster | Regensburg | Saarbrücken | Stuttgart | Bahn-kilometer |
|---|---|---|---|---|---|---|---|---|---|---|---|---|
| | | 572 | 547 | 298 | 374 | 612 | 699 | 472 | 596 | 756 | 698 | Berlin |
| | 572 | | 264 | 423 | 532 | 57 | 674 | 127 | 601 | 318 | 437 | Düsseldorf |
| | 547 | 264 | | 539 | 648 | 222 | 423 | 385 | 339 | 204 | 207 | Frankfurt/M. |
| | 298 | 423 | 539 | | 109 | 463 | 820 | 291 | 747 | 743 | 727 | Hamburg |
| | 374 | 532 | 648 | 109 | | 572 | 929 | 400 | 856 | 852 | 836 | Kiel |
| | 612 | 57 | 222 | 463 | 572 | | 634 | 163 | 563 | 277 | 397 | Köln |
| | 699 | 674 | 423 | 820 | 929 | 634 | | 796 | 139 | 485 | 154 | München |
| | 472 | 127 | 385 | 291 | 400 | 163 | 796 | | 724 | 440 | 560 | Münster |
| | 596 | 601 | 339 | 747 | 856 | 563 | 139 | 724 | | 536 | 299 | Regensburg |
| | 756 | 318 | 204 | 743 | 852 | 277 | 485 | 440 | 536 | | 245 | Saarbrücken |
| | 698 | 437 | 207 | 727 | 836 | 397 | 154 | 560 | 299 | 245 | | Stuttgart |

Wie weit ist es von │ Köln │ nach │ München?
                             │ ... │     │ ...

Das sind ... (Bahn-/Straßen-)kilometer.

Wie kommt man von ... nach ...?
Kann man │ das Auto │ nehmen?
             │ die Bahn │
             │ das Flugzeug │

**B3**

2

### Stuttgart – Regensburg

| km 299 | 🚉→ | | Regensburg |
|---|---|---|---|
| ab | Zug | an | Bemerkungen |
| 3.17 | D 897 | 8.30 | Ü Augsburg E |
| 6.34 | E 3193 | 10.25 | Ü Donauwörth |
| 7.04 | D 953 | 10.59 | ♟ Ü Nürnberg **IC** |
| 8.05 | D 855 | 12.15 | Ü Nürnberg E |
| 9.47 | E 3071 | 14.07 | Ü Nürnberg D ⅋ |
| 9.57 | **IC** 511 | 14.06 | Ü München D ✕ |
| 10.25 | D 285 | 14.53 | ♟ Ü München ✕ |
| 10.57 | **IC** 597 | 14.53 | Ü München D ✕ |
| 12.01 | D 211 | 16.04 | ¶ Ü Ulm E |
| 12.10 | E 2855 | 16.42 | Ü Nürnberg ♟ |
| 14.10 | E 3075 | 18.14 | Ü Nürnberg |
| 15.37 | D 495 | 19.25 | ♟ Ü Nürnberg E |
| 16.00 | D 791 | 20.11 | ♟ Ü Ulm E |
| 16.19 | E 3775 | 20.19 | Ü Crailsheim |
| 16.57 | **IC** 613 | 20.58 | Ü München E |
| 17.04 | E 3077 | 21.30 | Ü Nürnberg |

### Stuttgart – Hamburg

| km 727 | → | | Hamburg Hbf |
|---|---|---|---|
| ab | Zug | an | Bemerkungen |
| 7.03 | **IC** 535 | 14.09 | Ü Mannheim |
| 8.03 | **IC** 616 | 15.09 | Ü Mannheim |
| 9.03 | **IC** 614 | 16.09 | Ü Mannheim |
| 10.03 | **IC** 690 | 17.09 | |
| 11.03 | **IC** 518 | 18.09 | Ü Mannheim Ü Hannover |
| 12.03 | **IC** 610 | 19.09 | Ü Mannheim |
| 12.12 | E 3006 | 20.29 | Ü Karlsruhe D ♟ |
| 13.03 | **IC** 612 | 20.09 | Ü Mannheim |
| 13.57 | D 792 | 22.16 | ♟ |
| 14.03 | **IC** 516 | 21.09 | Ü Mannheim |
| 15.03 | **IC** 598 | 22.09 | |
| 16.03 | **IC** 514 | 23.09 | Ü Mannheim |
| 17.03 | **IC** 116 | 0.14 | Ü Mannh Ü Hannov D |
| 20.50 | D 890 | 7.14 | ⊨ ⊢ |
| 21.07 | D 898 | 6.24 | Ü Frankfurt ⊨ ⊢ |
| 23.34 | D 262 | 7.59 | Ü Karlsruhe ⊨ ⊢ |

### Hamburg Hbf – Kiel

| km 109 | | → | | Kiel | |
|---|---|---|---|---|---|
| ab | ab | Zug | | an | Bemerkungen |
| | 8.26 | 8.49 | D 898 | 9.53 | |
| | 9.18 | | D 331 | 10.44 | |
| | | 10.21 | E 3514 | 11.25 | ⊞ |
| | 11.40 | | D 924 | 12.41 | |
| 12.14 | 12.40 | **IC** 694 | | 13.42 | |
| | | 12.54 | E 3518 | 14.09 | |
| | | 13.49 | E 3516 | 14.55 | |
| | | | D 333 | 15.51 | ⊞ ♟ |
| | 14.25 | | D 588 | 16.02 | ✕ |
| | 14.30 | 15.01 | | | |
| | | 15.50 | E 3522 | 16.56 | |
| | | 16.30 | E 3526 | 17.37 | |
| | | 16.49 | E 3528 | 17.54 | |
| | 16.51 | 17.10 | E 2170 | 18.13 | |
| | 17.45 | | D 335 | 19.04 | Ü Neumünst |
| | | 18.57 | E 3530 | 20.06 | |

| Preise | Bahn (2. Klasse) | Flug | Auto* |
|---|---|---|---|
| Stuttgart – Regensburg | DM 50,– | – | 104,40 |
| Stuttgart – Kiel | 140,– | 290,– (Hamburg) | 285,48 |

\* 0,42 DM pro Kilometer

| Nach/To/A | **Hamburg** | | Fuhlsbüttel + 02: |
|---|---|---|---|
| 1 2 3 4 5 6 – | 06.45 – 07.55 | LH 789 | 727 F/Y Nonsto |
| 1 2 3 4 5 – – | 09.35 – 10.45 | LH 790 | 737 F/Y Nonsto |
| 1 2 3 4 5 – – | 15.15 – 16.30 | LH 791 | 737 F/Y Nonsto |
| – – – – – – 7 | 18.05 – 19.20 | LH 792 | 737 F/Y Nonsto |
| 1 2 3 4 5 6 7 | 21.10 – 22.20 | LH 261 | 737 F/Y Nonsto |
| 1 2 3 4 5 6 7 | 07.25 – 10.20 | LH 745 /LH 762 | F/Y via FF |
| – – – – – 6 – | 08.15 – 10.45 | LH 933 /LH 277 | F/Y via DU |
| 1 2 3 4 5 6 7 | 10.55 – 13.50 | LH 746 /LH 765 | F/Y via FF |
| 1 2 3 4 5 6 7 | 12.55 – 15.15 | LH 289 /LH 776 | F/Y via CG |
| 1 2 3 4 5 6 7 | 14.45 – 17.20 | LH 747 /LH 768 | F/Y via FF |
| 1 2 3 4 5 – – | 18.05 – 20.45 | LH 932 /LH 785 | F/Y via DU |
| 1 – 3 – 5 – 7 | 18.45 – 21.05 | LH 167 /LH 778 | F/Y via CG |
| – 2 – 4 – – – | 18.45 – 21.05 | LH 177 /LH 778 | F/Y via CG |

1 = Montag, 2 = Dienstag, 3 = Mittwoch, 4 = Donnerstag,
5 = Freitag, 6 = Samstag, 7 = Sonntag

Via FRA = in Frankfurt umsteigen Via CGN = in Köln umsteige
Via DUS = in Düsseldorf umsteigen

1. Wie kommt man von Stuttgart
   nach | Regensburg?
         | Kiel?
   (Benutzen Sie die Karte auf S. 75.)
   Man kann ... nehmen.
2. Wie lange dauert der Flug/die Bahnfahrt?
   Wo muß man umsteigen?
3. Was kostet der Flug/die Bahnfahrt/die Autofahrt?
4. Autofahrt, Bahnfahrt oder Flug von Stuttgart nach Regensburg (Kiel)? Diskutieren Sie
   die Vorteile (billiger, bequemer, schneller, kürzer, ...)
   und die Nachteile (teurer, komplizierter, länger, anstrengender, ...).

3

### Am Stammtisch

1. Lesen Sie die folgenden Fragen:
   a) Wo ist Herr A?
      Wohin muß er fahren?
   b) Hat Münster einen Flughafen?
   c) Was sagen die Leute?
      Die Autofahrt ist billiger. Die Bahn-
      fahrt ist ... Der Flug ist ...
      (schnell, bequem, teuer,
      kompliziert, anstrengend,
      billig ...).
   d) Was nimmt Herr A:
      die Bahn, das Auto oder
      das Flugzeug?
      Warum?

2. Hören Sie dann das Gespräch.
3. Beantworten Sie die Fragen von Nr. 1.
4. Herr A nimmt ...
   Finden Sie das richtig?

Ich möchte morgen nach Bremen | fahren.
| fliegen.

■ Wann ungefähr?
Ich muß um 16 Uhr dort sein.

Welcher Zug ist am günstigsten?          Welche Maschine ist am günstigsten?
(Welchen Zug kann ich nehmen?)           (Welche Maschine kann ich nehmen?)
■ Der (den) um 8 Uhr 13.                 ■ Die um 13 Uhr 5.
    Der kommt um 13 Uhr 19 in Bremen an.     Die kommt um . . . in Bremen an.

| remen 5⁰⁰ | | Düsseldorf 11⁰⁰ | | Hamburg 19⁰⁰ | | Stuttgart 18⁰⁰ | | Saarbrücken 15⁰⁰ | | Wien 13⁰⁰ | |
|---|---|---|---|---|---|---|---|---|---|---|---|
| ahn | Flug | Bahn | Flug | Bahn | Flug | Bahn | Flug | Bahn | Flug | Bahn | Flug |
| $3^{13}$ | $13^{05}$ | $7^{05}$ | $8^{20}$ | $10^{08}$ | $17^{15}$ | $14^{20}$ | $16^{55}$ | $10^{14}$ | $13^{40}$ | $0^{32}$ | $9^{35}$ |
| $3^{19}$ | $14^{00}$ | $10^{35}$ | $9^{05}$ | $17^{13}$ | $18^{20}$ | $17^{45}$ | $17^{40}$ | $13^{29}$ | $14^{40}$ | $10^{18}$ | $11^{00}$ |

### uf dem Bahnhof

Der Intercity nach Hamburg:
Wo fährt der ab?
■ Gleis fünf.
Welches Gleis bitte?
■ Fünf.
Aber der Zug hat
10 Minuten Verspätung.

Hören Sie die Ansage. Was ist richtig (r)? Was ist falsch (f)?
Der D-242 kommt aus Paris.              e) der D-242 ist schon weg.
Der D-242 fährt nach Paris.             f) Passagiere nach Paris können
Der D-242 ist schon da.                    auch den D-365 nehmen.
Der D-242 ist noch nicht da.

# Ferien-zentrum

**Damp 2000**

OSTSEE
Flensburg
Damp 2000
Eckerntörde
Kiel

Ein paar Dörfer, Wiesen- und Bauernhöfe. Das ist Schleswig-Holstein zwischen Schlei und Ostsee, zwischen Eckern-förde und Kappeln. Im beliebten Seeheilbad Damp 2000 finden Sie zu jeder Jahreszeit und bei jedem Wetter alles, was zur Erholung und Unterhaltung wichtig ist:

## Sport und Spiel in der Olympia-halle:

Große Turnhalle mit Geräten, auch für Tennis und Ballspiele, Gymnastikraum, 4 Kegelbahnen, 8 Bowling-bahnen, Tischtennis, Billard.

Im Freien finden Sie Sport-, Spiel- und Tennisplätze, Minigolf sowie temperiertes Süßwasser-Schwimmbad mit Rutsche für Kinder (Mai bis September). Täglich Fitneß-und Sportprogramme unter Anleitung erfahrener Sportlehrer (gebührenfrei), Damper Sport-Diplom.

**Ein Kinderparadies:** Das fängt schon am Strand an. Denn hier haben die Kinder eine eigene geschützte Badezone. Im Gelände mehrere Spielplätze, darunter ein Abenteuerspielplatz. Umfangreiche Veranstaltungsprogramme für Kinder und Jugendliche. Babysitterdienst (auf Anfrage möglich).

**Die Einkaufstraße** direkt am Yachthafen. Dort finden Sie Supermärkte, Fachgeschäfte, eine Post und eine Bank.

Für das leibliche Wohl sorgen mehrere Restaurants, eine Bierstube, Bar, Café, Bistro und Kioske, alles das ganze Jahr geöffnet.

**Für Abwechslung** sorgt ein attraktives Veranstaltungsprogramm, Theater, Show, bunte Abende im großen Ballsaal im Haus des Kurgastes, Tanz in der schicken Diskothek „Aquamarinus", Hobby- und Bastellehrgänge.

**Ausflugsprogramm:** z.B. Hochseeangeln oder Schiffsausflüge nach Dänemark.

**Und was es sonst noch gibt:** Sauna, beheiztes Freibad, Strandkörbe, Fernseh- und Leseräume, Segel- und Tauchschule, Reithallen auf einem nahegelegenen Reiterhof und und und . . .

**Und so kommen Sie hin:** Autobahn Hamburg – Flensburg bis Abfahrt Rendsburg/Büdelsdorf/Eckernförde, B 203 Richtung Kappeln (Hamburg – Damp 140 km).

**Sie wohnen** ganz nach Wunsch in modern eingerichteten Appartements in einem Appartementhaus. Die Appartements sind modern möbliert, haben Teppichboden in allen Räumen, Radio und Münzfarbfernseher, Duschbad/WC, Balkons mit Gartenmöbeln.

**LBD 4201.** Typ A. 1-Raum-Appartement. Wohnfläche 25 qm. Wohn-Schlafraum mit 2 Schlafcouches, Schrankküche mit E-Platten, Kühlschrank.

**LBD 4203.** Typ B. 1-Raum-Appartement. Wohnfläche ca. 31 qm. Geräumiger Wohn-Schlafraum mit Sitzgruppe und 2 über Eck stehenden Schlafcouches. Eßdiele mit Schrankküche.

**LBD 4205.** Typ B 1. Entspricht LBD 4203 mit Wandklappbett für 1 Kind bis 12 Jahre.

**LBD 4207.** Typ B 2. Entspricht LBD 4203 mit 2 Wandklappbetten für 2 Kinder bis 12 Jahre.

**LBD 4211.** Typ C. 3-Raum-Wohnung. Wohnfläche 56 qm. Großer Wohn-Schlafraum. 2 Schlafzimmer mit je 2 Betten.

**Kurzreisen**
In Reisezeit A + B kann **An- und Abreise** an jedem Wochentag erfolgen. **Mindestaufenthalt 4 Tage.** **Tagespreis** = Wochenpreis : 7

**Nebenkosten (am Ort zu zahlen):**
Pauschale für Strom, Wasser, Heizung, Erstausstattung Bettwäsche und Handtücher, Endreinigung:

| | bis 4 Übern. | ab 5 Übern. |
|---|---|---|
| Typ A, B | DM 39 | DM 73 |
| Typ B 1, B 2 | DM 42 | DM 79 |
| Typ C, G, H | DM 66 | DM 111 |
| Typ E, F | DM 83 | DM 153 |

| | | | Mietpreis je Woche und Wohneinheit in DM | | | |
|---|---|---|---|---|---|---|
| B = 27.03.-17.04. | | | | | | |
| A = 17.04.-15.05. | | | | | | |
| B = 15.05.-19.06. | | | | | | |
| C = 19.06.-03.07. | | | | | | |
| D = 03.07.-14.08. | | | | | | |
| C = 14.08.-28.08. | | | | | | |
| B = 28.08.-30.10. | | | | | | |
| Anreise Samstag | Personenzahl | | A | B | C | D |
| LBD 4201 DU | 1 | | 273 | 315 | 336 | 406 |
| LBD 4203 DU | 2 | | 357 | 406 | 469 | 588 |
| LBD 4205 DU | 3 | | 378 | 427 | 497 | 693 |
| LBD 4207 DU | 4 | | 406 | 462 | 553 | 714 |
| LBD 4211 SU | 6 | | 616 | 707 | 861 | 1064 |

# Traumurlaub

Ach, ist das schön hier!
- ☐ Wie?

Ich sagte: Ach, ist das schön hier!
- ☐ Ach so! –
  Und diese Hitze, wunderbar!

- Wie meinst du?
  - ☐ Ich sagte: Diese Hitze, wunderbar!

- Ach so! –
  Und dann diese Einsamkeit! Herrlich!
  - ☐ Was sagst du?

- Ich sagte: Diese Einsamkeit! Herrlich!
  - ☐ Ach so! –
    Ein Traumurlaub!

- Wie bitte?
  - ☐ Ich sagte: Ein Traumurlaub!

Ach so! –
Wann fliegen wir eigentlich zurück?
- ☐ Morgen.

Ach, morgen schon?
- ☐ Ja, morgen früh.

- Wunderbar!

# C Zurück nach Unterschleimbach

○ Bitte eine Rückfahrkarte!
  □ Eine Rückfahrkarte?
○ Ja, bitte.
  □ Eine Rückfahrkarte – wohin?
○ Zurück.
  □ Aber wohin denn zurück?
○ Zurück nach Unterschleimbach.
  □ Also eine Fahrkarte nach Unterschleimbach.
○ Ja. Und zwar zurück.
  □ Was denn nun! Einfach oder hin und zurück?
○ Einfach zurück.
  □ Also, nicht hin und zurück?
○ Nein, nur zurück, bitte.
  □ Also einfach!
○ Ja. Eine Rückfahrkarte einfach. Nach Unterschleimbach.
  □ Jetzt verstehe ich überhaupt nichts mehr! Wohin reisen Sie?
○ Zurück nach Unterschleimbach.
  □ Gut! Bleiben Sie dann in Unterschleimbach?
○ Natürlich. Deshalb fahre ich ja zurück.
  □ Sie meinen: deshalb fahren Sie hin!
○ Nein! Deshalb fahre ich zurück.
  □ Und w a r u m  z u r ü c k ?
○ Ach wissen Sie, ich fühle mich hier nicht wohl.

das Bild

der Kugelschreiber

das Briefpapier

die Tasche

das Buch

DIE KAMERA NEU

Hueber

50 Jubiläum

WEIHNACHTEN 24. Dezember

Ich bin da! Michael

Freut Euch mit uns Wir heiraten

für Mama

Zu unserer Geburtstagsparty laden wir ein.

Schenken Sie Blumen
FLUEBER

**B1**

### 1. Schenken macht Freude.

Was möchten Sie gern haben?

| Ich | lese gern. | Deshalb möchte ich ein Buch haben. |
|---|---|---|
| ... | (gern Briefe schreiben) | ...    ...    ...    ... |
| | (viel Musik hören) | |
| | (oft fotografieren) | |
| | (... rauchen) | |
| | (im Haus arbeiten) | |
| | (Picasso mögen) | |
| | ... | |

*Schenken Sie Blumen*

FLUEBER

das Briefpapier

der Kassettenrecorder

die Kassette

das Feuerzeug

die Schallplatte

die Zigarette

der Film

der Kugelschreiber

das Buch

die Schreibmaschine

die Kamera

der Werkzeugkasten

das Bild

der Plattenspieler

**. Was paßt zusammen?**

(e 2 Sätze und 1 Bild passen zusammen.)

Herr Mahlein hat Geburtstag.
Frau Mahlein schenkt *ihm*
einen Plattenspieler.

S. 205, 1
+ 206, 2

A

B er-ihm sie-ihr

C

D

| | | | |
| Fred möchte ein Radio kaufen. | a) Der Lehrer erklärt *ihr* den Dativ. | Was paßt? |

1. Fred möchte ein Radio kaufen.
2. Yvonne lernt Deutsch.
3. Lisa liebt Jochen.
4. Carola und Hans möchten ein Geschenk kaufen.

a) Der Lehrer erklärt *ihr* den Dativ.
b) Der Buchhändler zeigt *ihnen* Bücher.
c) Der Verkäufer empfiehlt *ihm* einen Radiorecorder.
d) Sie kauft *ihm* eine Platte von Hannes Wader. Dann gibt sie *ihm* die Platte.

Was paßt?

| | | |
|---|---|---|
| A | | |
| B | | |
| C | | |
| D | | |

**3. Diese Personen haben Geburtstag. Was kann man ihnen schenken?**

Gina:               gern Musik hören

Gina hört gern Musik.
Man kann ihr eine
Schallplatte schenken.

Peter:              rauchen

Peter . . .
Man kann ihm . . .

Carlo:              gern reisen
Fräulein Kurz:      Blumen mögen
Yussef und Elena:   ein Auto haben
Luisa:              gern fernsehen
Jochen:             Fußball spielen
Herr und Frau Manz: tanzen

| Nom. | | Dat. | |
|---|---|---|---|
| Er | raucht. Man kann | ihm | ... schenken. |
| Sie | | ihr | |
| Es | | ihm | |
| Sie | rauchen. Man kann | ihnen | |

S. 206, 3

Ich komme auch.

### 4. Ich möchte eine Party geben.

○ Ich möchte Sonntag eine Party geben.
Hast du Lust zu kommen?
◻ Da kann ich leider nicht.
○ Paßt es dir denn Samstag?
◻ Ja, Samstag paßt es mir gut.

| Nominativ | Dativ |
|-----------|-------|
| ich | mir |
| du | dir |
| Sie | Ihnen |
| wir | uns |
| ihr | euch |

*Party:*

*einladen und fragen*

*Dietmar*

*Gerd und Gabi*

*Frau Hueber*

*Herr und Frau Bock*

*Ilse*

### Laden Sie diese Personen ein:

1. Ich möchte eine Party geben ...
2. Wir möchten eine Party geben ...

Kauf doch | einen Aschenbecher.
eine Kassette.
ein Feuerzeug. } Sing.
Kassetten. } Plural

Er hat schon | einen.
eine.
eins. } Sing.
welche.
genug. } Plural

### 5. Was kann ich mitbringen?

○ Du, Jochen gibt morgen eine Party.
Was kann ich ihm wohl mitbringen?
◻ Kauf doch eine Flasche Cognac.
○ Das geht nicht.
Er trinkt keinen Alkohol.
◻ Dann nimm doch ein Feuerzeug.
○ Er hat schon eins.

| Jochen | Gina | Bernd | Petra | Yvonne |
|--------|------|-------|-------|--------|
| Flasche Cognac | Platte | Blumen | Buch | Kassette |
| trinkt keinen Alkohol | hat keinen Plattenspieler | mag keine Blumen | liest selten | hat keinen Kassettenrecorder |
| Feuerzeug | Kassette von Louis Armstrong | Aschenbecher | Weingläser | Wörterbuch Französisch-Deutsch |

S. 207, 5

S. 207, 5
+ 206,4

○ Du, Ulla hat morgen Geburtstag.
　■ Ach ja, stimmt.
○ Ich möchte ihr etwas schenken.
　Weißt du nicht etwas?
　■ Schenk ihr doch eine Platte.
　　Sie hört gern Jazz.
○ Meinst du? – Ich weiß nicht.
　■ Dann kauf ihr doch ein Wörterbuch.
　　Sie lernt doch Französisch.

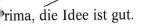

Prima, die Idee ist gut.　　　Das ist mir zu unpersönlich.
　　　　　　　　　　　　　■ Dann kauf ihr doch Blumen.
　　　　　　　　　　○ Das ist so langweilig.
　　　　　　　　　　　■ Dann kann ich dir auch nicht helfen.

| ○ | Ulla | hat | morgen | Geburtstag. |
|---|---|---|---|---|
| | Jörg | | nächste Woche | Jubiläum. |
| | | | | Hochzeit. |

| □ | Ach ja, | stimmt. |
|---|---|---|
| | | richtig. |

○
Ich möchte | ihr | etwas schenken.
　　　　　| ihm |
(Ich brauche noch ein Geschenk.)

Weißt du nicht etwas?
(Kannst du mir etwas empfehlen?)

| □ | Schenk | ihr | doch | eine Platte. |
|---|---|---|---|---|
| | Kauf | ihm | | . . . |

| □ | Sie | hört gern Jazz. |
|---|---|---|
| | Er | . . . . . . |

○ Meinst du?
　Ich weiß nicht.

| □ | Dann | kauf | ihr | doch . . . |
|---|---|---|---|---|
| | | schenk | ihm | |

○
| Prima, | die Idee ist | gut. |
|---|---|---|
| Oh ja, | | nicht schlecht. |
| | | . . . |

(Ach nein, das ist mir zu | unpersönlich.
　　　　　　　　　　　　| teuer.
　　　　　　　　　　　　| . . . )

○ Kann ich Ihnen helfen?

☐

Ja, ich suche einen Fernseher.            Nein danke, ich schaue nur mal.
Der von „Ultra" ist nicht schlecht. Er kostet 350,– DM.
☐  Das ist mir zu teuer. Haben Sie noch welche?
Ja, hier einen für 198,– DM.
☐  Ich weiß nicht. Ich muß noch mal darüber nachdenken.
    Vielen Dank.

○ Kann ich Ihnen helfen?
  (Bitte schön?)

☐ Ja, ich │ suche   │ einen Fernseher.
          │ möchte  │
  (Können Sie mir Fernseher zeigen?)

○ Der von „Ultra" ist nicht schlecht.
  Er kostet nur 350,– DM.
  (Wir haben hier einen │ für 350,– DM.
                        │ von . . .

☐ Das ist mir zu teuer.
  Haben Sie noch │ welche?
                 │ andere?

○ Ja, hier einen für 198,– DM.
  (Hier ist ein Sonderangebot zu 198,– DM.)

☐ Ich weiß nicht.
  (Ich muß noch mal darüber nachdenken.)
  (Der ist günstig, │ den nehme ich.
                    │ ich nehme ihn.

der Fernseher

der Plattenspieler

das Radio

Kassettenrecorder

die Batterien

## Gefällt Ihnen . . .?

◯ Gefällt Ihnen der Kugelschreiber?
   ☐ Nicht schlecht.
     Haben Sie noch welche?
◯ Ja, hier einen für 8,50 DM.
   ☐ Der gefällt mir besser,
     den nehme ich.
     Packen Sie ihn bitte ein.

S. 207, 6

Nom.               Akk.
Der Kugelschreiber ...', den nehme ich.
         Packen Sie ihn ein, bitte.
                ...', die nehme ich.
Die Lampe     Packen Sie sie ein, bitte.
                ...', das ...
Das Feuerzeug    Packen ... es ...

| | | | | | |
|---|---|---|---|---|---|
|  |  |  |  |  |  |
| 98,– DM | 17,50 DM | 36,– DM | 370,– DM | 12,– DM | 27,90 DM |

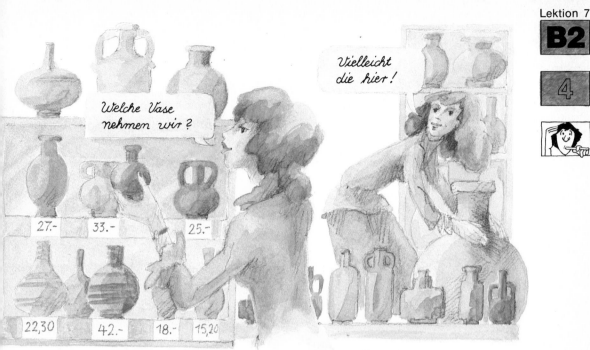

Birgit und Uta möchten eine Vase für einen Freund kaufen.
Sie möchten nur 30,– DM ausgeben.

Die ist doch viel zu | teuer!
                      groß!
                      klein!
                      häßlich!

Wie gefällt dir der hier?

Nehmen wir sie?

Die gefällt mir nicht!

Was meinst du?

Wie findest du den hier?

Die ist sehr schön, aber zu teuer.

Die ist prima.
Die nehmen wir!

Hier ist noch eine, die ist | billiger.
                              schöner.
                              hübscher.

Ja, gut.

Die hier vielleicht?

Ich weiß noch nicht.

Die gefällt ihm bestimmt | besser.
                           nicht.

Nehmen wir die für ... DM
oder die für ... DM?

Schreiben Sie verschiedene Dialoge. Spielen Sie die Dialoge.
Die Sätze sind nur Beispiele.
Sie können auch eine Tasche, ein Bild, ... nehmen.

# ... die Kamera der unbegrenzten Möglichkeiten ...

**Bilderstar rx3**

*Jetzt endlich können Sie fotografieren und filmen mit einem einzigen Gerät. Sie brauchen keine komplizierte Kamera, sondern nur die technisch perfekte*
**Bilderstar rx3**
*Sie arbeitet (voll)elektronisch und ist einfach zu bedienen.*

*Wenn Sie filmen möchten, drücken Sie den roten Auslöser. Wenn Sie lieber Einzel-Dias machen wollen, drücken Sie den schwarzen Auslöser.*

*Und noch etwas Besonderes:*
**Bilderstar rx3**
*ist die erste Kamera der Welt, die mit Sonnenenergie arbeitet. Eingebaute Solar-Zellen formen normales Tageslicht in Energie für die aufladbare Batterie um.*
*So brauchen Sie erst nach fünf Jahren eine neue Batterie.*

*Eine erstaunliche Kamera zu einem noch erstaunlicheren Preis!*

# ... Spitzentechnik zu einem fairen Preis.

Was verstehen Sie hier?

Wo steht das im Text?

a) Man kann mit der Kamera filmen.
b) Man kann mit der Kamera auch fotografieren.
c) Sie hat Solarzellen.
d) Sie ist nicht zu teuer.
e) Sie ist praktisch.

Vielleicht möchten Sie noch etwas über die Kamera wissen? Was?

## f der Foto-Messe

u Lefèbre von der Firma Bonphoto in Brüssel besucht die Foto-Messe in Köln. Die ist jedes
r in Köln.

Hören Sie den Dialog.

Was erklärt der Mann Frau Lefèbre?

Hören Sie den Dialog noch einmal.

Was fragt Frau Lefèbre? Was fragt sie nicht?                                    ja | nein
a) „Kann ich Ihnen helfen?"
b) „Können Sie mir den Apparat hier erklären?"
c) „Ist der Apparat neu?"
d) „Wie funktioniert der Apparat?"
e) „Ist der Apparat teuer?"
f) „Woher kommen Sie?"
g) „Wie lange hat man Garantie?"
h) „Wann können Sie den Apparat liefern?"

Vergleichen Sie Anzeige und Dialog.
Welche Informationen sind neu im Gespräch?

# Der große Mediovideoaudiotelema

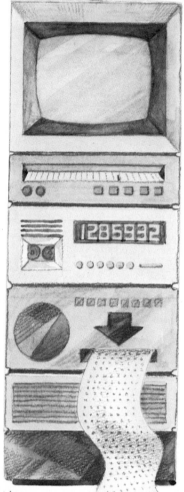

Der große Mediovideoaudiotelemax,
meine Damen und Herren,
ist technisch perfekt
und kann einfach alles.
Er kann rechnen,
Sie selber
brauchen also nicht mehr rechnen.
Er kann hören,
Sie selber
brauchen also nicht mehr hören.
Er kann sehen,
Sie selber
brauchen also nicht mehr sehen.
Er kann sprechen,
Sie selber
brauchen also nicht mehr sprechen.
Er kann sogar denken,
Sie selber
brauchen also nicht mal mehr denken.
Der große Medioaudiovideotelemax,
meine Damen und Herren,
ist einfach vollkommen.
Verlassen Sie sich
auf den großen Mediovideoaudiotelemax,
meine Damen und Herren,
        und finden Sie endlich Zeit
                für
                    sich selber.

# ein Glück

Bitte ein Kilo Glück!
- ▢ Ein Kilo Glück?
- Ja. Möglichst am Stück.
- ▢ Ein Kilo Glück am Stück. – Tut mir leid.
  Glück am Stück habe ich nicht.
- Auch nicht ein Stückchen?
- ▢ Nein, nicht mal ein Stückchen.
- Dann bitte – hundert Gramm Glück, in Scheiben.
- ▢ Glück in Scheiben habe ich auch nicht.
- Kein Glück am Stück, kein Glück in Scheiben.
  Was haben Sie denn überhaupt?
- ▢ Was ich überhaupt habe? Alles! –
  Nur habe ich leider kein Glück!

# ...um Beispiel ... Hamburg

Bonn ist die Hauptstadt der Bundesrepublik
Deutschland, aber es ist nicht die größte Stadt.
Die meisten Einwohner hat Hamburg.

Und was ist noch an Hamburg interessant?
Hamburg ist ein Stadtstaat, das heißt,
es ist nicht nur eine Stadt, sondern
auch ein Land. Die Bundesrepublik
Deutschland hat 10 Bundesländer,
und Hamburg ist eins davon. Der Hamburger
Bürgermeister ist gleichzeitig einer von
den zehn Ministerpräsidenten.

Hamburg ist eine Stadt mit viel Wasser.
Es gibt zwei Flüsse (die Elbe und die Alster),
mehr Kanäle als in Venedig und
125 Brücken.

Im Hamburger Hafen arbeiten
90 000 Menschen. Hier kommen im
Jahr etwa 20 000 Schiffe an und bringen
90 Millionen Tonnen Ware.

Hamburg ist eine Pressemetropole:
Hamburger Zeitungen liest man überall
in der Bundesrepublik. Am bekanntesten
sind: die „Bild-Zeitung" (5 Millionen
Exemplare pro Tag), die „Zeit", der „Stern",
der „Spiegel" und „Hör zu".

Hamburg ist auch eine Kulturmetropole:
es gibt 20 Museen, 17 Theater,
30 Kunstgalerien und fast 100 Kinos.

Hamburg hat aber auch seine Probleme:
Der Schiffsverkehr und die Industrie werden
immer größer, deshalb werden die Elbe und die
Nordsee immer schmutziger. Die Fische sterben,
die Fischindustrie geht langsam kaputt.
Und die Stadt braucht immer mehr Energie
für die Industrie und die privaten Haushalte.
Hamburg möchte deshalb noch weitere
Atomkraftwerke bauen. Aber viele Leute
wollen keine Atomenergie.

Den meisten Hamburgern aber gefällt ihre Stadt:
98% möchten nur hier leben. Und auch für 20%
Bundesdeutsche ist Hamburg noch immer die
„Traumstadt".

Die Bürgerschaft.

Der Hafen.

Verschmutzte Elbe bei Hamburg.

**B1**

2

# Hansa Busreisen Hamburg

Hans Hansen, Inh.

Abfahrt tägl. 10, 12, 14, 17 Uhr am Hauptbahnhof

Erwachsene 10,– DM    Kinder 8,– DM

Die Köhlbrandbrücke über der Elbe.

Der Elbtunnel. Unter der Elbe.

Mitten in der Stadt: Die Alsterarkaden
an der Alster: „Venedig" in Hamburg.

Das Wahrzeichen
von Hamburg:
Der „Michel"
(die Sankt- Michaelis-
Kirche). –
Vor dem Turm:
Das Bismarck-
Denkmal

Sankt Pauli
bei Nacht.
Cafés neben
Kinos, Hotels
neben Nachtclubs.

Segelboote auf der Alster. Hinter ihnen:
die Sankt-Nikolai-Kirche aus dem Jahre 1842,
(links) und der Rathausturm aus dem
Jahre 1897 (rechts).
Zwischen den Türmen: ein modernes Bürohaus.

1. Lesen Sie den Prospekt.

S. 208, 1

2. Hören Sie den Text:
Wohin fährt der Bus zuerst? (Bild Nr. . . . ?)
Und dann . . . ? (Bild Nr. . . . ?)

**Zwischen – vor – neben – auf – hinter.**
Welche Präposition paßt?
Ergänzen Sie auch den Artikel.

nks ... ... Binnenalster liegt
r Jungfernstieg.
ie Alsterarkaden liegen ... ...
hleusenbrücke und ... Jungfernstieg.
. ... Alsterarkaden ist die kleine Alster.
. ... Jungfernstieg ist
r U-Bahnhof Jungfernstieg.
ie Alsterarkaden liegen ... ...
einen Alster.

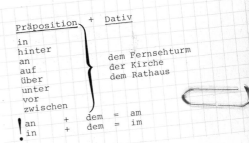

S. 208, 2 + 3

**Treffpunkt Landungsbrücken**

Wo treffen wir uns morgen?
☐ An den Landungsbrücken.
Und wo da? Auf der Brücke?
☐ Nein, lieber im Restaurant.
Oder am Eingang Brücke 3?
☐ Also gut, am Eingang.

Präposition + Dativ

| in | |
| hinter | |
| an | |
| auf | } dem Fernsehturm |
| über | der Kirche |
| unter | dem Rathaus |
| vor | |
| zwischen | |

! an + dem = am
! in + dem = im

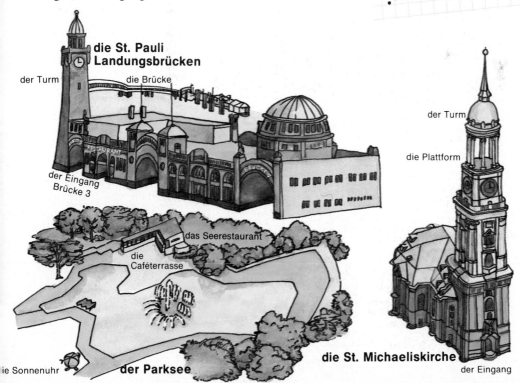

die St. Pauli Landungsbrücken

der Turm   die Brücke

der Eingang Brücke 3

das Seerestaurant

die Caféterrasse

ie Sonnenuhr   **der Parksee**

der Turm

die Plattform

**die St. Michaeliskirche**

der Eingang

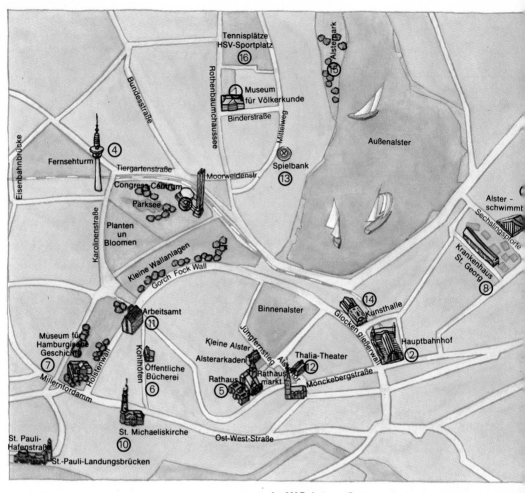

## 1. WO ist . . . ?

O Wo ist

das Rathaus, Thalia-Theater,
Arbeitsamt, Krankenhaus St. Georg,
Museum für
Hamburgische Geschichte?

die Kunsthalle, Alsterschwimmhalle,
Sankt Michaeliskirche,
Öffentliche Bücherei, Spielbank?

der Hauptbahnhof, Alsterpark,
HSV-Sportplatz,
Tennisplatz Rothenbaum?

□ In der . . . straße.
Am . . . platz/markt.

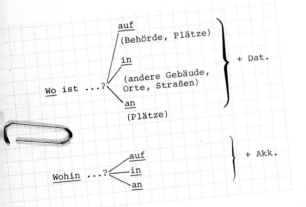

## a) WO kann man...?

| Wo kann man | spazierengehen? |
| | telefonieren? |
| | Fußball spielen? |
| | schwimmen? |
| | Bücher leihen? |
| | segeln? |
| | schnell einen Arzt finden? |
| | ... |

■ Im...
In der...
Auf dem...
Auf der...

## b) Sie möchten...

| Sie möchten | spazierengehen. |
| | ein Buch leihen. |
| | schwimmen gehen. |
| | telefonieren. |
| | Fußball spielen. |
| | ... |

Sie brauchen schnell einen Arzt.
Sie suchen eine Arbeit.
...

## WOHIN gehen Sie dann?

S. 209, 4a + 5

■ In den...
In die...
Ins...

Auf den...
Auf die...
Aufs...

Entschuldigen Sie bitte,
wo ist das Thalia-Theater?

■

...as Thalia-Theater, das ist am Alstertor.
...ie gehen hier die Mönckebergstraße immer
...eradeaus, an der St. Petrikirche vorbei
...is an die Kreuzung Gerhart-Hauptmann-Platz.
...ort dann links. Nach ungefähr 300 m ist
...chts das Thalia-Theater.

Tut mir leid,
das weiß ich nicht.
Ich bin auch fremd hier.

Spielen Sie weitere Dialoge. Nehmem Sie den Plan auf Seite 96.

S. 209, 7  Sie sind am Rathaus und suchen das Congress-Centrum, die St. Michaeliskirche, die Öffentlic
Bücherei, . . .

○ Entschuldigen Sie bitte,
wo ist . . .?

| Sie gehen hier | immer geradeaus bis . . . | |
|---|---|---|
| an der | Kreuzung | links. |
| | Kirche | rechts. |
| am . . . | | vorbei. |

| □ Dann | die erste/zweite/dritte/ | links. |
|---|---|---|
| | vierte Straße | rechts. |
| | an der Markthalle | |
| | am Schwimmbad | |
| | vor der . . ./vor dem . . . | |
| | hinter der . . ./hinter dem | |

**Entschuldigung, wir suchen . . .**

1. Sehen Sie in den Plan auf Seite 96 und hören Sie zu.

2. Der Autofahrer ist am Fernsehturm.

a) Wohin möchte der Autofahrer fahren?
b) Wohin fährt der Autofahrer wirklich?
c) Ist die Information falsch,
   oder fährt der Autofahrer falsch?
d) Wie muß der Autofahrer jetzt fahren?
   Erklären Sie ihm den Weg.

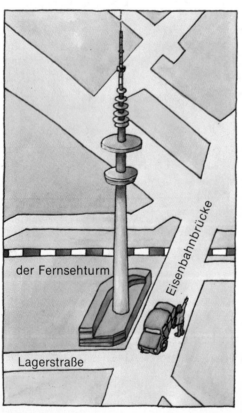

der Fernsehturm

Eisenbahnbrücke

Lagerstraße

## Schnellbahnen im Hamburger Verkehrsverbund

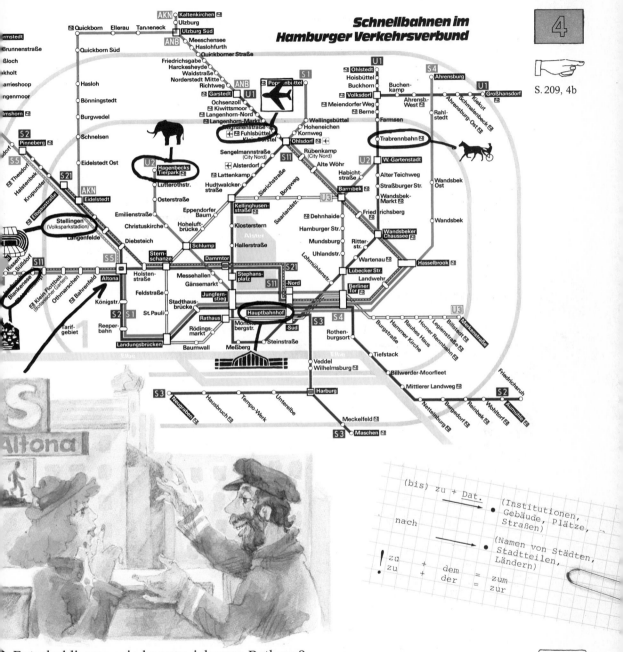

○ Entschuldigung, wie komme ich zum Rathaus?

☐ Nehmen Sie die S 1 oder die S 2 bis zu den Landungsbrücken.
Steigen Sie dann in die U 3 Richtung Merkenstraße um, und fahren Sie bis zum Rathaus. Das ist die dritte Station.

Spielen Sie weitere Dialoge.

(bis) zu + Dat. ────► (Institutionen, Gebäude, Plätze, Straßen)

nach ────► (Namen von Städten, Stadtteilen, Ländern)

! zu + dem = zum
zu + der = zur

# B3

**Hamburg – das Tor zur Welt**

# ALLE WEGE NACH HAMBURG

Hamburg ist einer der größten Seehäfen in Europa. Es liegt zwar nicht direkt am Meer, sondern an einem Fluß, an der Elbe. Sie fließt 110 Kilometer weiter nördlich in die Nordsee. Man kann daher Hamburg mit dem Seeschiff erreichen. Aber auch mit dem Flugzeug, dem Auto und mit der Bahn gibt es gute Verbindungen nach Hamburg.

## Mit dem Schiff

Täglich kommen ungefähr 60 Schiffe in den Hafen. Jeden Tag liegen hier 150 bis 220 Schiffe an den Kaimauern. Im Monat gibt es ungefähr 400 regelmäßige Schiffsverbindungen nach Häfen in Europa, Amerika, Afrika und Asien. Von Hamburg fahren Schiffe in 1.300 Hafenstädte in der ganzen Welt.

Auf der Elbe kommen die Schiffe aus der Tschechoslowakei durch die DDR und die Bundesrepublik Deutschland bis nach Hamburg. Es gibt auch eine direkte Wasserstraße zwischen Ost- und Nordsee, den Nord-Ostseekanal. Er führt von der Elbe durch Schleswig-Holstein zur Ostsee in Kiel und verbindet Hamburg mit Skandinavien. So ist Hamburg ein wichtiger Transitplatz für Waren aus der DDR, Tschechoslowakei, aus Österreich, Skandinavien und Ungarn.

## Mit der Bahn

Auch mit der Bahn kommt man schnell nach Hamburg. Vom Hauptbahnhof, direkt im Stadtzentrum, fahren täglich 68 Züge in viele große Städte in Europa.

## Mit dem Auto

Alle Autobahnen zwischen Skandinavien und Mittel- und Westeuropa führen durch Hamburg. So können Sie direkt in den Hamburger Hafen und ins Stadtzentrum fahren. Die A7 zum Beispiel kommt von Süddeutschland und geht direkt am Containerzentrum im Hamburger Hafen vorbei nach Dänemark.

## Mit dem Flugzeug

Täglich landen in Hamburg ungefähr 139 Linienflugzeuge auf dem Flughafen Fuhlsbüttel. Direkte Flugverbindungen gibt es z. B. nach Amsterdam, Anchorage, Berlin, Brüssel, Düsseldorf, Frankfurt/M., Helsinki, Kopenhagen, Köln, London, München, Oslo, Paris, Stockholm, Stuttgart und Zürich.

**Was ist richtig (r)?**
**Was ist falsch (f)?**

Seeschiffe können nicht in den Hamburger Hafen fahren.
Der Hamburger Hafen liegt an der Nordsee.
Der Hamburger Hafen liegt direkt im Stadtzentrum.
Schiffe aus 1300 Hafenstädten in der ganzen Welt fahren nach Hamburg.
Regelmäßige Schiffsverbindungen gibt es nur zwischen Hamburg und Häfen in Europa.
Die Elbe fließt durch die DDR.
Für Schiffe ist die Elbe eine günstige Verbindung zwischen Hamburg und Osteuropa.
Man kann mit der Bahn direkt ins Stadtzentrum fahren.
Autobahnen führen direkt in den Hamburger Hafen.
Nur Flugzeuge aus der Bundesrepublik Deutschland landen auf dem Flughafen Fuhlsbüttel.
Die Verkehrsverbindungen nach Hamburg sind günstig.


**An – auf – in – über – zwischen – durch – von – zu – nach – aus.**

Welche Präposition paßt?
Ergänzen Sie auch den Artikel.

) Hamburg liegt _an der_ . . . Elbe, nicht _am wei_ . . . Nordsee.
) _Nach_ vielen Städten _in der_ Welt kann man direkt _von_ Hamburg fliegen.
) _Von_ Hamburg kann man direkt _in die_ Schweiz fliegen.
) _Zwischen_ Hamburg und New York gibt es eine direkte Flugverbindung.
) _In_ Hamburg landen die Flugzeuge _auf dem_ . . . Flughafen Fuhlsbüttel.
) Die Autobahnen _von_ Skandinavien führen alle _nach_ Hamburg.
) _Zwischen_ Skandinavien und Hamburg gibt es eine Autobahn.
) Mit der Bahn kann man _von_ Hamburg _nach_ viele Städte _in_ Europa fahren.
) Die Bahn fährt direkt _in die_ Hamburger City.
) Der Hauptbahnhof liegt _an_ Hamburger City.
) Mit Auto, Bahn und Schiff kann man _nach_ Hamburger Hafen fahren.
) _Im_ Hamburger Hafen liegen immer 150 bis 220 Schiffe.
) Schiffe _aus_ Großbritannien fahren _über die_ Nordsee und _über die_ Elbe nach Hamburg.
) Man kann mit dem Schiff _auf der_ Elbe _in die_ DDR fahren.
) Die Elbe fließt _durch die_ Tschechoslowakei, _durch die_ DDR und _durch die_ Bundesrepublik
Deutschland _in die_ Nordsee.
) . . . Elbe führt der Nord-Ostseekanal . . . Ostsee.

# Hoffnungsvolle Auskunft

- zuerst rechts
- dann links
- dann wieder rechts
- dann zweihundert Meter geradeaus
- dann bei der Ampel scharf rechts
  dann bis zur zweiten Kreuzung
  geradeaus
- dann über den Platz weg
  und dann links
- dann um das Hochhaus herum
  und bei der Tankstelle
  links halten
- dann fragen Sie noch mal,
  und wenn man Ihnen sagt:
- gehen Sie zuerst rechts
- dann links
- dann wieder rechts
- dann zweihundert Meter geradeaus
- dann bei der Ampel scharf rechts
- dann bis zur zweiten Kreuzung
  geradeaus
- dann über den Platz weg
  und dann links
- dann in einem Bogen
  um das Hochhaus herum
  und bei der Tankstelle
  links halten . . .
. . . dann verlieren Sie bitte nicht die Hoffnun

1

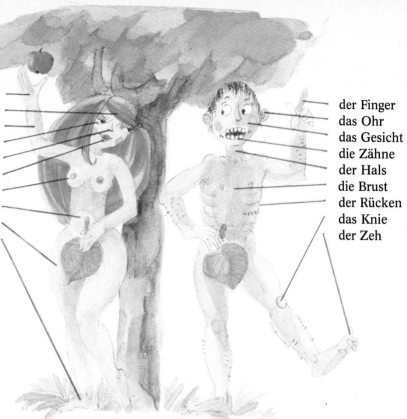

die Hand
der Kopf
der Arm
das Auge
die Nase
der Mund
der Busen
der Bauch
das Bein
der Fuß

der Finger
das Ohr
das Gesicht
die Zähne
der Hals
die Brust
der Rücken
das Knie
der Zeh

*Mein Rücken tut weh, ich kann nicht fliegen!*

**1. Frau Bartels und Herr Kleimeyer haben Probleme mit der Gesundheit.**

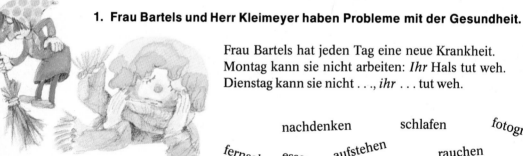

Frau Bartels hat jeden Tag eine neue Krankheit.
Montag kann sie nicht arbeiten: *Ihr* Hals tut weh.
Dienstag kann sie nicht . . ., *ihr* . . . tut weh.

nachdenken    schlafen    fotografieren

fernsehen  essen  aufstehen    rauchen

arbeiten  sprech(

aufräumen  einkaufen  fliegen  hören  trinken

kochen  gehen  sehen  lesen  tanzen  Tennis | spielen
Fußball

schreiben  Deutsch lernen

schwimmen

Possessivartikel

♂ sein Kopf
der Kopf → ♀ ihr Kopf
♂ seine Schulter
die Schulter → ♀ ihre Schulter
♂ sein Bein
das Bein → ♀ ihr Bein

Auch Herr Kleimeyer hat jeden Tag eine neue Krankheit.
Montag tut *sein* Rücken weh, und er kann nicht schwimmen,
Dienstag tut . . ., und . . .

S. 210, 1

**Was fehlt ihm/ihr?**

2

4

3

5

6

1

| Sein | Zahn | tut weh. |
|------|------|----------|
| Ihr | Kopf | |
| | Bauch | |
| | . . . | |

| Er/sie hat | Zahnschmerzen. |
|------------|----------------|
| | Kopfschmerzen. |
| | Bauchschmerzen. |
| | . . . |

| Seine | Brust | tut weh. |
|-------|-------|----------|
| Ihre | Hand | |
| | Nase | |
| | . . . | |

| r/sie hat | Grippe. |
|-----------|---------|
| | Fieber. |
| | Durchfall. |
| | . . . |

| Er/sie ist | krank. |
|------------|--------|
| | erkältet. |
| | . . . |

| Seine | Beine | tun weh. |
|-------|-------|----------|
| Ihre | Finger | |
| | . . . | |

○ Hallo, Bernd.
◻ Grüß dich, Gisela.
○ Du siehst aber nicht gut aus.
Was ist denn los?
◻ Ich habe Zahnschmerzen.
○ Sehr schlimm?
◻ Es geht.

2

○ Hallo, . . .
  (Tag, . . .)

◻ Grüß dich, . . .
  (Tag, . . .)

○ Du siehst aber nicht gut aus.
  (Du siehst aber schlecht aus.)

  Was ist denn los?
  (Was hast du denn?)

◻ Ich habe . . .
  (Ich bin . . .)

  (Mein(e) . . . tut weh.
  (Meine . . . tun weh.)

○ Sehr schlimm?
  (Ist es schlimm?)

◻ Es geht.
  (Ja, ziemlich.)

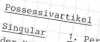

Possessivartikel

| Singular | 1. Person |
|----------|-----------|
| der Kopf | mein Kopf |
| die Hand | meine Hand |
| das Bein | mein Bein |

Plural
die Arme    meine Arme

**B2**

**1**

Leser fragen – Dr. Braun antwortet

# Sprechstunde

**Dr. med. C. Braun**
beantwortet Fragen unserer Leser.
Experten anderer Fachbereiche beraten ihn. Schreiben Sie also an
das Gesundheitsmagazin und denken Sie daran, daß Ihre Frage auch
anderen Lesern helfen kann, die
ähnliche Sorgen haben.

**②** Lieber Doktor Braun,
ich habe oft Halsschmerzen, und
mein Arzt gibt mir immer Penizillin. Ich möchte aber kein Penizillin nehmen. Was soll ich tun?
Erna E., Bottrop

**B** Ihr Arzt hat recht. Magenschmerzen, das heißt Streß! Vielleicht
haben Sie ein Magengeschwür.
Das kann schlimm sein! Sie müssen viel spazierengehen, Sie dürfen keinen Kaffee und keinen
Wein trinken. Rauchen Sie nicht
mehr! Sie dürfen auch nicht fett
essen!

**①** Lieber Doktor Braun,
ich habe oft Schmerzen in der
Brust, besonders morgens. Ich
rauche nicht, ich trinke nicht, ich
treibe viel Sport und bin sonst
ganz gesund. Was kann ich gegen
die Schmerzen tun?
Herbert P., Bonn

**③** Sehr geehrter Herr Dr. Braun,
mein Magen tut mir immer so
weh. Ich bin auch sehr nervös
und kann nicht schlafen. Mein
Arzt kann mir nicht helfen. Er
sagt nur, ich soll weniger arbeiten.
Aber sein Rat gefällt mir nicht.
Willi M., Rinteln

**C** Sie wollen keine Medikamente
nehmen, das verstehe ich. Dann
müssen Sie aber vorsichtig leben.
Sie dürfen nicht oft schwimmen
gehen, Sie müssen Salbeitee trinken und jeden Abend Halskompressen machen.

**A** Ihre Schmerzen können sehr gefährlich sein. Ich kann Ihnen leider keinen Rat geben; Sie müssen unbedingt zum Arzt gehen.
Warten Sie nicht zu lange!

**1. Welche Antwort paßt zu welchem Leserbrief?**

**Herr P., Frau E., Herr M.**

S. 210, 2

| er | hat . . . ? | Was muß er/sie tun? | Was darf er/sie nicht tun? |
|---|---|---|---|
| | Brustschmerzen | | |
| | Halsschmerzen | vorsichtig leben, . . . | |
| | Magenschmerzen | | fett essen, . . . |

**elche Ratschläge gibt Dr. Braun?**

au E. muß vorsichtig leben.
err . . . darf nicht fett essen und keinen Wein trinken.
err . . .
au . . .

**Und welche Ratschläge können Sie Herrn P., Frau E. und Herrn M. geben?**

**im Arzt**

Hören Sie zu.

Was sagt der Arzt zu Herrn Möllermann?
Was sagt er nicht?

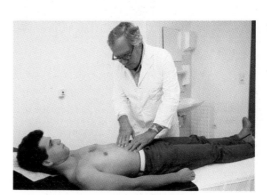

1. a) Essen Sie zu wenig?
   b) Essen Sie denn zu viel oder zu fett?
   c) Essen Sie genug?

2. a) Trinken Sie viel Tee?
   b) Rauchen Sie?
   c) Trinken Sie Bier oder Wein?

3. a) Sie haben ein Magengeschwür.
   b) Sie brauchen Magentabletten.
   c) Ihre Kopfschmerzen sind gefährlich.

4. a) Sie dürfen jetzt mal keine Kopfschmerztabletten mehr nehmen.
   b) Sie müssen jetzt erst mal ein paar Tage ins Bett.
   c) Ich schreibe Ihnen hier Kopfschmerztabletten auf.

5. a) Ich schreibe Ihnen hier ein Medikament auf.
      Das nehmen Sie morgens und abends.
   b) Ich schreibe Ihnen hier ein Medikament auf.
      Das nehmen Sie mittags und abends.
   c) Ich schreibe Ihnen hier ein Medikament auf.
      Das nehmen Sie morgens, mittags und abends.

○ Möchtest du einen Kaffee?
   ☐ Nein danke, ich darf nicht.
○ Warum denn nicht?
   ☐ Ich habe ein Magengeschwür.
      Der Arzt sagt, ich soll keinen
      Kaffee trinken.
○ Darfst du denn Tee trinken?
   ☐ Oh ja, das soll ich sogar.

Kaffee – ein Magengeschwür haben – Tee
Eis essen – Durchfall haben – Schokolade
Kuchen – Verstopfung haben – Obstsalat
Schweinebraten – zu dick sein – Salat
Kaffee – nervös sein – Milch
Fisch – eine Fischallergie haben – Hähnchen
Cognac – Herzbeschwerden – Mineralwasser

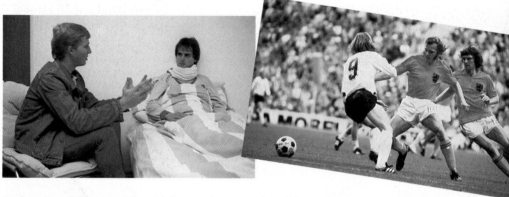

Jochen ist erkältet und hat Fieber. Sein Freund Rolf besucht ihn.
Rolf und Jochen spielen zusammen in einer Fußballmannschaft. Am Samstag ist ein se
wichtiges Spiel. Jochen soll unbedingt mitspielen: Seine Mannschaft braucht ihn, denn er spie
sehr gut.

○ Jochen, du mußt am Samstag unbedingt mitspielen.
   ☐ Ich möchte ja gern, aber ich kann wirklich nicht.
      Mir geht's nicht gut. Ich habe Fieber.
○ Fieber, das ist doch nicht so schlimm.
   90 Minuten kannst du bestimmt spielen.
   ☐ Das sagst du! Aber mein Arzt sagt, ich soll im Bett bleiben.
○ Ach, dein Arzt! Komm, spiel doch mit!
   ☐ Nein, ich will lieber im Bett bleiben.
      Meine Gesundheit ist mir wichtiger als das Spiel.

Sag mal: Willst du nicht
oder kannst du wirklich nicht?
☐ . . .

Na gut, dann nicht.
Dann wünsche ich dir gute Besserung.

S. 210, 2

hreiben Sie weitere Dialoge mit Ihren Nachbarn.
ielen Sie dann die Dialoge.

Roland hat Halsschmerzen.
Er spielt in einer Jazzband
Trompete.
Am Wochenende müssen
sie spielen.
Aber Roland kann nicht.

Herr Koch ist Mechaniker bei
der Firma Heinen KG in
Offenbach. Er ist seit 10 Tagen
krank. Er hat ein Magengeschwür. Sein Chef, Herr Christ,
ruft ihn an. Herr Koch soll in
die Firma kommen, denn Herr
Christ braucht ihn unbedingt.
Aber Herr Koch kann nicht
arbeiten.

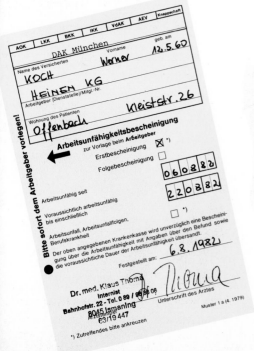

Ist ein Arbeitnehmer in der Bundesrepublik
Deutschland krank, muß er am dritten Tag zum
Arzt gehen. Der Arzt schreibt ihm dann even-
tuell eine Arbeitsunfähigkeitsbescheinigung.
Diese Bescheinigung gibt der Arbeitnehmer
seinem Arbeitgeber. Der Arbeitgeber darf dem
Arbeitnehmer dann nicht kündigen. Dauert
die Krankheit länger, muß der Arbeitgeber
den Lohn für sechs Wochen weiterzahlen.

*Na ja, es ist Samstag passiert...*

*Mensch, was hast du denn gemacht?*

*Was ist denn bloß passiert?*

*Erzähl mal!*

1. Dann habe ich die Bierflaschen nach unten gebracht.

5. Meine Kollegin ist gekon men und hat mir geholfen.

9. Dann bin ich gefallen.

**Und was ist nun wirklich passiert?**
Ordnen Sie die Bilder.
Es gibt drei Geschichten.
(Nur eine ist wirklich passiert.)

| A | 11 | 1 | 10 | 3 |
|---|----|---|----|---|
| B | 2 | 9 | 8 | 7 |
| C | 12 | 6 | 5 | 4 |

Ich habe Fußball gespielt.

3. Mein Arm hat sehr weh getan, und ich bin zum Arzt gegangen.

4. Mensch, da habe ich laut geschrien.

Plötzlich ist meine Hand ⌐ die Maschine gekommen.

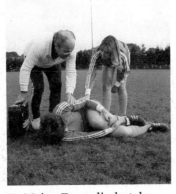

7. Meine Freundin hat den Arzt geholt. Er hat gesagt: „Das Bein ist gebrochen."

8. Ich bin wieder aufgestanden. Aber das Bein hat zu sehr weh getan.

). Plötzlich bin ich gefallen.

11. Ich habe die Küche aufgeräumt.

12. Ich habe wie immer an der Maschine gearbeitet.

S. 211, 3

Hartmut hat im Winter in Lenggries in Bayern Ski fahren gelernt.
Der Skikurs hat drei Wochen gedauert.
Hier das tägliche Programm.

**Skikurs Anfänger 3**

| Lehrer: | Hannes Pfisterer |
|---|---|
| 7.00 | aufstehen |
| 7.45 | Frühstück |
| 9.00–12.00 | Skitraining |
| 12.00 | Mittagessen |
| 13.00–15.00 | Skitraining |
| 18.00 | Abendessen |

Erzählen Sie:

Hartmut ist jeden Tag um 7$^{00}$ Uhr aufgestanden . . .

| | |
|---|---|
| frühstücken | – gefrühstückt |
| Ski fahren | – Ski gefahren |
| trinken | – getrunken |

Aber der 30. Januar 1983 war ein Unglückstag. Erzählen Sie:

# er eingebildete Kranke

Herr Doktor, ich bin nicht gesund.
- Na, wo fehlt's denn?
Das weiß ich auch nicht. Ich weiß
nur, ich bin nicht ganz gesund.
- Sie sind also krank?
Krank? Glauben Sie,
ich bin krank?
- Das weiß ich doch nicht!
Aber – Sie sind doch der Arzt!
- Hören Sie! Haben Sie
  Schmerzen?
Ich? Wo?
- Mein Gott, das weiß ich doch
  nicht!
  Tut Ihnen irgend etwas weh?
Nein, das nicht. I r g e n d  e t w a s tut
mir nicht weh.
- Schmerzen haben Sie also keine?
Bis jetzt noch nicht. Aber vielleicht
kommt das noch.
- Unsinn! – Wie ist Ihre Ver-
  dauung?
Nicht gut – gar nicht gut.
- Aha! Sie verdauen schlecht!
Wenig, Herr Doktor, sehr wenig.
- Mit einem Wort, Ihre Verdauung
  ist schlecht.
Das will ich nicht sagen. Ich verdaue
nur wenig. Aber das dann sehr gut.
- Jetzt aber Schluß.
Herr Doktor – ich esse auch sehr
wenig.
- Aha, Sie haben keinen Appetit.
Oh doch!
- Aber Sie sagen doch gerade . . .
Herr Doktor, ich esse auch wenig.
Aber das mit großem Appetit.
- Also, Sie sind vielleicht komisch!
Sehen Sie! Deshalb komme ich ja
zu Ihnen!

- Was ist mit Ihren Nieren?
  Funktionieren die?
○ Das ist auch so ein Punkt, Herr Dok-
  tor, meine Nieren funktionieren fast
  gar nicht!
  - Aha!
○ Manchmal frage ich mich: hast du
  überhaupt Nieren?
  - Unsinn! Jeder Mensch hat Nieren.
○ Sind Sie ganz sicher?
  - Wahrscheinlich trinken Sie auch
    wenig.
○ Nein, Herr Doktor, ich trinke sehr viel.
  Bier, Limonade und vor allem
  Wasser.
  - So. – Und wo bleibt das alles?
○ Das frage ich mich auch. Ich glaube,
  ich schwitze alles wieder aus.
  - Was Sie nicht sagen. – Und
    warum schwitzen Sie so viel?
○ Ich – wissen Sie . . . ich laufe
  ständig zum Arzt . . .
  - Ich verstehe! Fünfzig Mark! Für
    die Konsultation!
○ Fünfzig Mark. – Sehen Sie, Herr
  Doktor, jetzt fange ich schon wieder
  an zu schwitzen!

# Lektion 10

Friedensdemonstration in New York

Krieg zwischen Argentinien und Großbritannien

Ingrid Bergman

Papst Johannes Paul II. in Großbritannien

Auf dem Arbeitsamt

**Arbeitslosigkeit**

So schneiden die sechs großen Industrieländer 1981 ab:
Bei den Arbeitslosen
Quote Jan.-Sept. 1981 in %

11,0 England
9,2 Frankreich
8,6 Italien
7,5 USA
5,2 Bundesrepublik Deutschland
2,3* Japan

*nicht mit den übrigen Ländern vergleichbar

**1982**

Prinz William und seine Eltern

Fußballweltmeisterschaft: Spiel zwischen Deutschland und Italien

**Was ist 1982 passiert?**

... ist Italien Fußballweltmeister geworden.

... haben Diana und Charles ein Kind bekommen.

... war Krieg zwischen Großbritannien und Argentinien.

... ist Ingrid Bergmann gestorben.

... hat der Papst eine Reise in die Bundesrepublik Deutschland gemacht.

... haben 500 000 Menschen in New York für den Frieden demonstriert.

... hatten Millionen Menschen in Europa und USA keine Arbeit.

☞ S. 212 + 213

**Und was haben Sie 1982 gemacht?**

Ich habe eine Reise nach ... gemacht. Das war toll.

... geheiratet

... gewohnt

... gewesen

... hatte ...

... gemietet

... gehabt

... bekommen

... gearbeitet

... war ...

... studiert

Ich habe meinen Freund Abraxas besucht, und habe zwei neue Besen gekauft.

... gelernt

... gekauft

... gefahren

... geflogen

... angefangen

... geworden

... geliebt

### 3. Wo warst du?

○ Krüger.
   ◻ Hier ist Gerd. Grüß dich!
     Du, Sybille, wo warst du eigentlich
     Montag abend?
     Wir waren doch verabredet.
○ Mensch, tut mir leid.
   Das habe ich total vergessen.
   Da war ich im Kino.

| ◻ | Montag | Dienstag | Mittwoch | Donnerstag | Freitag | Samstag | Sonntag |
|---|--------|----------|----------|------------|---------|---------|---------|
|  | morgen | | mittag | | nachmittag | | abend |

| ○ | arbeiten | schlafen | | zu Hause | | lesen | einkaufen |
|---|----------|----------|--------|----------|-----------|---------|-----------|
|  | | krank | Tennis | | schwimmen | | |
|  | Theater | | Kino | fernsehen | Restaurant | | essen |

### 4. Was hast du . . . gemacht?

a) Fragen Sie Ihren Nachbarn.

*Was hast du am Wochenende gemacht?*

*Was hast du gestern abend gemacht?*

*Und ich habe eine neue Giftsuppe gekocht.*

*Ach, ich habe viel geschlafen, eine Freundin getroffen...*

b) Sie treffen einen Freund.
   Sie haben ihn ein Jahr nicht gesehen.

*Mensch, wir haben uns lange nicht gesehen. Was hast du denn die ganze Zeit gemacht?*

*Ich | habe... | bin...*

Schwarzer Freitag in New York.

# 1929

Arbeiterdemonstration Berlin.

Viele Menschen haben keine Arbeit und leben in Slums.

Eine Schulklasse im Jahr 1929.

Die Menschen haben wenig Geld.
Ein Brot kostet ungefähr 0,50 RM (Reichsmark).
Es gibt zu wenig Wohnungen. Seit 1919 gibt es den 8-Stunden-Tag, aber viele
Menschen müssen 12 oder 14 Stunden pro Tag arbeiten und bekommen nur
120 bis 150 RM im Monat, ein Angestellter bekommt ungefähr 2.000 RM.
Im Mai demonstrieren 200.000 Arbeiter in Berlin.
Die Polizei bringt 1.200 ins Gefängnis, 31 sterben.
Der 25. Oktober ist der „Schwarze Freitag" in New York.
Die Weltwirtschaftskrise fängt an.
Im Dezember 1929 haben 1,5 Millionen Menschen in Deutschland keine Arbeit,
im Januar 1930 sind es 2,8 Millionen und im Februar 1930 sind es 3,5 Millionen.
Eine Koalition ist an der Regierung. Hermann Müller (Sozialdemokrat) ist
Reichskanzler.
Die Nationalsozialisten (NSDAP) haben im Reichstag (Parlament) nur 2,6%.

Walter Ruhland
1920 geboren in Rosenheim
Vater: Josef Ruhland,
        Kriegsinvalide,
        lange ohne Arbeit
1926–41 Schule in München
1941    Abitur
1941–45 Soldat in Westpreußen
        und Holland
1945–50 Theologiestudium
heute   Religionslehrer
        in München

○ Herr Ruhland,
  Sie sind 1920 ge-
  boren und waren
  in der Klasse hier
  auf dem Photo.
  Wo sind Sie da?
□ Hier oben links,
  neben dem Lehrer,
  das bin ich.
○ Wie alt waren Sie
  damals?
□ Na, ungefähr 10 Jahre.
○ Wie haben Sie die Zeit damals erlebt?
□ Ja, also ...
  Wissen Sie, wir hatten es nicht
  leicht. Mein Vater war nämlich
  Kriegsinvalide von 1918. Er hatte
  keine Arbeit, und wir hatten nicht
  viel Geld zu Hause.
○ Sind Sie gern zur Schule gegangen?
□ Ja, das kann man schon sagen.
  Ich habe gern für die Schule
  gelernt. Sehr gern habe ich Deutsch
  und Religion gehabt.
○ Herr Ruhland, Sie sind heute
  Religionslehrer. Wie ist das gekommen?
□ Ich habe schon gesagt: ich habe gern
  Religion gehabt. Später hat mein Vater
  doch noch eine Arbeit gefunden,
  und ich bin dann zum Gymnasium
  gegangen. Bis 1941.

Lesen Sie weiter auf S. 122

1929   Die Weimarer Republik – die
bis    erste demokratische Republ
1933   in Deutschland – zerfällt
       nach und nach.
1930   3,5 Millionen Arbeitslose
1931   5,6 Millionen Arbeitslose
1932   6,2 Millionen Arbeitslose
1933   6,1 Millionen Arbeitslose

Der Reichstag in der Weimarer Republik

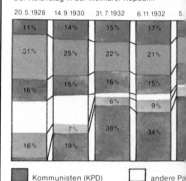

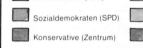

Kommunisten (KPD)        andere Pa

Sozialdemokraten (SPD)   Rechts-Ke
                         (DNVP)

Konservative (Zentrum)   Nationals
                         (NSDAP)

1933   Hitler wird Reichskanzler
1934   Hitler heißt jetzt „Führer un
       Reichskanzler". Er regiert a
       absoluter Diktator.
1935   Die deutschen Juden verlier
       die bürgerlichen und
       politischen Rechte.
       Juden und Nichtjuden dürfe
       nicht heiraten.
1936   Aufrüstung der Wehrmacht.
       Es gibt nur noch 1 Million
       Arbeitslose, aber Deutschla
       hat 35 Milliarden Reichsmar
       Schulden.
       (1932 waren es 12 Milliarde

Arbeitslose in Deutschland

1933: Hitler und Hindenburg

1939: Militärparade in Berlin

○ Herr Fink,
Sie sind der Junge
unten rechts auf
dem Photo.
Sie sehen ernst
aus . . .
☐ Na, sind Sie
vielleicht gerne
zur Schule ge-
gangen? Also ich
nicht. Übrigens: ich w a r damals sehr ernst.
Die Zeiten waren ja auch sehr schlecht.
○ Wie haben Sie denn das Jahr 1933 erlebt?
☐ Oh, das war schlimm für meine Familie. Mein
Vater war nämlich Sozialdemokrat. Er hat immer
gesagt: „Hitler – das heißt Krieg." Nachts hat
er Flugblätter geschrieben. Seine Freunde
haben sie dann verteilt.
Ja, und dann war plötzlich Hitler an der Regierung. Und dann im November 1933, ich weiß es
noch, ist um 12 Uhr in der Nacht die Gestapo
gekommen. Wir haben gemeint, wir sehen den
Vater nicht wieder.
○ Und was ist dann passiert?
☐ Nach drei Tagen ist er wieder nach Hause
gekommen. Aber er war dann
doch sehr vorsichtig.
○ Und wie war es in der Schule?
☐ Viele Lehrer waren Nazis, aber unser
Lehrer Wimmer war anders.
Wir hatten ihn in der 7. und 8. Klasse.

Armin Fink
1919 geboren in Garmisch
Vater: Schlosser in einer
Flugzeugfabrik,
Sozialdemokrat
1926–34 Schule in München
1941–45 Soldat in Frankreich
1946–53 Elektriker
seit 1953 Angestellter bei
der Bundesbahn

Lesen Sie weiter auf S. 123

○ 1941 – da war doch Krieg?

    ☐ Ja, ja, das war schon sehr schlimm damals. Ich habe Abitur gemacht und bin dann sofort Soldat geworden. Und 1946 habe ich dann mein Studium angefangen.

○ Sprechen wir auch noch von der Hitlerzeit. Was haben Sie über Hitler gedacht?

    ☐ Na ja, 1933, wissen Sie, ich war noch ein Kind.

○ Aber dann sind Sie doch Soldat geworden?

    ☐ Ja, es war Krieg, und die Männer sind alle Soldaten geworden. Ich war noch jung, und ich habe gedacht: „Wir müssen Deutschland verteidigen."

○ Was denken Sie heute?

    ☐ Nun, viele sind im Krieg gefallen: der Peter Huber, der Karl, der Franz . . . Die Zeit war sehr schlimm.

○ Warum haben Sie Theologie studiert?

    ☐ Sehen Sie, 1945 war Deutschland kaputt, Millionen von Menschen waren tot. Ich habe einen neuen Anfang gesucht.

| 1939 | Hitler beginnt den 2. Weltkrie |
| seit 1939 | In Deutschland töten die Naz 100 000 geistig und physisch Behinderte und psychisch Kr In Polen verfolgt Hitler beso die polnische Intelligenz. Au anderen Ländern Osteuropa töten die Nazis – nicht nur in Krieg – Millionen von Mensc |
| 1941 | Hitler erklärt im Juni der So union und im Dezember den l den Krieg. |
| 1942 | Die „Endlösung der Judenfra beginnt. Bis 1945 ermorden und seine Helfer ungefähr 6 Millionen Juden, aber auch mehrere Hunderttausend Zi |
| 1944 | Attentat auf Hitler. Ohne Erf |
| 1945 | Ende des 2. Weltkriegs. |

| 1 | Herr Fink | A | war gegen Hitler. |
|---|---|---|---|
| 2 | Der Vater von Herrn Fink | B | ist gern zur Schule gegangen. |
| 3 | Herr Ruhland | C | hat nicht viel über Hitler und seine Politik nachgedacht. |
| 4 | Der Vater von Herrn Ruhland | D | hatte gern Deutsch und Religion in der Schule. |
| 5 | Herr Wimmer | E | hatte 1929 wenig Geld. |
| | | F | war ein guter Lehrer. |

939: deutscher Einmarsch in Polen

Juden im Ghetto in Warschau

1945: Die Stadt Dresden

Einmal ist er in die Schule gekommen
und hat nicht „Guten Morgen" gesagt.
Sein Gesicht war sehr ernst, und dann
hat er nur gesagt: „Heil Hitler!"
Wir haben gelacht. Darauf hat er geantwortet: „Buben, lacht nicht! Jetzt
könnt ihr lange Zeit nicht mehr lachen.
Deutschland geht jetzt ins Massengrab."
Später hat ein Schüler bei der Polizei
gesagt: „Unser Lehrer ist ein Kommu-
nist."

| | |
|---|---|
| G | war ein Nazi. |
| H | war Sozialdemokrat. |
| I | war Kommunist. |
| J | war im Gefängnis. |
| K | hat 1946 einen neuen Anfang gesucht. |
| L | war für den Krieg. |

Setzen Sie ein:
richtig (r) – falsch (f) – man weiß es nicht (?)

| | A | B | C | D | E | F | G | H | I | J | K | L |
|---|---|---|---|---|---|---|---|---|---|---|---|---|
| 1 | | | | | | | | | | | | |
| 2 | | | | | | | | | | | | |
| 3 | | | | | | | | | | | | |
| 4 | | | | | | | | | | | | |
| 5 | | | | | | | | | | | | |

## B2  Zwei Lebensläufe

S. 212 + 213

| 1876 | Konrad Adenauer in Köln geboren |
|---|---|
| 1894 | macht das Abitur in Köln |
| 1896–1901 | studiert in Freiburg, München und Bonn Jura |
| 1901 | besteht das Juraexamen |
| 1902–1904 | arbeitet bei der Staatsanwaltschaft und beim Gericht |
| 1904 | heiratet Emma Weyer in Köln |
| 1904–1906 | ist Assistent bei einem Kölner Rechtsanwalt |
| 1908 | wird Mitglied in der Zentrumspartei und Beigeordneter (Bürgermeister-Assistent) |
| 1916 | stirbt seine Frau Emma |
| 1917 | wird Oberbürgermeister in Köln |
| 1919 | heiratet Auguste Zisser |
| 1933 | entlassen die Nazis den Oberbürgermeister Adenauer |
| 1935 | zieht Adenauer mit seiner Familie nach Rhöndorf |
| 1944 | verhaftet die Gestapo Adenauer (Attentat auf Hitler); nach zwei Monaten ist er wieder frei |
| 1946–1966 | CDU-Vorsitzender |
| 1949–1962 | Bundeskanzler der Bundesrepublik Deutschland |
| 1967 | gestorben in Rhöndorf |

| | |
|---|---|
| 1913 | als Herbert Ernst Karl Frahm in Lübeck geboren |
| 1931 | wird Mitglied in der Sozialistischen Arbeiterpartei |
| 1932 | macht das Abitur in Lübeck |
| 1932–1933 | arbeitet bei einer Schiffsmaklerfirma in Lübeck |
| 1933 | schreibt illegal Flugblätter gegen die Nazis, flieht nach Norwegen, ändert seinen Namen in Willy Brandt |
| 1933–1940 | ist Journalist in Norwegen, organisiert im Ausland den Widerstand gegen Hitler |
| 1936 | ist illegal als Norweger Gunnar Gaasland in Berlin |
| 1938 | verliert die deutsche Staatsbürgerschaft |
| 1940 | bekommt die norwegische Staatsbürgerschaft, flieht nach Schweden (Hitler überfällt Norwegen und Dänemark) |
| 1942–1945 | arbeitet als Journalist in Schweden |
| 1944 | wird Mitglied in der Exil-SPD in Stockholm |
| 1947 | wird wieder Deutscher |
| 1949–1957 | Berliner Abgeordneter im Bundestag |
| 1957–1966 | Regierender Oberbürgermeister in Berlin |
| 1961+1965 | SPD-Bundeskanzlerkandidat |
| 1964–1987 | SPD-Vorsitzender |
| 1971 | bekommt den Friedensnobelpreis |
| 1969–1974 | Bundeskanzler der Bundesrepublik Deutschland |

# Abgeschlossene Vergangenheit

○ Du, Papi, was heißt eigentlich HJ?
  ☐ Was?
○ Sag mal, was heißt HJ?
  ☐ Wo steht das?
○ Ach, das ist so ein Text, den hat
  uns unser Geschichtslehrer gegeben,
  der Herr Specht.
  ☐ So, so – HJ, das heißt Hitlerjugend.
○ Hat denn der Hitler auch
  seine eigene Jugend gehabt?
  ☐ Nein, so direkt kann man das nicht
    sagen. Aber es hat damals eine
    Organisation gegeben, für die Jugend,
    die Hitlerjugend, verstehst du?
○ Und was hat die Hitlerjugend gemacht?
  ☐ Na ja, viel gesungen und marschiert –
    was man so macht.
○ Sind die auch in Discos gegangen?
  ☐ Nein, nein, Discos hat es damals
    noch nicht gegeben! –
    Was ist mit deinen Schulaufgaben?
    Bist du fertig?
○ Ja, sofort. – Du, Papi, bist du damals
  auch in der Hitlerjugend gewesen?
  ☐ Ja, wie fast alle Jungen.

○ Dann bist du also auch immer nur
  marschiert und hast viel gesungen?
  ☐ Ja, mein Gott, natürlich nicht nu
    Wir haben auch noch anderes
    gemacht. Lagerfeuer und so.
○ Und alles für Adolf Hitler?
  ☐ Ja – nein – so kann man das nich
    sagen. – Sag mal, warum willst du
    das eigentlich so genau wissen?
○ Wir haben jetzt „Hitler und den
  Nationalsozialismus" in der Schule.
  ☐ So, so.
○ Du, Papi, bist du eigentlich auch
  Nazi gewesen?
  ☐ Natürlich nicht! Ein Junge
    von 12 Jahren versteht das alles
    doch noch gar nicht. Der denkt
    nur an Lagerfeuer.
○ Und der Opa? Ist der Nazi gewesen?
  ☐ Nein, ja. – Also nicht richtig.
○ Hast du denn den Opa nicht gefrag
  ☐ Ich glaube nicht, ich weiß das
    nicht mehr so genau. Hör zu, das
    alles ist schon lange vorbei.
    Und jetzt mach bitte endlich
    deine Schulaufgaben fertig, ja!

KLEIDER machen LEUTE

1

Klaus
Brigitte
Eva

Peter
Hans
Uta

S. 214, 1

**1. Wie sehen die Personen aus? Wie finden Sie die Personen?**

Uta ist blond und klein.
Sie sieht lustig aus, und
ich finde sie sympathisch.

alt  groß  schlank  klein  blond  dünn

schwarzhaarig  dick  jung  langhaarig

Hans ist groß und sehr schlank.
Ich finde, er sieht intelligent aus.

schön  hübsch  lustig  nervös  häßlich

langweilig  nett  sympathisch  traurig

ruhig  attraktiv  komisch  intelligent

gemütlich  dumm  unsympathisch

Brigitte ist...  Peter ist...

Klaus ist...  Eva ist...

**2. Wer ist wer? Was glauben Sie?**

| 1 | 2 | 3 | 4 | 5 | 6 |
|---|---|---|---|---|---|
| 62 Jahre | 55 Jahre | 30 Jahre | 42 Jahre | 24 Jahre | 38 Jahre |
| 85 kg | 88 kg | 69 kg | 67 kg | 54 kg | 55 kg |
| 165 cm | 168 cm | 182 cm | 160 cm | 176 cm | 164 cm |
| Beruf: | Beruf: | Beruf: | Beruf: | Beruf: | Beruf: |
| Clown | Koch | Pfarrer | Sekretärin | Fotomodell | Psycholog |

Hans ist Nr. . . .    Klaus ist Nr. . . .    Uta ist Nr. . . .
Eva ist Nr. . . .    Peter ist Nr. . . .    Brigitte ist Nr. . . .

Ich bin jung,
schön und schlank
typisch
Hexe.

**Diskutieren Sie jetzt im Kurs.**

Ich glaube, ... ist der Clown.

Warum?

Na ja, er ist klein und dick.

Also, ich meine, ... ist der Clown. Er sieht so lustig aus.

Das geht doch nicht! Der Clown ist doch 55, und ... sieht viel jünger aus!

Lösung S. 193

**Die Personen auf dem Photo sind drei Ehepaare.**

as glauben Sie, wer ist mit wem verheiratet?

Ich glaube, Peter und ... sind verheiratet. Denn Peter ist ..., und sie ist ...

Nein, das paßt doch nicht. Sie ist zu ..., und er ist viel zu ...

Ich finde ...

ans und . . ., Peter und . . ., Klaus und . . . sind verheiratet.

Lösung S. 193

**Haben Sie ein gutes Gedächtnis?**

hen Sie die drei Bilder eine Minute genau an. Lesen Sie dann auf der nächsten Seite weiter.

2

A    B    C

S. 215

Hier sehen Sie Teile der Gesichter. Was gehört zu Bild A, was zu Bild B und was zu Bild C?

○ Das runde Gesicht, die blauen Augen, die große Nase und der kleine Mund sind von Bild . . .
□ Ich glaube, das runde Gesicht ist von Bild . . .
△ Ich glaube . . .

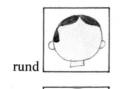
rund

blau

groß

groß

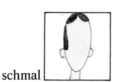
oval

braun

klein

klein

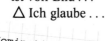
schmal

schwarz

lang

schmal

**Nominativ**

| der | kleine | Mund |
| die | kleine | Nase |
| das | kleine | Gesicht |
| die | kleinen | Augen |

**Akkusativ**

| den | kleinen | Mund |
| die | kleine | Nase |
| das | kleine | Gesicht |
| die | blauen | Augen |

## 2. Familienbilder

Den langen Hals und die große Nase hat er vom Vater; den großen Mund und die roten Haare von der Mutter.

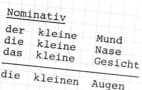

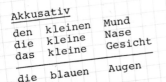

S. 215

Und was haben die Kinder hier von Vater und Mutter?

| rot | blau | grün | gelb | schwarz | weiß | braun | grau |

Eine schöne Frau ist meistens dumm.

Große Männer sind bescheiden.

Ein kleiner Mann findet schwer eine Frau.

Dicke Kinder sind gesünder.

Dicke Leute sind gemütlich.

Ein sparsames Mädchen wird eine gute Ehefrau.

Ein schöner Mann ist selten treu.

Ein roter Mund will küssen.

Kleine Kinder, kleine Sorgen – große Kinder, große Sorgen.

Eine intelligente Frau hat Millionen Feinde – die Männer.

Ein voller Bauch studiert nicht gern.

Stille Wasser sind tief.

Reiche Männer sind meistens häßlich.

**Stimmt das?**

Was sagt man in Ihrem Land?

| Das | stimmt. |
|---|---|
| | ist richtig. |
| | ist wahr. |

Ich glaube, das stimmt.

Das stimmt nicht.
Das ist Unsinn.
Viele dicke Leute sind nicht gemütlich.
Ich finde, kleine Kinder machen große Sorgen.
Bei uns sagt man, . . .
Ich glaube, . . .

**Was meinen Sie?**

Eine gute Freundin ist . . .
Junge Kollegen sind . . .
Ein netter Chef . . .

Nominativ

| ein | reicher | Mann |
|---|---|---|
| eine | reiche | Frau |
| ein | reiches | Mädchen |
| – | reiche | Leute |

S. 215

| Ein | gut | Freund | ist | meistens | langweilig. |
|---|---|---|---|---|---|
| Eine | nett | Freundin | sind | selten | lustig. |
| | blond | Chef | | oft | nett. |
| | schlank | Chefin | | immer | gefährlich. |
| | hübsch | Mensch | | . . . | freundlich. |
| | jung | Kollege | | | intelligent. |
| | verheiratet | Kollegin | | | interessant. |
| | neu | Mutter | | | komisch. |
| | . . . | . . . | | | . . . |

Eine hübsche Hexe ist . . .

2

## TIPS & IDEEN    Haben Sie Ihren Stil gefunden?

Karin Belzer (32) ist Bankange-stellte. Wie ihre Kolleginnen trägt sie meistens dezente Kleidung. Bis jetzt hatte sie keinen Mut für frische und sportliche Mode.
So ist Karin zu uns gekom-men: Lange schwarze Haare, runde Brille, dezentes Make-up.
Die weiße Bluse und der dunkle Rock machen die junge Frau älter. Auch die Frisur hat uns nicht gefallen.

So sieht Karin viel jünger und sportlicher aus. Sie trägt keine Brille mehr, sondern weiche Kontaktlinsen. Karin ist sehr schlank (Größe 36), das ist für sportliche Kleidung ideal. Sie hat einen kurzen blauen Rock und einen roten Pullover gekauft. Dazu trägt sie rote Kniestrümpfe.
Gefällt Ihnen Karin jetzt besser?
Wünschen Sie eine Typberatung, dann schicken Sie uns ein Photo und schreiben Sie an unsere Redaktion.

Akkusativ

| einen | weißen | Rock |
| eine | weiße | Bluse |
| ein | weißes | Kleid |
| – | weiße | Schuhe |

S. 215

**1. Wie hat Karin vorher ausgesehen? Wie sieht sie jetzt aus?**

O Vorher hatte Karin lange Haare, jetzt ha[t] sie kurze Haare.

☐ Vorher hatte Karin einen langen Rock[,] jetzt hat sie . . . .

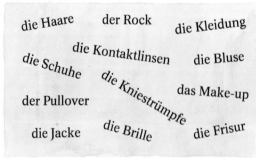

die Haare   der Rock   die Kleidung
die Kontaktlinsen   die Bluse
die Schuhe   die Kniestrümpfe   das Make-up
der Pullover
die Jacke   die Brille   die Frisur

sportlich   weiß   jung   lang
rot   rund   dezent   blau
hellblau   gelb   dunkelblau
blond   weich   kurz

**2. Wie gefällt Ihnen Karin besser?**

. **Leute gehen ins Theater.**

) Er trägt einen schwarzen Anzug, eine
blaue Krawatte, ein weißes Hemd und
schwarze Schuhe. Wer ist das?

] Das ist der Mann Nr. 1.

) Sie trägt ein blaues Kleid, weiße Schuhe
und eine weiße Jacke. Wer ist das?

] Das ist . . .

) Er trägt . . .

. **Was für ein . . .?**

) Was für einen Anzug trägt der Mann Nr. 1?

] Einen schwarzen.

) Was für Schuhe trägt die Frau Nr. 3?

] Weiße Sportschuhe.

) Was für . . .?

S. 214, 2

Was für . . .

Was für einen Anzug?
(Sing.) Einen schwarzen.

Was für         –       Schuhe?
(Plur.)         –       Schwarze.

**5. Mir gefällt . . .**

O Welche Kleidungsstücke
gefallen Ihnen hier
am besten?

□ Der blaue Rock, die . . .
und das . . .

**6. Was ziehen Sie an?**

Sie gehen  a)  ins Theater.
             b)  ins Kino.
             c)  spazieren.
             d)  tanzen.

O Welchen Anzug ziehen Sie an?

□ Den blauen Anzug und die . . .

O Welches Kleid . . .?
Welche Schuhe . . .?
Welch . . .?

| Telegramm | Deutsche Bundespost | Verzögerungsvermerke |
|---|---|---|

regensburg 29/26 8 1038

rolf rattner
druckhaus zimmer gmbh
uhlandstr 12          1418
kiel/14

konnte sie leider telefonisch nicht erreichen. komme
morgen 16,22 in kiel hbf an. koennen sie mich abholen?
gruesse
    berger, papierfabrik albruck

○ Berger.

□ Guten Tag Herr Berger. Hier Rattner. Ich habe gerade Ihr Telegramm bekommen. Natürlich hole ich Sie morgen ab.

○ Das ist nett. Dann lerne ich Sie ja endlich persönlich kennen.

□ Ja, ich freue mich auch. Aber da gibt es ein kleines Problem. Wie kann ich Sie denn erkennen?

○ Ich bin nicht sehr groß, trage einen blauen Mantel und habe schwarze Haare. Und Sie?

□ Ich trage einen grauen Anzug und eine dunkle Brille.

○ Also, dann ist ja alles klar. Wir treffen uns am besten am Haupteingang.

□ Ja gut. Bis morgen dann.

Hier | Berger.
–    | . . .

Guten Tag Herr . . . / Frau . . .
Ich habe gerade Ihre Karte/
Ihren Brief bekommen.
Natürlich hole ich Sie übermorgen/. . . ab

Das finde ich sehr freundlich.
Vielen Dank.

Dann sehe ich Sie ja endlich mal.

Ja, das finde ich auch schön/sehr gut.

Aber da habe ich noch eine Frage.
Wie sehen Sie denn aus?
Wie kann ich Sie denn finden?

Ich bin . . ., trage einen/eine/ein . . .
und habe . . .

Ich trage einen/eine/ein . . .
und habe einen/eine/ein . . .

Also, dann gibt es ja keine Probleme mehr.

Wir treffen uns am besten am Ausgang/
auf dem Bahnsteig/. . .

In Ordnung.    | Dann bis morgen.
Einverstanden. | . . .

**elga hat einen neuen Freund.**

. Hören Sie den Dialog.

. Was ist richtig?
) Der neue Freund von Helga
] war Evas Ehemann.
] war Evas Freund.
] ist Evas Freund.

. Was sagen Eva und Anne?
nterstreichen Sie die richtigen
djektive.
) Anne sagt: Der neue Freund
   von Helga ist ...   sehr dumm / attraktiv / nett / unsportlich / ruhig / freundlich.
) Eva sagt: Er ist ...   intelligent / groß / dick / nervös / klein / elegant / sportlich.

## Das Psycho-Spiel

# Sind Sie tolerant?

**1. Dieser Mann ist Ihr neuer Arbeitskollege.**
   **Was machen Sie?**                                      Punkte
   a) Ich lade ihn zum Essen ein.                            ☐ 2
   b) Ich suche einen neuen Job.                             ☐ 0
   c) Nichts. Mir ist jeder Mensch sympathisch. ☐ 1

**2. Sie sehen dieses Kind in einem Restaurant.**
   **Was denken Sie?**
   a) Manche Eltern können ihre Kinder
      nicht richtig erziehen.                                ☐ 0
   b) Essen muß jeder Mensch erst lernen.                    ☐ 2
   c) Alle Kinder essen so.                                  ☐ 1

**3. Sie sehen diese Frau in der U-Bahn.**
   **Was sagen Sie zu Ihrem Freund?**
   a) Ich finde alle Frauen schön.                           ☐ 1
   b) Manche Leute sind eben verrückt!                       ☐ 0
   c) Junge Leute können das tragen.                         ☐ 2

Artikelwörter

| Singular | | Plural | |
|---|---|---|---|
| der / dieser / mancher / jeder | Mann | die / diese / manche / alle | Männer |

### Das Psycho-Spiel: Lösung

**0 bis 1 Punkte**
Sicher sind Sie ein ehrlicher, genauer und pünktlicher Mensch, aber Sie haben starke Vorurteile. Sie kritisieren andere Menschen sehr oft.

**5 bis 6 Punkte**
Sie sind ein angenehmer Mensch, aber Sie sind nicht wirklich tolerant. Viele Probleme sind Ihnen egal.

**2 bis 4 Punkte**
Sie sind sehr tolerant. Sicher haben Sie viele Freunde, denn Sie sind ein offener und angenehmer Typ.

### Babysitter gesucht

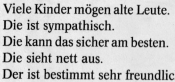

Suchen lieben und freundlichen
**Babysitter**
für unsere Kinder. 2 bis 3mal pro Woche. Gute Bezahlung.
**Tel. 0211/593270**

Diese Familie sucht einen Babysitter. Was glauben Sie, wer bekommt den Job? Der alte Mann, das junge Mädchen oder die Frau? Warum?

Ich glaube, der alte Mann bekommt den Job.
Er sieht so sympathisch aus.

Sicher, aber ein Mann kann das doch nicht.

| | | |
|---|---|---|
| Viele Kinder mögen alte Leute. | Das finde ich auch. | Da gibt es bestimmt Probleme. |
| Die ist sympathisch. | Das glaube ich auch. | Die ist doch zu jung. |
| Die kann das sicher am besten. | Das stimmt. | Der ist doch zu alt. |
| Die sieht nett aus. | Das ist richtig. | Die hat bestimmt keine Chance. |
| Der ist bestimmt sehr freundlich. | Das finde ich nicht. | Die ist zu nervös. |
| Kinder mögen junge Mädchen. | Meinst du wirklich? | Der ist unsympathisch. |
| | Das macht doch nichts. | |
| | Das ist doch egal. | |
| | Das stimmt, aber . . . . | |
| | Sicher, aber . . . | |

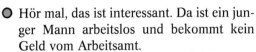

○ Hör mal, das ist interessant. Da ist ein junger Mann arbeitslos und bekommt kein Geld vom Arbeitsamt.

□ Wie ist das denn möglich? Jeder Arbeitslose bekommt doch Geld.

○ Ja, aber der hier ist ein Irokese.

□ Ein was?

○ Ein Irokese. Ein Punk mit einer Irokesenfrisur.

□ Deshalb bekommt er kein Arbeitslosengeld? Das glaube ich nicht.

○ Doch! Lies doch mal.

S. 214, 4

# Kein Geld für Irokesen

**Ein junger Arbeitsloser in Stuttgart bekommt vom Arbeitsamt kein Geld. Warum? Den Beamten dort gefällt sein Aussehen nicht.**

Jeden Morgen geht Heinz Kuhlmann, 23, mit einem Ei ins Badezimmer. Er will das Ei nicht essen, er braucht es für seine Haare. Heinz trägt seine Haare ganz kurz, nur in der Mitte sind sie lang – und rot. Für eine Irokesenfrisur müssen die langen mittleren Haare stehen. Dafür braucht Heinz das Ei.

»In Stuttgart habe nur ich diese Frisur«, sagt Heinz. Das gefällt ihm. Das Arbeitsamt in Stuttgart hat eine andere Meinung. Heinz bekommt kein Arbeitslosengeld und keine Stellenangebote. Ein Angestellter im Arbeitsamt hat zu ihm gesagt: »Machen Sie sich eine normale Frisur. Dann können Sie wiederkommen.« Ein anderer Angestellter meint: »Herr Kuhlmann sabotiert die Stellensuche.« Aber Heinz Kuhlmann möchte arbeiten. Sein früherer Arbeitgeber, die Firma Kodak, war sehr zufrieden mit ihm. Nur die Arbeitskollegen haben Heinz das Leben schwer gemacht. Sie haben ihn immer geärgert. Deshalb hat er gekündigt.

Bis jetzt hat er keine neue Stelle gefunden. Die meisten Jobs sind nichts für ihn, das weiß er auch: »Verkäufer in einer Buchhandlung, das geht nicht. Dafür bin ich nicht der richtige Typ.«

Heinz will arbeiten, aber Punk will er auch bleiben. Gegen das Arbeitsamt führt er jetzt einen Prozeß. Sein Rechtsanwalt meint: »Auch ein arbeitsloser Punk muß Geld vom Arbeitsamt bekommen.« Heinz Kuhlmann lebt jetzt von ein paar Mark. Die gibt ihm sein Vater. (Michael Ludwig)

Das Arbeitsamt

Ein Arbeitnehmer hat keine Stelle (z.B. sein
alter Arbeitgeber hat ihm gekündigt). Er ist
also arbeitslos. Dann bekommt er Geld vom
Arbeitsamt: das Arbeitslosengeld. Das Arbeitsa
sucht auch eine neue Stelle für ihn. Natürlich
muß ein Arbeitsloser wirklich eine neue Stelle
wollen, sonst bekommt er kein Arbeitslosengeld

**1. Welche Sätze im Text geben dem Leser diese Informationen?**

| *Information* | *Satz im Text* |
|---|---|
| a) Heinz hatte Probleme mit seinen früheren Arbeits- kollegen. | „Nur die Arbeitskollegen haben Heinz das Leben schwer gemacht |
| b) Heinz sucht eine neue Stelle. | „Bis jetzt hat er keine neue Stelle gefunden." |
| c) Das Arbeitsamt will ihm kein Geld geben. | . . . . . . |
| d) Heinz hat jetzt nur wenig Geld. Das bekommt er von seinem Vater. | . . . . . . |
| e) Die Beamten im Arbeitsamt glauben, Heinz will gar nicht arbeiten. | . . . . . . |
| f) Heinz trägt eine Irokesenfrisur. | . . . . . . |
| g) Heinz weiß: Ein Irokese kann nicht in jedem Beruf arbeiten. | . . . . : . |
| h) Heinz sucht Arbeit, aber er will sein Aussehen nicht verändern. | . . . . . . |
| i) Keiner in der Stadt hat eine Frisur wie Heinz. | . . . . . . |
| j) Heinz hat einen Rechtsanwalt genommen. | . . . . . . |

**2. In welcher Reihenfolge stehen diese Informationen im Text?**

Ordnen Sie die Sätze neu.

**3. Welche Kleidung und Frisur trägt man in Ihrem Land?**

Im Büro, in der Universität, in der Kirche, in der Moschee, am Sonntag, im Konzert, in . . .?
Welche Kleidung kann man nicht tragen?

Eigentlich kann man alles tragen, aber ...

Im Büro einen Anzug.    Keine Jeans in der Uni.

Eine Lehrerin kann keinen kurzen Rock tragen.

Eine Punkhexe, das hat es noch nie gegeben!

## Finden Sie die Entscheidung des Arbeitsamtes richtig?

...s Arbeitsamt hat ...cht. Wer will denn ...en Punk haben? ...in Arbeitgeber will ...s! Die Frisur ist ...ch verrückt!

...a bin ich anderer ...einung. Nicht das ...ussehen von Heinz ...t wichtig, sondern ...ine Leistung. Sein ...ter Arbeitgeber ...ar mit ihm sehr

zufrieden. Das Arbeitsamt darf sein Aussehen nicht kritisieren.

Das stimmt, aber er hat selbst gekündigt. Es war sein Fehler.

Sicher, er hat selbst gekündigt, aber warum ist das ein Fehler? Er möchte ja wieder arbeiten. Er findet

nur keine Stelle. Das Arbeitsamt muß also zahlen.

Das finde ich nicht. Der will doch nicht arbeiten. Das sagt er nur. Sonst bekommt er doch vom Arbeitsamt kein Geld. Da bin ich ganz sicher.

Wie können Sie das denn wissen?

Kennen Sie ihn denn? Sicher, er sieht ja vielleicht verrückt aus, aber Sie können doch nicht sagen, er will nicht arbeiten! Ich glaube, er lügt nicht. Er möchte wirklich arbeiten.

Arbeiten oder nicht, das ist mir egal. Meinetwegen kann er so verrückt aussehen. Das ist mir gleich. Das ist seine Sache. Dann darf er aber kein Geld vom Arbeitsamt verlangen. Ich finde, das geht dann nicht.

## Diskutieren Sie.

| | | | | |
|---|---|---|---|---|
| Das | stimmt.<br>ist richtig.<br>ist wahr.<br>.. | Genau!<br>Einverstanden!<br>Richtig!<br>... | Das stimmt,<br>Sicher,<br>Sie haben recht,<br>... | aber ... |

| | | |
|---|---|---|
| Da bin ich anderer Meinung.<br>Das finde ich nicht.<br>Das stimmt nicht.<br>ist falsch.<br>ist nicht wahr.<br>.. | Da bin ich nicht sicher.<br>Das glaube ich nicht.<br>Wie können Sie das wissen?<br>Wissen Sie das genau?<br>Sind Sie sicher?<br>... | Da bin ich ganz sicher.<br>Das können Sie mir glauben.<br>Das weiß ich genau.<br>... |

# Die Gefährlichkeit der Rasensprenger (1)

> »Ängstige deinen Nächsten wie dich selbst!«
> Günther Anders

»Frühstück!« ruft Frau Gottschalk, »Frühstück…!« Es ist Sonntag, der 14. Mai, halb zehn. Ein herrlicher Frühlingstag – die Luft leicht wie Champagner, und der Himmel so blau wie der Flieder neben der Gartenterrasse.

»Frü-ü-ühstück!« ruft Frau Gottschalk, »nun komm bitte endlich, oder ich fange allein an!« Kein Mensch hört, wie immer. Oma, schon seit sieben Uhr auf den Beinen, sitzt vor dem Radio und hört den Gottesdienst aus der Michaeliskirche. Andy und Caroline liegen natürlich noch im Bett, und Walter, ihr Mann… Ja was macht der denn da draußen im Garten! Steht stumm auf dem Rasen, wie ein Monument. Lilo Gottschalk geht zur Terrassentür: »Nun komm bitte, Walter, das Frühstück ist fertig.«

Herr Gottschalk antwortet nicht.

»Walter, hörst du nicht…!«

Nein, Walter hört überhaupt nichts. Er macht nicht einmal eine Bewegung, schaut nur stumm über den Gartenzaun, in den Garten des Nachbarn. Lilo wird unruhig.

»Was ist denn, Bärchen, was hast du denn!« Die Gottschalks sind siebzehn Jahre verheiratet, und manchmal sagt Lilo zu ihrem Mann »Bärchen«. Aber »Bärchen« bleibt stumm. Lilo bekommt Angst. Was ist los? Schnell geht sie hinaus zu ihrem Mann.

»Das Frühstück, Bärchen«, sagt sie, »das Frühstück ist…« Der Satz bleibt Lilo im Hals stecken. »Mein Gott«, murmelt sie, »das kann doch nicht wahr sein.« »Doch, Lilo«, sagt Walter, »es ist wahr.«

Andy und Caroline sind jetzt auch heruntergekommen. »Was ist?« gähnt Andy, »ich denke, es gibt Frühstück?« »Oma, was ist mit dem Frühstück?« fragt Caroline. Oma schaut das Mädchen an.

»Ist das nicht schön«, sagt sie, »die Krönungsmesse, von Mozart.«

»Heh, Caroline!« ruft Andy, »schau dir das an!« Die beiden gehen zu ihren Eltern in den Garten. »Das ist ja'n Ding«, sagt Andy nach einem Blick über den Zaun, »echt super!«

Und jetzt möchte auch Oma ihr Frühstück – der Gottesdienst im Radio ist zu Ende.

»Walter, Kinder – was macht ihr denn da! Der Kaffee wird kalt!« Vorsichtig geht sie über die Terrasse in den Garten – ihre Augen sind nicht mehr die besten.

»O Gott«, sagt sie, »was ist denn das?«

»Das, Oma«, sagt Caroline, »ist ein Rasensprenger.«

»Ja«, sagt Walter leise, »die Köhlers haben einen Rasensprenger.«

**Fortsetzung folgt**

*»O Gott«, sagt sie, »was ist denn das?«*

Mein erster
Schulgang
1960

as Hänschen nicht lernt, lernt Hans nimmermehr

$E=mc^2$

# Das will ich werden

### Zoodirektor

Das ist ein schöner Beruf. Ich habe viele Tiere.
Die Löwen sind gefährlich. Aber ich habe keine Angst.

*Peter, 9 Jahre*

### Politiker

Ich bin oft im Fernsehen. Ich habe ein großes Haus in Bonn. Der Bundeskanzler ist mein Freund.

*Klaus, 10 Jahre*

### Sportlerin

Ich bin die Schnellste in der Klasse. Später gewinne ich eine Goldmedaille.

*Gabi, 9 Jahre*

### Fotomodell

Das ist ein intressanter Beruf. Ich habe viele schöne Kleider. Ich verdiene viel Geld.

*Sabine, 8 Jahre*

### Nachtwächter

Dann arbeite ich immer nachts. Ich muß nicht ins Bett gehen. Ich habe einen großen Hund.

*Paul, 8 Jahre*

### Dolmetscherin

Ich verstehe alle Sprachen. Dieser Beruf ist ganz wichtig. Ich kann oft ins Ausland fahren.

*Julia, 10 Jahre*

## Wer hat was geschrieben?

S. 216, 2a

bine: Ich will Fotomodell werden, weil ich dann viel Geld verdiene.
. . . :               , weil ich dann alle Sprachen verstehe.
. . . :               , weil ich dann oft im Fernsehen bin.
. . . :               , weil der Beruf ganz wichtig ist.
. . . :               , weil ich dann nicht ins Bett gehen muß.
. . . :               , weil ich dann viele Tiere habe.
. . . :               , weil ich dann schöne Kleider habe.

Nebensatz mit 'weil'

. . . , weil das   Das ist  ein schöner Beruf.
                         ein schöner Beruf  ist.
. . . , weil ich   Ich habe dann schöne Kleider.
                        dann schöne Kleider  habe.

## Fragen Sie Ihren Nachbarn.

Warum will Paul Nachtwächter werden?
Weil er dann immer nachts arbeitet und weil . . .
Und warum will Gabi . . .
. . .

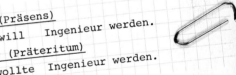

Heute (Präsens)
Ich will  Ingenieur werden.
Früher (Präteritum)
Ich wollte  Ingenieur werden.

## Was wollten Sie als Kind werden? Warum?

S. 216, 1

## Wunschberufe der Jugend

Von je 1000 Schulabgängern nannten als Berufswunsch:

| | |
|---|---|
| 61 Elektriker | Büroangestellte 127 |
| 60 Kfz-Mechaniker | Verkäuferin 65 |
| 47 Büroangestellter | Sprechstundenhilfe 61 |
| Tischler 39 | 38 Krankenschw. |
| Ingenieur 35 | 33 Friseuse |
| Maschinenschlosser 21 | 27 Kindergärtnerin |
| Kaufmann 20 | 21 Bankangestellte |
| Funk- u. Fernsehtechn. 19 | 20 Masseuse, Krankengymn. |
| Maurer 19 | 18 Lehrerin |
| Maler 17 | 15 Sozialpädagogin |
| Koch 15 | 14 Hauswirtschafterin |
| Installateur 15 | 14 Technische Zeichnerin |

**B1**

2

+++ Leser-Umfrage +++ Leser-Umfrage +++ Leser-Umfrage +++ Leser-Umfrage +++

# Sind Sie mit Ihrem Beruf zufrieden?

Nein, nicht so sehr. Eigentlich wollte ich Dolmetscherin werden. Ich habe auch zwei Jahre ein Sprachinstitut besucht und war in den USA, aber dann war ich lange Zeit krank. Danach habe ich dann das Dolmetscherdiplom nicht mehr gemacht, weil ich schnell Geld verdienen wollte. Jetzt bin ich schon acht Jahre in meiner Firma, aber ich konnte noch nie selbständig arbeiten. Mein Chef möchte am liebsten alles selbst machen.

*Petra Maurer, 29 Jahre, Sekretärin*

Meine Eltern haben eine Autowerkstatt, deshalb mußte ich Automechaniker werden. Das war schon immer klar, obwohl ich eigentlich nie Lust dazu hatte. Mein Bruder hat es besser. Der durfte seinen Beruf selbst bestimmen, der ist jetzt Bürokaufmann. Also, ich möchte auch lieber im Büro arbeiten. Meine Arbeit ist schmutzig und anstrengend, und mein Bruder geht jeden Abend mit sauberen Händen nach Hause.

*Max Pächter, 22 Jahre, Automechaniker*

Leider nicht. Ich war Möbelpacker, aber dann hatte ich einen Unfall und konnte die schweren Möbel nicht mehr tragen. Jetzt bin ich Nachtwächter, weil ich keine andere Arbeit finden konnte. Ich muß am Tag schlafen, und wir haben praktisch kein Familienleben mehr.

*Frank Seifert, 48 Jahre, Nachtwächter*

Ja. Ich sollte Lehrerin werden, weil mein Vater und mein Großvater Lehrer waren. Aber ich wollte nicht studieren. Ich habe eine Ausbildung als Kinderkrankenschwester gemacht. Ich finde die Arbeit sehr schön, obwohl ich viele Überstunden machen muß.

*Eva Amman, 25 Jahre, Krankenschwester*

## 1. Wer ist zufrieden? Wer ist unzufrieden? Warum?

| Name | Beruf | zufrieden? | warum? |
|------|-------|------------|--------|
| Petra M. | Sekretärin | nein | kann nicht selbständig arbeiten |
| Max P. | | | |
| Frank S. | | | |
| Eva A. | | | |

Petra Maurer ist Sekretärin. Sie ist unzufrieden, weil sie nicht selbständig arbeiten kann.

Max P. ist . . .

*Hexe ist ein Beruf mit Zukunft. Ich bin sehr zufrieden!*

**Wollte – sollte – mußte – konnte – durfte.**

elches Modalverb paßt?

Petra Maurer _____ lange Zeit nicht arbeiten, weil sie krank war. Dann _____ sie das Dolmetscherdiplom nicht mehr machen. Als Sekretärin _____ sie gleich Geld verdienen.

Max Pächter _____ eigentlich nicht Automechaniker werden, aber er _____, weil seine Eltern eine Werkstatt haben. Sein Bruder _____ Bürokaufmann werden.

Frank Seifert _____ eine andere Arbeit suchen, weil er einen Unfall hatte. Eigentlich _____ er nicht Nachtwächter werden, aber er _____ nichts anderes finden.

Eva Amman _____ eigentlich nicht Krankenschwester werden. Ihre Eltern _____ lieber noch eine Lehrerin in der Familie. Aber sie _____ dann doch im Krankenhaus arbeiten.

S. 216, 1

Präteritum

| Ich | wollte ... konnte ... durfte ... sollte ... mußte ... | | Er/sie | wollte ... konnte ... durfte ... sollte ... mußte ... |
|---|---|---|---|---|

**Zufrieden oder unzufrieden?**

wenig Arbeit haben  schlechte Arbeitszeit haben  viel Geld verdienen  in die Schule gehen müssen

eine anstrengende Arbeit haben  keine Freizeit haben

viele Länder sehen

| Er | ist | zufrieden, | weil ... |
|---|---|---|---|
| Sie | | unzufrieden, | obwohl ... |

viel Arbeit haben

reich sein

schwer arbeiten müssen

nicht arbeiten müssen  eine schmutzige Arbeit haben  einen schönen Beruf haben

nachts arbeiten müssen  nach Hause gehen wollen  viel Geld haben

**Wollten Sie lieber einen anderen Beruf? Haben Ihre Freunde ihren Traumberuf?**

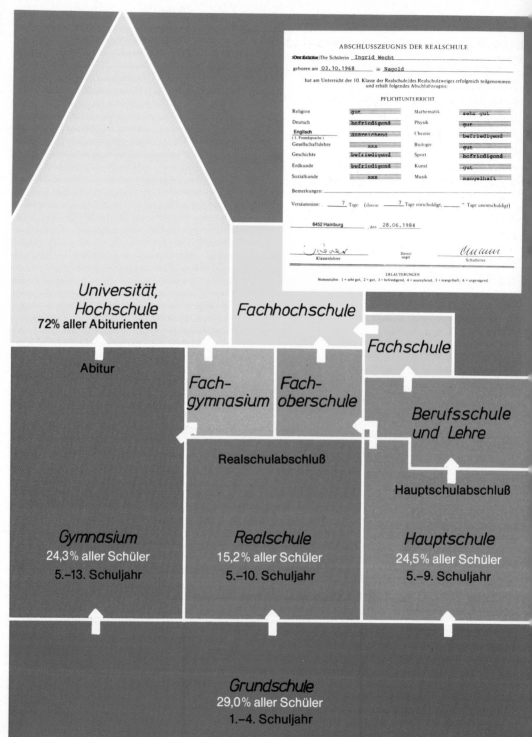

ABSCHLUSSZEUGNIS DER REALSCHULE

Der Schüler/Die Schülerin _Ingrid Wecht_

geboren am _03.10.1968_      in _Nagold_

hat am Unterricht der 10. Klasse der Realschule/des Realschulzweiges erfolgreich teilgenommen und erhält folgendes Abschlußzeugnis:

PFLICHTUNTERRICHT

| | | | |
|---|---|---|---|
| Religion | gut | Mathematik | sehr gut |
| Deutsch | befriedigend | Physik | gut |
| Englisch (1. Fremdsprache) | ausreichend | Chemie | befriedigend |
| Gesellschaftslehre | xxx | Biologie | gut |
| Geschichte | befriedigend | Sport | befriedigend |
| Erdkunde | befriedigend | Kunst | gut |
| Sozialkunde | xxx | Musik | mangelhaft |

Bemerkungen: _____

Versäumnisse: ___7___ Tage  (davon ___7___ Tage entschuldigt, ___−___ Tage unentschuldigt)

_6452 Hainburg_      , den _28.06.1984_

_____        Dienst-        _____
Klassenlehrer              siegel         Schulleiter

ERLÄUTERUNGEN
Notenstufen: 1 = sehr gut, 2 = gut, 3 = befriedigend, 4 = ausreichend, 5 = mangelhaft, 6 = ungenügend.

## Universität, Hochschule
72% aller Abiturienten

Abitur

## Fachhochschule

## Fachschule

## Fach-gymnasium

## Fach-oberschule

## Berufsschule und Lehre

Realschulabschluß

Hauptschulabschluß

## Gymnasium
24,3% aller Schüler
5.–13. Schuljahr

## Realschule
15,2% aller Schüler
5.–10. Schuljahr

## Hauptschule
24,5% aller Schüler
5.–9. Schuljahr

## Grundschule
29,0% aller Schüler
1.–4. Schuljahr

2

**Was ist richtig? Was ist falsch? Korrigieren Sie die falschen Aussagen.**

| as Schulsystem in der Bundesrepublik Deutschland | Richtig | Falsch |
|---|---|---|
| ) Die Grundschule dauert in der Bundesrepublik 5 Jahre. | | |
| ) Jedes Kind muß die Grundschule besuchen. Wenn man die Grundschule besucht hat, kann man zwischen Hauptschule, Realschule und Gymnasium wählen. | | |
| ) In der Bundesrepublik gibt es Zeugnisnoten von 1 bis 6. | | |
| ) 6 ist die beste, 1 die schlechteste Note. | | |
| ) Auch Religion ist in der Bundesrepublik ein Schulfach. | | |
| ▪ Wenn man studieren will, muß man das Abitur machen. | | |
| ) Das Abitur kann man auf der Realschule machen. | | |
| ) Wenn man den Realschulabschluß oder den Hauptschulabschluß gemacht hat, kann man auch noch auf das Gymnasium gehen. | | |
| ▪ Auf der Hauptschule kann man eine Lehre machen. Nur 72 Prozent Abiturienten fangen nach dem Abitur ein Studium auf der Universität an. | | |
| ) Alle Schüler müssen auf die Hauptschule gehen. | | |

**. Berichten Sie über das Schulsystem in Ihrem Land.**

lle Kinder müssen . . . Jahre die Schule besuchen.
edes Kind kann sich die Schule aussuchen.
Die meisten Kinder besuchen die . . .
Es gibt Zeugnisnoten von . . . bis . . .

Jedes Kind kann . . .
Manche Schüler . . .
Die . . . schule dauert . . . Jahre.
Wenn man studieren will, muß man . . .

### 3. Manfred Zehner, Realschüler

Das 9. Schuljahr ist zu Ende. Manfred Zehner hat jetzt verschiedene Möglichkeiten. Er kann

a) noch ein Jahr zur Realschule gehen.
b) auf das Gymnasium oder auf die Gesamtschule gehen.
c) mit der Schule aufhören und eine Lehre machen.
d) mit der Schule aufhören und eine Arbeit suchen.

S. 217, 2b

+ einen richtigen Beruf lernen
+ den Realschulabschluß bekommen
+ das Abitur machen können
+ schon gleich Geld verdienen können
– später keinen richtigen Beruf haben
– noch mindestens vier Jahre kein Geld verdienen
– noch kein Geld verdienen können
– später nicht studieren können

Manfred überlegt die Vorteile und Nachteile.

a) Wenn er noch ein Jahr zur Realschule geht,
dann | bekommt er den Realschulabschluß.
| kann er noch kein Geld verdienen.
| . . .

b) Wenn er . . .

Nebensatz (= Inversionssignal) Hauptsatz
Wenn er eine Lehre macht, – verdient er Geld.
dann verdient er Geld.

### Manfred Zehner

A. Hören Sie das Gespräch.

B. Was stimmt nicht? Korrigieren Sie den Text.

Manfred will mit der Schule aufhören, weil er ei
schlechtes Zeugnis hat. Er will eine Lehre ma
chen, wenn er eine Lehrstelle findet. Manfrec
Vater findet diese Idee gut. Er sagt: „Die Schu
zeit ist die schlimmste Zeit im Leben." Manfrec
Mutter sagt zu ihrem Mann: „Sei doch nicht s
dumm! In einem Jahr hat Manfred einen richt
gen Schulabschluß."

Manfred kann auch auf das Gymnasium gehe
und dann studieren. Das möchte er aber nich
weil Akademiker so wenig Geld verdienen.

C. Machen Sie mit Ihrem Nachbarn ein Rollenspiel: Ihre Schwester (Ihr Bruder) will mit der
Schule aufhören, aber sie (er) hat noch kein Abschlußzeugnis.

## Jugend '84

## Ohne Zukunft?

»Ich bewerbe mich jetzt für nächstes Jahr. Vielleicht klappt es dann.«
Andrea B. (16), Gelsenkirchen, ohne Lehrstelle

**Obwohl junge Leute heute eine bessere schulische Ausbildung als früher haben, finden sie schwerer eine Lehrstelle.**

Andrea wohnt bei ihren Eltern. Sie ist 16, trägt Jeans und T-Shirt, aber sie spricht wie eine alte Frau ohne Zukunft: »Jeden Tag mache ich die Wohnung sauber«, sagt sie. »Manchmal muß ich nicht viel tun. Dann bin ich, wenn ich um neun anfange, schon um halb zehn fertig und weiß nicht, was ich tun soll.«

Andrea B. aus Gelsenkirchen ist arbeitslos. Sie möchte Krankenschwester werden, findet aber nirgends eine Lehrstelle. Andrea hat schon 38 Bewerbungen geschrieben, aber immer war die Antwort negativ. »Wir verlangen einen Notendurchschnitt von 2,5. Leider haben Sie nur einen von 2,8«, heißt es oft in den Antwortbriefen. »Außerdem«, so Andrea, »nehmen uns die Abiturienten oft die Lehrstellen weg.«

Niemand kann ihr helfen, auch das Arbeitsamt nicht. »Die sagen immer nur: Gehen Sie doch noch drei Jahre zum Gymnasium und machen Sie das Abitur. Dann können Sie studieren.« Denn wenn die Jugendlichen zur Schule gehen, sind sie offiziell nicht mehr arbeitslos. Die Statistik sieht also besser aus, weil die jungen Leute länger zur Schule gehen, obwohl sie lieber einen Beruf lernen möchten. »Das hat doch keinen Zweck«, sagt Andrea. »Da geht man drei Jahre zur Schule, macht vielleicht das Abitur und findet dann oft trotzdem keine Stelle. Also studiert man, macht Examen und ist wieder arbeitslos.«

Andrea möchte noch fünf oder sechs Monate warten und eine Lehrstelle suchen. »Wenn ich aber dann doch nichts gefunden habe, gehe ich vielleicht doch noch zur Schule. Das ist immer noch besser als ein langweiliger Büroberuf«, meint Andrea und denkt an ihre Freundin Regina. Die wollte eigentlich Erzieherin werden, hat aber keine Lehrstelle gefunden und wird jetzt Sekretärin. Sie ist, so Andrea, sehr unzufrieden und möchte, wenn sie eine Chance bekommt, den Beruf wechseln.

**Was paßt zusammen?**

| | |
|---|---|
| Viele junge Leute haben Probleme, | obwohl sie lieber arbeiten möchten. |
| Andrea ist jung, | hat sie noch keine Lehrstelle gefunden. |
| Andrea findet ihr Leben langweilig, | weil sie eigentlich Erzieherin werden wollte. |
| Andrea will nicht studieren, | geht sie vielleicht doch weiter zur Schule. |
| Andrea möchte nicht im Büro arbeiten, | weil sie das uninteressant findet. |
| Wenn Andrea keine Stelle findet, | weil sie dann bestimmt auch keine Stelle findet. |
| Andreas Freundin ist sehr unzufrieden, | weil sie keine Arbeit hat. |
| Viele junge Leute machen Abitur, | wenn sie eine Stelle suchen. |
| Obwohl Andrea schon 38 Bewerbungen geschrieben hat, | aber sie spricht wie eine alte Frau. |

**2. Beschreiben Sie Andreas Situation mit Ihren Worten.**

| Andrea | ist ... | Sie bekommt keine Lehrstelle, weil ... | | S. 217, 3 |
| | hat ... | Die Abiturienten ... | |
| | sucht ... | Das Arbeitsamt | kann ... |
| | wohnt ... | | hat ... |
| | schreibt ... | Andrea möchte nicht ..., weil ... |
| | möchte ... | Sie findet Schule ... als ... |

S. 217, 3

**3. Beschreiben Sie die Situation von Jörn.**

Realschulabschluß, 17 Jahre, möchte Automechaniker werden, Eltern wollen das nicht, soll Polizist werden (Beamter, sicherer Arbeitsplatz), Jörn will aber nicht, ein Jahr eine Lehrstelle gesucht, zufällig letzten Monat eine gefunden, Beruf macht Spaß, aber wenig Geld

**4. Welche Schulen haben Sie besucht? Was haben Sie nach der Schule gemacht?**

Prüfung gemacht · Diplom gemacht · studiert

eine Reise gemacht · zur Universität gegangen

eine Lehre gemacht · gearbeitet · ...

...Jahre zur Schule gegangen · ins Ausland gegangen · geheiratet

die ...schule besucht

Wiederholung: Perfekt

| machen | – ich habe gemacht |
| arbeiten | – ich habe gearbeitet |
| gehen | – ich bin gegangen |
| ... | |

## Stellenangebote

### ALKO-DATALINE

sucht eine **Sekretärin**
für die Rechnungsabteilung.

**Wir** – sind ein Betrieb der Elektronikindustrie
– arbeiten mit Unternehmen im Ausland zusammen
– bieten Ihnen ein gutes Gehalt, Urlaubsgeld, 30 Tage Urlaub, Essen und Sportmöglichkeiten im Betrieb, ausgezeichnete Karrierechancen
– versprechen Ihnen einen interessanten Arbeitsplatz mit Zukunft, aber nicht immer die 5-Tage-Woche

**Sie** – sind ca. 25–30 Jahre alt und eine dynamische Persönlichkeit – sprechen perfekt Englisch – arbeiten gern im Team – lösen Probleme selbständig – möchten in Ihrem Beruf vorwärts kommen.

Rufen Sie unseren Herrn Waltemode unter der Nummer 20 03 56 an oder schicken Sie uns Ihre Bewerbung.

### ALKO-DATALINE
Industriestraße 27, 6050 Offenbach

Unser Betrieb wird immer größer. Unsere internationalen Geschäftskontakte werden immer wichtiger. Deshalb brauchen wir eine zweite

## Chefsekretärin

mit guten Sprachkenntnissen in Englisch und mindestens einer weiteren Fremdsprache. Zusammen mit Ihrer Kollegin arbeiten Sie direkt für den Chef des Unternehmens. Sie bereiten Termine vor, sprechen mit Kunden aus dem In- und Ausland, besuchen Messen, schreiben Verträge, mit einem Wort: Auf Sie wartet ein interessanter Arbeitsplatz in angenehmer Arbeitsatmosphäre. Außerdem bieten wir Ihnen: 13. Monatsgehalt, Betriebsrente, Kantine, Tennisplatz, Schwimmbad.

**Böske & Co.** Automatenbau
Görickestraße 1–3, 6100 Darmstadt

Wir sind ein Möbelunternehmen mit 34 Geschäften in der ganzen Bundesrepublik. Für unseren Verkaufsdirektor suchen wir dringend eine

## Chefsekretärin

mit mehreren Jahren Berufserfahrung. Wir bieten einen angenehmen und sicheren Arbeitsplatz mit sympathischen Kollegen, gutem Betriebsklima und besten Sozialleistungen. Wenn Sie ca. 30–35 Jahre alt sind, perfekt Schreibmaschine schreiben, selbständig und allein arbeiten können, bewerben Sie sich bei:

**Baumhaus KG**
Postfach 77, 4450 Hanau am Main
Telefon (0 61 81) 36 02 – 239

---

**1. Was für eine Sekretärin suchen die drei Firmen?**

A. Wie soll sie sein?
Was soll sie können?

B. Was bieten die Betriebe?
Was versprechen sie?

ALKO-Dataline sucht eine junge Sekretärin. Sie soll gut Englisch sprechen und ...

Die Baumhaus KG bietet einen sicheren Arbeitsplatz und ...

C. Wie ist es in Ihrem Land?
Was muß eine Sekretärin können? Was für eine Ausbildung muß sie haben?
Was bietet ein größerer Betrieb seinen Angestellten?

Firma Baumhaus KG
Personalabteilung
Industriestraße 27
5050 Offenbach

etr.: Bewerbung als Chefsekretärin
 Ihre Anzeige vom 4.2.1983 in der
 Frankfurter Allgemeinen Zeitung

hr geehrte Damen und Herren,

h bewerbe mich hiermit um die Stelle als Chef-
retärin in Ihrer Firma. Seit 1976 arbeite ich als
retärin bei der Firma Euro-Mobil in Offenbach.
möchte gerne selbständiger arbeiten und suche
halb eine neue Stelle mit interessanteren Aufgaben.

freundlichen Grüßen

*Lra Maurer*

| Lebenslauf | |
|---|---|
| Name | Maurer, geb. Pott |
| Vornamen | Petra Maria Barbara |
| geboren am | 16.08.1955 |
| in | Aschaffenburg / Main |
| 01.04.1962 – 24.06.1966 | Grundschule in Bergen-Enkheim |
| 30.08.1966 – 30.06.1969 | Schillergymnasium in Frankfurt/M. |
| 01.09.1969 – 17.05.1972 | Brüder-Grimm-Realschule in Frankfurt Realschulabschluß |
| 01.10.1972 – 03.06.1974 | Dolmetscherinstitut in Mainz (Englisch / Spanisch) |
| 15.09.1974 – 10.02.1976 | Sprachpraktikum in den U.S.A. |
| seit 01.04.1976 | Sekretärin bei Fa. Euromobil-Import / Export Offenbach |
| 14.03.1979 | Heirat mit dem Exportkaufmann Jochen Maurer |
| 01.09.1981 – 30.06.1982 | Abendschule (Sekretärinnenkurs) Abschlußprüfung vor der Industrie- und Handelskammer: geprüfte Sekretärin |
| 21.03.1982 | Scheidung |
| jetzige Stelle: | Sekretärin bei Fa. Euromobil |

**Warum möchte Petra Maurer die Stelle wechseln?**

esen Sie noch einmal den Text auf Seite 144!

**Beschreiben Sie den Lebenslauf von Petra Maurer.**

om ersten April 1962 bis zum 24. Juni 1966 hat sie ...
m ... hat sie den Realschulabschluß gemacht.
eit dem ...
.

Datum
    der erste April (Welcher Tag?)
    am ersten April (Wann?)
seit dem ersten April (Seit wann?)
    vom ersten April } (Wie lange?)
bis zum ersten Mai

**Petra Maurer beim Personalchef der Firma Böske & Co.**

. Hören Sie das Gespräch.

. Was ist richtig?

) Petra war in den USA
 ☐ bei Freunden.
 ☐ in einem Sprachinstitut.
 ☐ zuerst im Institut und dann bei Freunden.

b) Petra kann
 ☐ nur sehr schlecht Spanisch.
 ☐ nur Spanisch sprechen, aber nicht schreiben.
 ☐ Spanisch sprechen und schreiben.

c) Petra hat nur 3 Jahre das Gymnasium besucht,
 ☐ weil sie kein Abitur machen wollte.
 ☐ weil sie dort schlechte Noten hatte.
 ☐ weil sie Dolmetscherin werden wollte.

d) Petra ist nach Deutschland zurückge-kommen,
 ☐ weil sie kein Geld mehr hatte.
 ☐ weil sie krank war.
 ☐ weil sie nicht länger bleiben wollte.

**5. Machen Sie ein Rollenspiel mit Ihrem Nachbarn.**

Petra Maurer ist beim Personalchef von Alko-Dataline (Firma Baumhaus KG).

A.  Notieren Sie vorher Ihre Fragen:

| Personalchef | | Petra Maurer |
|---|---|---|
| Warum haben Sie ...? | Können Sie ...? | Wieviel ...? |
| Warum sind Sie ...? | Wieviel ...? | Wie lange ...? |
| Warum möchten Sie ...? | Wann ...? | Wann ...? |
| Was haben Sie zwischen ... | ... | Wie ...? |
| und ... gemacht? | | ... |

B.  Machen Sie dann das Rollenspiel im Kurs.

**6. Vergleichen Sie Petras Notizen mit den Anzeigen auf Seite 150.**

A.  Was ist für Petra wichtig? Was findet sie nicht wichtig?

B.  Was findet sie bei den Firmen gut? Was findet sie schlecht?

C.  Welche Stelle finden Sie am besten? Warum?

Alko-Dataline
+ 2.800.- DM brutto, 30 Tage Urlaub; interessante
Arbeit, nette Kollegen, kann meine Sprachkenntnisse
verwenden. Elektronik = Zukunft (?) Kann Chefsekretärin werden!
- keine Betriebsrente, samstags arbeiten!, 12 km Fahrt!!

Baumhaus KG
+ gute Sozialleistungen (Urlaubsgeld, Betriebsrente)
Firma in Hanau (3 Haltestellen mit dem Bus!) gute
Arbeitszeit: 9.00 bis 17.00
- 2.500.- DM brutto, ältere Kollegen, unsympathischer
Chef, bin immer ganz allein im Büro (kaum Kontakte),
kann meine Sprachkenntnisse nicht verwenden,

Böske
+ 3.400.- DM brutto, 13. Monatsgehalt, Betriebsrente,
netter Chef, kann oft Englisch und Spanisch sprechen (Lateinamerika - Geschäft!)
- 30 km Fahrt (Darmstadt!!)
Unfreundliche Kollegin (= 1. Chefsekretärin)
- dummes Huhn - (muß immer mit ihr zusammen-
arbeiten)
Reisen, Messen besuchen: Stimmt gar nicht!!

## Wunschliste für den Beruf

Als wichtige Gründe für die Berufswahl
nannten von je 100 Befragten:

| | |
|---|---|
| Sicherer Arbeitsplatz | **76** |
| Guter Verdienst | **58** |
| Soziale Sicherheit | **50** |
| Interessante Arbeit | **40** |
| Gute Kollegen | **38** |
| Leichte Arbeit | **32** |
| Kurze Fahrt | **28** |
| Karriere | **23** |
| Selbst. Arbeit | **22** |
| Prestige | **21** |
| Viel Freizeit | **19** |

Viel Geld, viel Freizeit, eine interessante Arbeit, gute Karrierechancen und nette Kollegen möchte natürlich jeder gerne haben. Aber alles zusammen, das gibt es selten. Wenn Sie wählen müssen, was ist für Sie wichtiger? Sicherer Arbeitsplatz oder guter Verdienst? Interessante Arbeit oder viel Freizeit? Nette Kollegen oder selbständige Arbeit? Gute Karrierechancen oder kurze Fahrt zum Arbeitsort?

☐ Sag mal, Petra, du suchst doch eine neue Stelle, nicht? Hast du schon etwas gefunden?

○ Ja, ich habe sogar drei Angebote. Eins ist ziemlich interessant: Alko-Dataline in Offenbach. Die zahlen gut, und die Kollegen sind nett, glaube ich.

☐ Ist das denn ein sicherer Arbeitsplatz?

○ Na ja, genau kann man das nie wissen. Die Firma ist noch jung, aber Elektronikindustrie – das hat Zukunft.

☐ Und? Nimmst du die Stelle?

○ Ich weiß noch nicht. Wenn ich sie nehme, muß ich jeden Tag zwölf Kilometer fahren. Eigentlich wollte ich lieber eine Stelle hier in der Stadt.
Außerdem gefällt mir die Arbeitszeit nicht.

☐ Also, das finde ich nicht so schlimm.
Du hast doch ein Auto.

○ Trotzdem, ich muß nochmal darüber nachdenken.

☐ Wie sind denn die anderen Angebote?

○ ...

---

| | |
|---|---|
| Du Petra, suchst du nicht eine neue Arbeit? / einen neuen Job? | (Ja,) Ich war bei drei Firmen / Betrieben. |

Wolltest du nicht | die Stelle | wechseln?
                | den Job |

Was macht deine Bewerbung?

Ein Angebot | gefällt mir | ganz gut. ...
              | finde ich |

Die bieten ein gutes Gehalt / ...,
und der Chef / die Arbeit / ... ist ...

---

Und wie sind die Sozialleistungen? / die Karrierechancen? / ...

Und wieviel ... / wie lange ... / ...

Die sind | nicht besonders.
       | gut.
       | ...

---

Willst du | annehmen?
         | die Stelle wechseln?

Ich bin mir noch nicht ganz sicher.

Eigentlich möchte ich lieber ...

Und | die Arbeitszeit | ist | ...
     | die Kollegen | sind |
     | der Weg zur Arbeit |

---

Ich finde das nicht wichtig.
Das geht doch.

Na ja, mal sehen.
Ich habe ja | noch Zeit.
        | noch nicht gekündigt.
Ich kann ja noch warten. Vielleicht finde ich noch etwas Besseres / anderes / ...

# Die Gefährlichkeit der Rasensprenger (2)

Das Frühstück der Gottschalks ist an diesem Sonntagmorgen nicht so gemütlich wie sonst. Walter hat keinen Appetit. Nach einem Toast mit Marmelade ist er schon fertig. Lilo, seine Frau, ist unruhig. Sie steht immer wieder auf, weil sie etwas vergessen hat: sie muß noch das Radio ausschalten, das Küchenfenster schließen, das Fleisch aus dem Kühlschrank nehmen. Und Andy und Caroline streiten diesmal nicht um das letzte Brötchen. Nur Oma ist wie immer.

»Was habt ihr denn alle?« will sie wissen, »draußen scheint die Sonne, und ihr macht ein Gesicht wie drei Tage Regenwetter.« »Das verstehst du nicht, Mutter«, sagt Walter.

»Was verstehe ich nicht? Ich verstehe nie was, weil ihr mir ja auch nie was erklärt. Ich bin für euch nur eine dumme alte Frau.«

»Ich bitte dich, Mutter«, sagt Lilo nervös, »wir haben es schon schwer genug. Mach es uns bitte nicht noch schwerer.« Das ist zuviel für Oma. Sie steht auf, nimmt ihre Tasse Tee und geht in ihr Zimmer.

»Ist doch wahr!« sagt Lilo.

In diesem Moment klingelt jemand an der Tür. »Kann man denn nicht mal in Ruhe frühstücken!« Walter ist wütend, sicher sind das wieder Andys oder Carolines Freunde – mindestens drei. Und das heißt ein paar Stunden Hard-Rock von Carolines neuem Kassetten-Recorder.

»Wie oft habe ich euch gesagt, ich will am Sonntag keinen Hauszirkus!«

Wieder klingelt es.

»Nun geh schon!« sagt Walter zu seinem Sohn, »oder soll ich vielleicht aufmachen?«

Andy geht zur Tür, kommt aber gleich zurück. Er triumphiert, denn es sind nicht seine Freunde. »Papa, da ist ein Mann...«

Mehr kann er nicht sagen, weil der Mann schon hinter ihm steht und allen einen »wunderschönen Guten Morgen« wünscht.

»Ich hoffe, ich störe nicht«, sagt der Mann. Er trägt einen eleganten grauen Anzug, seine Krawatte sitzt perfekt, und in der Hand hält er einen kleinen schwarzen Aktenkoffer.

»Willeke ist mein Name«, sagt er mit großer Freundlichkeit, »Willi Willeke, von der Firma Maßmann & Co.«

Endlich findet Walter seine Sprache wieder.

»Ein Vertreter ... am Sonntagmorgen ... das ist, das ist doch wohl nicht möglich! Hören Sie, Herr...Herr...«

»Willeke«, sagt Herr Willeke.

»Hören Sie, Herr Willeke...!« Walter steht auf. »Wir brauchen nichts, und wir kaufen nichts. Ist das klar?«

»Auch nicht einen schönen neuen Rasensprenger?« fragt Herr Willeke leise und sehr freundlich.

**Fortsetzung folgt**

»Ich hoffe, ich störe nicht«, sagt der Mann.

**Lektion 13**

Nachrichten

Kinder-
stunde

Sport

Theater

Bildung

Konzert

Film

Show

Krimi

*Kunst ist ♪♪♪ was gefällt*

# Dienstag 17. Februar

## ① Programm

**15.40 Tagesschau**

**15.45 Expeditionen ins Tierreich**
Heinz Sielmann zeigt: Tiere in der Großstadt

**16.20 Viele fahren in den Tod.**
Reportage von Paul Karolus
*Motorradfahren ist gefährlich. Besonders junge Menschen wissen oft nicht, wie man eine schwere Maschine sicher fährt. Viele sterben bei einem Unfall.*

**17.00 ARD-Sport-Extra aus Val d'Isere**
Ski-Weltcup: Riesenslalom der Damen.

**17.25 Herr Rossi macht Ferien (5)**
Kindersendung. Ital. Zeichentrickfilm.
*Herr Rossi und sein Freund, der Hund Gastone, kaufen einen Wohnwagen und wollen Urlaub machen.*

**17.50 Tagesschau**

**18.00 Regionalprogramme** (und Werbefernsehen)
Hessen, Berlin, Bayern, Südd./Südwest, Bremen, Westdeutscher Rundfunk, Norddeutscher Rundfunk

**20.00 Tagesschau**

**20.15 Was bin ich?**
Heiteres Beruferaten mit Robert Lembke

**21.00 Sonderdezernat K1**
Die Rache des Chefs
Krimi von Hubert Mang
Regie: Alfred Weidemann
*In einer Wohnung liegt eine junge Frau. Es ist die Heroinsüchtige Helga Voss. Hat sie zuviel Heroin genommen, oder hat man sie ermordet? An der Uhr der Toten findet Kommissar Seidel eine erste Spur.*

**22.30 Tagesthemen**

**23.00 Arena**
Kultur vor Mitternacht
Thema: Was machen wir in unserer Freizeit?
Moderator: Peter Langemann
*Die 35-Stunden-Woche kommt bestimmt. Langweilen wir uns dann in der Freizeit, oder haben wir Freizeit-Streß? Über diese Frage diskutieren Soziologen und Gewerkschafter.*

**0.10 Tagesschau**

---

**15⁴⁵ Expeditionen ins Tierreich**

### Tiere in der Großstadt

Man muß nicht immer in den Zoo gehen, wenn man in der Großstadt Tiere sehen will: Heinz Sielmann hat mit der Filmkamera wildlebende Großstadttiere in alten Häusern, in Parks und in der Kanalisation aufgenommen. Diese Tiere findet man nur dann, wenn man weiß, wo man suchen muß. Der Film zeigt, wie sich die Tiere an die Großstadt gewöhnt haben und wie sie hier leben.

---

### Sonderdezernat K1

**Die Rache des Chefs** 21⁰⁰

*Dieser Krimi – in der Reihe »Sonderdezernat K1« – geht besonders deshalb unter die Haut, weil die spannende Geschichte einen sehr realen Hintergrund hat: den Handel mit Rauschgift. Hubert Mang kennt die Drogenszene, er war ein Jahr lang Sozialhelfer in Hamburg, und das kommt dem Film zugute: Da stimmt jedes Bild, da ist nichts falsch und nichts übertrieben. Im Film werden realistische Zahlen genannt – fast 400 Herointote im vergangenen Jahr – und diese Zahlen machen die Mission des Kommissars glaubwürdig.*

## ② Programm

### *Die schönsten Melodien der Welt*

18³⁰

Fast eine musikalische Weltreise: Sie beginnt in Trinidad mit einem klangvollen Calypso der Pan American Steel Band, führt dann mit der Gruppe »Los Amigos Paraguayos« nach Südamerika und geht weiter über »Blue Hawaii« nach »San Francisco«. Und dann über den Atlantik nach Europa, und hier von Land zu Land – immer der schönsten Melodie nach!

---

**20¹⁵ Gesundheits-magazin Praxis**

### Kinder im Krankenhaus

Für Kinder ist es besonders schlimm, wenn sie ins Krankenhaus müssen: zu den Schmerzen kommen Angst vor dem fremden Ort, den fremden Menschen und den fremdartigen Instrumenten. Wenn dann auch die Eltern nicht mehr in der Nähe sind – was bei uns normalerweise der Fall ist – dann ist alles doppelt schlimm.

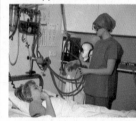

Der dritte Beitrag zum »Gesundheitsmagazin Praxis« gibt Auskunft darüber, wie manche Krankenhäuser es möglich machen, daß ein Elternteil mit dem Kind im Krankenhaus bleiben und auch da schlafen kann, und was Eltern und Kinder dazu sagen. Über die Kosten und die Probleme der Organisation diskutieren der Leiter des städtischen Krankenhauses in Pfaffenheim, Prof. Dr. A. Mingram und der Kinderpsychologe Dr. Dr. E. Bolz.

---

**16.00 Heute**

**16.04 Lehrerprobleme Schülerprobleme**
Thema: Lieblingsschü[ler]
*Jeder Lehrer hat se[inen] Lieblingsschüler: »[Sie] dürfen alles, die ande[ren] nichts«, sagen Schü[ler] oft. In der Sendung disk[u]tieren Schüler und Leh[rer] über dieses alte Proble[m].*

**16.35 Lassie**
Lassie findet ein[en] neuen Freund

**17.00 Heute**

**17.08 Teleillustrierte**
Informationen, Unterh[al]tung, Musik, Gäste: Re[in]hard Fendrich und Ted[dy] Nelson

**18.00 Brigitte und ihr Ko[ch]**
Tips für die Diätküche
*Nicht hungern, sonde[rn] weniger essen: Fran[z] Palumbo, Amerikas [T..] Koch, ist in acht Monat[en] 60 Pfund leichter gew[or]den – mit neuen Reze[p]ten. Eines davon zeigt [er] in dieser Sendung: C[hi]nesische Nudeln. Auß[er]dem: Wie brät man Stea[k] richtig, und welche G[e]würze passen dazu?*

**18.30 Die schönsten M[e]lodien der Welt**
Bekannte Stars sing[en] ihre Hits

**19.00 Heute**

**19.30 Auslandsjournal**
Berichte, Meinungen u[nd] Analysen aus dem Au[s]land

**20.15 Gesundheitsmag[a]zin Praxis**
1. Herzchirurgie, 2. D[...] für Herzkranke, 3. Kind[er] im Krankenhaus, 4. A[k]tuelle Sprechstunde

**21.00 Heute Journal**

**21.20 Welt der Mode**
Tips und Trends
*Der Mini kommt zurü[ck] und Hosenanzüge ble[i]ben modern. In New Yo[rk] sind Schwarz und We[iß] die neuen Modefarben.*

**22.00 Die untreue Eh[e]frau**
Französisch-italienisch[er] Spielfilm
*Die junge Frau eines b[e]kannten Pariser Recht[s]anwalts hat einen Liebh[a]ber. Ihr Ehemann we[iß] das. Er besucht den Lie[b]haber und ermordet ih[n]. Regie: Claude Vacher*

**23.40 Heute**

Welche Sendung gehört zu welchem Bild?

| ld | A | B | C | D | E | F |
|---|---|---|---|---|---|---|
| ogramm? <br> hrzeit? | | | | | | |

## Ordnen Sie die Sendungen aus dem Fernsehprogramm.

| achrichten/ olitik | Unterhaltung | Kultur | Sport | Kinder- sendung | Kriminalfilm/ Spielfilm |
|---|---|---|---|---|---|
| | | | | | |

## Welche Sendungen sind in Ihrem Land ähnlich?

elche gibt es nicht? Wann fangen die Sendungen in Ihrem Land an? Wann ist das Programm Ende?

# Leserbriefe

**Arena.** ARD, 17. Februar, 23.00 Uhr. Soziologen und Gewerkschafter diskutierten über das Thema: »Was machen wir mit unserer Freizeit?«

Wenn ich abends nach Hause komme, freue ich mich auf den Fernsehabend. Dann möchte ich gute Unterhaltung. Arena ist Mist!
*Eduard Flick, Techniker, Dortmund*

Der Moderator ist schlecht, die Sendung ist langweilig, die Diskussionsthemen sind uninteressant. Ich ärgere mich über jede Sendung.
*Günter Weiher, Lehrer, Gießen*

Arena gefällt mir sehr gut. Ich freue mich auf die nächste Sendung.
*Elfi Ammer, Hausfrau, Aachen*

In dieser Sendung fehlt der Pfeffer. Ich ärgere mich über den langweiligen Moderator.
*Sabine Ohlsen, Studentin, Bremen*

Arena war früher besser!
*Josef Ertl, Zahnarzt, Stuttgart*

Herzlichen Glückwunsch! Endlich eine interessante Kultursendung. Besonders freue ich mich über die Sendezeit, weil ich abends immer lange arbeiten muß.
*Klaus Gram, Architekt, Augsburg*

Ich interessiere mich für Kultur, aber nicht nachts um 11 Uhr! Ist Arena eine Sendung für Arbeitslose und Studenten?
*Heiner Lang, Bäcker, Darmstadt*

Wofür
Für    interessiert sie sich?
       Sport.              (→ Dafür)
Worauf
Auf    freut sie sich?
       die Sendung. (→ Darauf)
Worüber
Über   ärgert sie sich?
       das Programm. (→ Darüber)

S. 218, 1
S. 218, 2

## 1. Was ist richtig?

| H. Lang | ärgert sich | für | Kultur. |
| E. Ammer | freut sich | auf | die Sendezeit. |
| G. Weiher | interessiert sich | über | die nächste Sendung. |
| S. Ohlsen | | | jede Sendung. |
| K. Gram | | | den Moderator. |
| E. Flick | | | den Fernsehabend. |

## 2. Worüber ärgern Sie sich beim Fernsehen?

S. 218, 3

Wofür interessieren Sie sich?
Worauf freuen Sie sich?

Interessierst du dich auch für Kriminalfilme?

Nein, dafür interessiere ich mich nicht.

Ich ärgere mich oft über das Programm.

Ja, darüber kann man sich wirklich ärgern.

Ich   freue   mich ...
Du    freust  dich ...
Er/sie freut  sich ...
Sie   freuen  sich ...

### Welche Themen sollten öfter im Fernsehen kommen

| Alle Angaben in Prozent | Männer | Fraue |
|---|---|---|
| Tiere | 47,1 | 47,9 |
| Kinofilme | 36,1 | 44,3 |
| Komödien, Volksstücke | 38,2 | 41,6 |
| Show-, Quizsendungen | 30,0 | 34,1 |
| Krimis, Western | 41,6 | 23,6 |
| Regionale Sendungen | 35,6 | 28,1 |
| Ratgeber | 29,4 | 33,7 |
| Problemfilme | 26,3 | 33,9 |
| Musik | 25,8 | 32,3 |
| Wissenschaft, Technik | 41,7 | 13,3 |
| Sport | 41,4 | 5,8 |
| Kunst, Literatur | 14,5 | 23,7 |
| Politik, Wirtschaft | 22,2 | 11,1 |
| Jugend-, Kindersendungen | 9,9 | 13,9 |
| Religion | 7,4 | 9,0 |

Machst du mal den Fernseher an?
Warum? Was kommt denn jetzt?
Im zweiten Programm kommen jetzt Nach-
richten. Die möchte ich gern sehen.
Nachrichten? Das ist doch immer dasselbe.
Kann sein. Aber ich interessiere mich nun mal
sehr für Politik. Die Nachrichten sehe ich im-
mer. Du nicht?
Also, Nachrichten finde ich langweilig. Ich sehe am liebsten Sport.
Für andere Sendungen interessierst du dich nicht?
Nein. Ich ärgere mich meistens über das Programm, besonders über
die Unterhaltungssendungen. Die sind doch langweilig.
Da hast du recht. Aber die Nachrichten können wir doch wenigstens ansehen, ja?
Meinetwegen . . .

---

Kannst du bitte den Fernseher anmachen?
Wollen wir ein bißchen fernsehen?

Muß das sein?
Was gibt es denn?

---

| Im . . . Programm gibt es | Sport. |
| | . . . |

| Sport? | Das ist doch | jedesmal | dasselbe. |
| . . . | | immer | gleich. |

---

Mag sein. Aber ich interessiere mich nun

| mal | ziemlich | für | Sport. |
| | ein bißchen | | . . . |
| | . . . | | |

| Die | Sportsendungen | sehe ich oft / meistens / |

regelmäßig / immer / jeden Abend.

Also, . . . sehe ich nie / fast nie /
nur manchmal / selten.

| Ich mag | nur | die Kultursendungen. |
| | besonders | die Kriminalfilme. |
| | vor allem | . . . |
| | . . . | |
| Ich freue mich immer auf | | |

---

| Für andere | Filme | interessierst du |
| | Themen | |
| | Sendungen | |

dich nicht?

Nicht so sehr. / Kaum. / Wenig.

| Ich ärgere mich | oft | über das Programm. |
| | immer | . . . |

Das ist doch langweilig / uninteressant / dumm.

---

Meinst du?
Da bin ich anderer Meinung.
Sicher, aber . . .

Können wir denn jetzt den Fernseher
anmachen?

Wenn es sein muß . . .
Von mir aus . . .

| Aber dann | gehe ich jetzt spazieren. |
| | hole ich mir ein Buch. |
| | . . . |

### 1. Welche Sätze passen in welche Karikaturen?

a) Warum gibt es Lassie immer sonntags um 4.00 Uhr?

b) Du kannst erst um 11.35 Uhr mit Vater sprechen. Dann ist das Programm zu Ende.

c) Gut, noch drei Tote. Dann mußt du aber ins Bett!

d) Wie schön, wenn man den Kindern die Natur zeigen kann.

e) Warum hatten wir diese Idee nicht schon früher?

f) Warum machst du denn immer deine Spielsachen kaputt?

g) Es ist 23.00 Uhr! Das ist keine Kindersendung!

h) Wir wollen noch nicht ins Bett! Wir wollen auch fernsehen!

i) Du sollst nicht soviel Limonade trinken! Das ist ungesund für Kinder!

j) Müssen die Kinder wirklich jeden Tag die Kindersendung sehen?

k) Wo ist eigentlich Peter?

l) Ich glaube, unser Sohn interessiert sich nicht fü Fernsehen.

m) Er hat seit drei Tagen ke Wort gesprochen.

n) Glaube mir! Vater w nicht immer so!

o) Unser Sohn hat jetzt Ph sik in der Schule.

p) Nein, ‚Mama' kann noch nicht sagen. Ab ‚Peng! Peng!'

### 2. Was können die Personen noch sagen? Schreiben Sie selbst neue Sätze.

### 3. Was meinen Sie?

Fernsehen macht die Familie kaputt.

Fernsehen ist ungesun

Fernsehen macht dumm.

Fernsehen macht aggressiv.

Fernsehen ist schlecht für Kinder.

1. Wir haben Hunger, Hunger, Hunger,
haben Hunger, Hunger, Hunger,
haben Hunger, Hunger, Hunger,
haben Durst.

4. Ein Hund kommt in die Küche
und stiehlt dem Koch ein Ei.
Da nimmt der Koch den Löffel
und schlägt den Hund zu Brei.

2. Heut' kommt der Hans zu mir, freut sich die Lies.
Ob er aber über Oberammergau oder aber über Unterammergau
oder aber überhaupt nicht kommt, ist nicht gewiß.

5. Warum ist es am Rhein so schön?
Warum ist es am Rhein so schön, am Rhein so schön?
Weil die Mädchen so lustig und die Burschen so durstig.
Darum ist es am Rhein so schön, am Rhein so schön.

3. Mein Hut, der hat drei Ecken,
drei Ecken hat mein Hut.
Und hätt' er nicht drei Ecken,
dann wär' es nicht mein Hut.

6. Wenn die Elisabeth
nicht so schöne Beine hätt',
hätt' sie viel mehr Freud'
an dem neuen langen Kleid.

|  | Indikativ | Konjunktiv II |
|---|---|---|
| ich | bin | wäre |
| er/sie/es | ist | wäre |
| ich | habe | hätte |
| er/sie/es | hat | hätte |

hätt'
wär'  =  hätte
          wäre

### Welche Lieder gefallen Ihnen?

Welche nicht? Haben Lieder in Ihrem Land ähnliche Texte?
Was meinen Sie, wann singen Deutsche solche Lieder?

### Finden Sie einen neuen Text zu Lied Nr. 3.

Mein Schrank, der hat vier Türen,
vier Türen hat mein Schrank.
Und hätt' er nicht vier Türen,
dann wär' es nicht mein Schrank.

oder: Mein Brief, der hat sechs Seiten,
sechs Seiten hat ...

Fuß – Zehen    Haus – Zimmer
Kind – Zähne    ... – ...

S. 219, 4b

### Sie können auch neue Texte für die anderen Lieder schreiben.

## B2

### 4. Wennachwenn dannjadann

S. 219, 4a
S. 219, 4b

Wenn, ach wenn ... Wenn, ach wenn ...
Wenn du mit mir gehen würdest, wenn du mich verstehen würdest
Dann, ja dann ... Dann, ja dann ...
Ja, dann würde ich immer bei dir sein, dann wärest du nie mehr allein.
Ja, wenn ...

Machen Sie neue Texte für das Lied!

| Wenn | ich | .... | laufen | würde | Ja, dann | würde | ich | ..... | bleiben |
|------|-----|------|--------|-------|----------|-------|-----|-------|---------|
| | du | | kaufen | würdest | | hätte | ... | | schreiben |
| | ... | | sagen | | | wäre | | | verlieben |
| | | | fragen | | | ... | | | üben |
| | | | studieren | | | | | | Zeit |
| | | | verlieren | | | | | | weit |
| | | | ... | | | | | | geblieben |
| | | | | | | | | | geschrieben |

Benutzen Sie auch das Wörterverzeichnis ab S. 225.

Wenn Sie einen lustigen Liedtext gefunden haben, dann schicken Sie ihn an:

Max Hueber Verlag, Deutsches Lektorat
Max-Hueber-Str. 4, D-8045 Ismaning bei München

Die Autoren von „Themen" würden sich sehr freuen.

### Sing doch mit!

A. Hören Sie den Dialog.

B. Was ist richtig?

a) Welche Lieder mag Max nicht?
☐ Politische Lieder
☐ Trinklieder
☐ Popmusik

b) Heinz findet die Trinklieder gut, weil
☐ sie schon sehr alt sind.
☐ die Texte gut sind.
☐ sie Spaß machen.

c) Max mag nicht singen, weil
☐ er nicht singen kann.
☐ er die Texte nicht versteht.
☐ er die Texte dumm findet.

Die Gedanken sind frei, wer kann sie erraten?
Sie fliegen vorbei wie nächtliche Schatten.
Kein Mensch kann sie wissen,
kein Jäger erschießen.
Es bleibt dabei, die Gedanken sind frei.

Es gibt immer mehr Straßenkünstler: Musikanten, Maler und Schauspieler. Sie ziehen von Stadt zu Stadt, machen Musik, spielen Theater und malen auf den Asphalt. Die meisten sind Männer, aber es gibt auch einige Frauen. Eine von ihnen ist die 20jährige Straßenpantomimin Gabriela Riedel.

# Ich hol' die Leute aus dem Alltagstrott

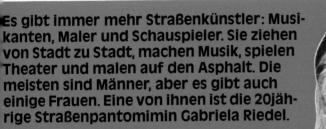

Das Wetter ist feucht und kalt. Auf dem Rathausmarkt in Hamburg interessieren sich nur wenige Leute für Gabriela. Sie wartet nicht auf Zuschauer, sondern packt sofort ihre Sachen aus und beginnt ihre Vorstellung: Sie zieht mit ihren Fingern einen imaginären Brief aus einem Umschlag. Den Umschlag tut sie in einen Papierkorb. Der ist wirklich da. Sie liest den Brief, vielleicht eine Minute, dann fällt er auf den Boden, und Gabriela fängt an zu weinen.

Den Leuten gefällt das Pantomimen-Spiel. Nur ein älterer Herr mit Bart regt sich auf. »Das ist doch Unsinn. So etwas müßte man verbieten.« Früher hat sich Gabriela über solche Leute geärgert, heute kann sie darüber lachen. Sie meint: »Die meisten Leute freuen sich über mein Spiel und sind zufrieden.« Nach der Vorstellung sammelt sie mit ihrem Hut Geld: 8 Mark und 36 Pfennige hat sie verdient, nicht schlecht. »Wenn ich regelmäßig spiele und das Wetter gut ist, geht es mir ganz gut.« Ihre Kollegen machen Asphaltkunst gewöhnlich nur in ihrer Freizeit. Für Gabriela ist Straßenpantomimin ein richtiger Beruf.

Gabrielas Asphaltkarriere hat mit Helmut angefangen. Sie war 19, er 25 und Straßenmusikant. Ihr hat besonders das freie Leben von Helmut gefallen, und sie ist mit ihm zusammen von Stadt zu Stadt gezogen. Zuerst hat Gabriela für Helmut nur Geld gesammelt. Dann hat sie auch auf der Straße getanzt. Nach einem Krach mit Helmut hat sie dann in einem Schnellkurs Pantomimin gelernt und ist vor sechs Monaten Straßenkünstlerin geworden.

Die günstigsten Plätze sind Fußgängerzonen, Ladenpassagen und Einkaufszentren. »Hier denken die Leute nur an den Einkauf, aber bestimmt nicht an mich. Ich hol' sie ein bißchen aus dem Alltagstrott«, erzählt sie. Das kann Gabriela wirklich: Viele bleiben stehen, ruhen sich aus, vergessen den Alltag. Leider ist Straßentheater auf einigen Plätzen schon verboten, denn die Geschäftsleute beschweren sich über die Straßenkünstler. Oft verbieten die Städte dann die Straßenkunst. »Auch wenn die meisten Leute uns mögen, denken viele doch an Zigeuner und Nichtstuer. Sie interessieren sich für mein Spiel und wollen manchmal auch mit mir darüber sprechen, aber selten möchte jemand mich kennenlernen oder mehr über mich wissen.« Gabrielas Leben ist sehr unruhig. Das weiß sie auch: »Manchmal habe ich richtig Angst, den Boden unter den Füßen zu verlieren«, erzählt sie uns. Trotzdem findet sie diesen Beruf phantastisch; sie möchte keinen anderen.

### 1. Fragen zum Text

a) Was machen Straßenkünstler?
b) Kann ein Straßenkünstler viel Geld verdienen?
c) Was glauben Sie, warum liebt Gabriela ihren Beruf?
d) Wie hat Gabriela ihren Beruf angefangen?
e) Was glauben Sie, warum machen nur wenige Frauen Straßentheater?

### 2. Machen Sie mit diesen Sätzen einen Text.

Beginnen Sie mit ①.

☐ Aber Gabriela ärgert sich nicht mehr.
☐ Deshalb kann sie jetzt ihr Geld allein verdienen.
☐ Gabriela hat dann einen Pantomimenkurs gemacht.
① Gabriela ist Straßenpantomimin.
☐ Das macht sie aber nicht – wie andere Straßenkünstler – in ihrer Freizeit.

☐ Sie lebt vom Straßentheater.
☐ Sie weiß, die meisten Leute freuen s[i]
über ihr Spiel.
☐ Manche Leute regen sich über Straß[e]
künstler auf.
☐ Zuerst hat sie mit einem Freund gearbeitet.
☐ Aber dann hatten sie Streit.

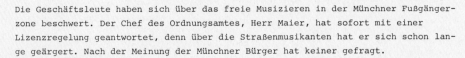

Liebe  Mitbürger!

Die Geschäftsleute haben sich über das freie Musizieren in der Münchner Fußgängerzone beschwert. Der Chef des Ordnungsamtes, Herr Maier, hat sofort mit einer
Lizenzregelung geantwortet, denn über die Straßenmusikanten hat er sich schon lange geärgert. Nach der Meinung der Münchner Bürger hat keiner gefragt.

Was steht in der Lizenzregelung?

1. Jeder Straßenmusikant muß sich im Rathaus anmelden und eine Lizenz beantragen.

2. Jeder Straßenmusikant darf nur einmal pro Woche spielen.

3. Pro Tag bekommen nur zehn Musikanten eine Lizenz.

4. Die Musikanten müssen jede Stunde ihren Platz wechseln.

5. Laute Musik ist verboten.

Wird München zur Kulturwüste?

München ist angeblich eine Kulturstadt. Aber durch diese Lizenzregelung stirbt all-
mählich die Kunstfreiheit. Die Fußgängerzone ist ein öffentlicher Platz und nicht
nur ein Konsum- und Einkaufszentrum. Die Münchner und die Touristen wollen sich
hier auch einfach nur treffen, sich auf einen Stuhl setzen und sich ausruhen,
Straßenmusik hören oder sich unterhalten.

Wir meinen, die Fußgängerzone muß ein Kommunikationszentrum bleiben. Zusammen können wir etwas gegen die Lizenzregelung tun. Unterschreiben Sie den offenen Brief
an den Münchner Stadtrat.

V.i.S.d.P. Claudia Schettler, Klenzestraße 26, 8000 München

## Wie finden Sie die neue Lizenzregelung?

Ich habe mich schon lange über diese Straßenzigeuner geärgert. Endlich tut man etwas gegen diese laute Musik. Man sollte die übrigens ganz verbieten. Die Straße ist doch kein Konzertsaal.

Warum regen Sie sich denn über die Straßenmusik so auf? Die Musik in den Kaufhäusern ist zum Beispiel auch nicht leiser. Die müßte man dann auch verbieten. Meinen Sie nicht auch?

Ich bin eigentlich für die Straßenmusik, mir würde ohne diese jungen Musikanten einfach etwas fehlen. Es wäre doch traurig, wenn die Leute nur noch für die Arbeit oder fürs Einkaufen in die Stadtmitte kommen würden. Aber ich kann die Geschäftsleute auch verstehen. Wenn ich ein Geschäft hätte, würde ich mich vielleicht auch über die Musiker beschweren. Oft spielen sie direkt vor den Ein- und Ausgängen und stören den Geschäftsverkehr. Die könnten doch auch an anderen Orten spielen, dann wäre eine Lizenzregelung nicht nötig.

Wenn die bessere Musik machen würden, wäre ich nicht dagegen. Aber die Qualität ist meistens sehr schlecht. Wenn ich Chef des Ordnungsamts wäre, dürften nur gute Musiker eine Lizenz bekommen.

Gut oder schlecht, das ist mir egal. Ohne die Straßenmusiker wäre die Fußgängerzone nur ein Konsumzentrum und bestimmt viel langweiliger. Mir würde die Straßenmusik fehlen.

**Wie finden Sie Straßenmusik?** Diskutieren Sie. Sie können folgende Sätze verwenden:

S. 219, 4b

| Wenn | es keine Straßenmusik geben man die Straßenmusik verbieten Ohne Straßenmusik/Straßenmusikanten | würde, dann | wäre/hätte/würde … |
|---|---|---|---|

| Wenn | die Musik die Musikanten | besser leiser | wäre, wären, | wäre/hätte/würde … |
|---|---|---|---|---|

| Wenn ich Als Geschäftsmann/Straßenmusikant | ein Geschäft hätte, Straßenmusikant wäre, | dann | wäre hätte würde | ich … | Man | sollte müßte könnte | … |
|---|---|---|---|---|---|---|---|

| Ich habe mich | schon immer/lange/oft noch nie nur selten/manchmal | über für | die Straßenmusik … | aufgeregt/geärgert gefreut/interessiert |
|---|---|---|---|---|

## Wo hören Sie am liebsten Musik?

ann und wo mögen Sie keine Musik? Wie finden Sie Musik in Supermärkten? In Restau-
nts? In Kaufhäusern?

# Die Gefährlichkeit der Rasensprenger (3)

»Was haben Sie da gesagt?« Walter starrt seinen Besucher mit offenem Mund an.

»Bitte, Herr Gottschalk, bleiben Sie doch sitzen.« Herr Willeke lächelt sehr freundlich, setzt sich selber auf einen freien Stuhl, öffnet seine Jacke. »Wie gesagt, ich will Sie wirklich nicht stören. Aber wenn Sie wollen, können wir uns gern einen Augenblick unterhalten – bei einer Tasse Kaffee.«

Walter macht Lilo ein Zeichen, und Lilo bringt dem Besucher eine Tasse Kaffee. Ihre Hand zittert ein wenig.

»Vielen Dank«, sagt Herr Willeke, »sehr freundlich. Und den Kuchen da, gnädige Frau, den haben Sie doch sicher selber gemacht?«

Ohne ein Wort gibt ihm Lilo den Kuchenteller. Herr Willeke nimmt sich ein Stück.

»Ausgezeichnet«, sagt er mit vollem Mund, »ganz ausgezeichnet. Mein Kompliment, gnädige Frau. Selbstgemachter Kuchen ist doch immer noch am besten. Was man heute so bei den Bäckern bekommt…«

»Herr Willeke…!« Walter wird jetzt energisch. »Habe ich richtig gehört? Sie sind Vertreter für Rasensprenger?«

Herr Willeke nimmt sich Zeit, steckt noch ein Stück Kuchen in den Mund, nimmt noch einen Schluck Kaffee… »Sie haben ganz richtig gehört«, sagt er endlich, »ich bin Vertreter der Firma Maßmann & Co. Die Firma Maßmann & Co. ist einer der größten Hersteller von Rasensprengern – und ich darf sagen, der seriöseste.«

»Interessant«, murmelt Walter. »Kinder, wollt ihr euch nicht endlich anziehen! Und vielleicht helft ihr der Mama vorher ein bißchen beim Abräumen… Herr Willeke, wollen wir uns nicht auf die Terrasse setzen, in die Sonne?«

Andy und Caroline sind enttäuscht. Immer, wenn es interessant wird, müssen sie weg. Lilo ist unruhig. »Sei vorsichtig, Walter, ich bitte dich«, flüstert sie.

»Reizende Kinder haben Sie«, sagt Herr Willeke, »wirklich reizend. Wie alt sind sie denn?«

»Vierzehn und fünfzehn«, sagt Walter, »wissen Sie, ich möchte Ihnen nämlich gern etwas zeigen…«

»Ich bin leider nicht verheiratet«, sagt Herr Willeke, »ich kann mir keine Familie leisten – bei meinem Beruf, verstehen Sie, immer unterwegs…«

»Ich möchte Ihnen nämlich gern zeigen…«

»Ich weiß, ich weiß!« Herr Willeke stellt einen Terrassenstuhl in die Sonne und nimmt Platz. »Ach, ist das schön hier draußen! So einen hübschen kleinen Garten habe ich mir immer gewünscht! Ich weiß, lieber Herr Gottschalk, ich weiß. Sie wollen mir den Rasensprenger Ihres Nachbarn Köhler zeigen.«

Zum dritten Mal an diesem Sonntagmorgen ist Walter sprachlos.

**Fortsetzung folgt**

*»Sei vorsichtig, Walter, ich bitte dich«, flüstert sie.*

**B1**

Die neuen Autos von Nissan, Opel und Peugeot im Test gegen Volkswagen. Sind sie so gut wie der Polo?

# Mini ist wieder in Mode

| Typ | VW Polo | Opel Corsa | Peugeot 205 GR | Nissan Micra |
|---|---|---|---|---|
| Preis (inkl. MwSt.) DM | 13.060,– | 13.215,– | 13.500,– | 10.795,– |
| Steuer | 158,40 | 144,– | 172,80 | 144,– |
| Motorleistung kW (PS) | 37 (50) | 40 (54) | 37 (50) | 40 (54) |
| Höchstgeschw. km/h | 147 | 153 | 144 | 143 |
| Verbrauch l/100 km* | N 8,6 | S 7,6 | S 6,9 | S 6,8 |
| Gewicht kg | 745 | 770 | 810 | 690 |
| Länge m | 3,65 | 3,62 | 3,70 | 3,64 |
| Kofferraum (Liter) | 500 | 495 | 515 | 470 |
| Versicherung/Jahr** | 1008,– | 1019,– | 1013,– | 1013,– |
| Kosten pro Monat DM*** | 428,– | 415,– | 425,– | 401,– |

* S = Superbenzin, N = Normalbenzin   ** im Durchschnitt   *** alle Kosten (Versicherung, Steuer, Benzin, Reparaturen) bei 15.000 km pro Jahr.

klein   teuer   leicht   niedrig   billig   hoch   stark   wenig   schwach   viel   groß   schnell   preiswe   langsam

**Superlativ**

ist am höchsten

hat den höchsten Verbrauch
    die höchste Geschwindigkeit
    das höchste Gewicht

    die höchsten Kosten

S. 220

**Komparativ**

ist   schwächer   als

hat einen schwächeren Motor   als
    eine höhere Leistung   als
    ein niedrigeres Gewicht als

    –   niedrigere Kosten als

### 1. Welches Auto hat . . .? Welches ist am . . .?

Der Peugeot ist am längsten.
Der Micra hat die niedrigsten Kosten pro Monat.
Der Corsa hat die höchste Geschwindigkeit.
Der Polo hat den höchsten Benzinverbrauch.
Der Peugeot ist . . .

### 2. Vergleichen Sie die Vor- und Nachteile der Autos.

○ Der Peugeot hat einen schwächeren Motor als der Micra
□ Richtig, aber dafür hat er einen größeren Kofferraum und ist doch so schnell wie der Micra.
○ Richtig, aber der Micra hat/ist . . .
□ . . .

### 3. Bist du zufrieden?

○ Sag mal, du hast dir doch einen Corsa gekauft. Bist du zufrieden?
□ Ach ja. Er braucht aber mehr Benzin, als man mir gesagt hat.

| Er | ist aber langsamer, | als | im Prospekt steht. |
|---|---|---|---|
| | braucht wirklich genauso viel Benzin, | wie | ich geglaubt habe. |
| | ist wirklich genauso schnell, | | . . . |

rger mit dem Auto

## Was ist hier kaputt? Was fehlt?

Motor – Benzin – Bremse – Öl – Spiegel – Reifen – Bremslicht – Fahrlicht

] – Der/Die/Das . . . kaputt/funktioniert nicht.
.] – Der/Die/Das . . . fehlt. Das Auto braucht . . .

## Kann man noch weiterfahren? Muß man das Auto abschleppen?

Wenn der Tank leer ist, muß man Benzin holen.

Wenn die Bremse nicht funktioniert, kann...

Wenn . . .

Wenn der Motor kaputt ist, kann man nicht mehr weiterfahren.

## Was ist passiert?

. Hören Sie die drei Texte.

B. Welche Sätze sind richtig?

a) ☐ Ein Auto hat eine Panne.
☐ Hier ist ein Unfall passiert.
☐ Der Unfallwagen kommt.
☐ Der Mechaniker kommt

b) ☐ Karl braucht Benzin
☐ Karl braucht Öl.
☐ Karl muß zur Tankstelle gehen.

c) ☐ Das Fahrlicht funktioniert nicht.
☐ Die Bremsen funktionieren nicht.
☐ Die Scheibenwischer funktionieren nicht.
☐ Das Bremslicht funktioniert nicht.

○ Ich bringe Ihnen den Wagen. Mein Name ist Wegener. Ich habe für heute einen Termin.
☐ Richtig, Herr Wegener. Was ist denn kaputt?
○ Der Motor verliert Öl, und die Bremsen ziehen nach links.
☐ Sonst noch etwas?
○ Ja, das Bremslicht hinten links geht nicht. Kann ich den Wagen heute nachmittag abholen?
☐ Wahrscheinlich ja, wenn die Reparatur am Motor nicht zu schwierig ist.

Ich brauche ihn aber dringend. Man hat mir gesagt, er ist heute nachmittag fertig.
☐ ...

Können Sie mich anrufen, wenn der Wagen fertig ist?
☐ ...

Ich bringe Ihnen mein Auto.
Ich heiße ... und habe mich für heute angemeldet.

| Stimmt, | Frau ... |
| Ich erinnere mich, | Herr ... |

| Was | ist denn los? |
| | sollen wir denn machen? |

| Der Motor | braucht zu viel Benzin. |
| | läuft / zieht nicht richtig. |
| Die Handbremse | geht nicht. |
| Das Fahrlicht vorne rechts / links | |

Die linke Tür kann man nicht mehr aufmachen.
Die Bremslichter sind immer an.

Alles?
Gibt es noch was?
Noch etwas?
Und sonst noch?

| Ja, | die Bremse / der Motor ... |
| | bitte tanken / waschen Sie den Wagen. |

Nein, das ist alles.

| Ist das Auto | heute | früh | fertig? |
| | morgen | mittag | |
| | ... | ... | |

Ich glaube ja, wenn die Reparatur am / an der ...

| nicht | zu schwer ist |
| | zu lange dauert. |
| | zuviel Zeit kostet. |

**Eugen Rieg Mering**

Herrn
Walter Wegener
Enzianstraße 38

8902 Friedberg

Munchener Straße 66
**8905 Mering**
Telefon (08233) 9786
Bankverbindungen:
Fuggerbank Kto.-Nr. 0040055055 Rep.
Bayer. Vereinsbank Kto.-Nr. 8701270

RECHNUNG 1473 vom 14.04.1984

| Arbeitslohn: | |
|---|---|
| Handbremse repariert | 74,50 |
| Motor repariert | 67,80 |
| Bremsbeläge (2 Stück) gewechselt | 132,17 |
| Bremsen eingestellt | 18,60 |
| Material: | |
| Bremsbeläge (2 Stück) | 103,72 |
| Handbremsseil | 26,94 |
| Summe | 423,73 |
| 14 % Mehrwertsteuer | 59,32 |
| Betrag | 483,05 |
| | ====== |

...rr Wegener holt sein Auto ab. Die Werk-
...att sollte nur die Bremsen reparieren, aber
...cht die Handbremse. Herr Wegener ärgert
...ch, denn diese Reparatur hat 74,50 DM extra
...kostet, und beschwert sich deshalb.

Sie sollten doch nur die Bremsen reparieren,
aber nicht die Handbremse.
Das können Sie doch nicht machen!
Aber die Handbremse hat nicht funktioniert.
Das ist doch gefährlich.
Das ist doch nicht gefährlich! . . .
. . .

**Schreiben Sie den Dialog weiter und spielen Sie ihn dann.**

...e können folgende Sätze verwenden:

| Das | können Sie mit mir nicht machen! | Das | glaube ich nicht. |
| | dürfen Sie nicht so einfach! | | überzeugt mich nicht. |
| | geht doch nicht! | | ist doch Unsinn! |

| Das | interessiert mich nicht! | Ich brauche die Handbremse nie! |
| | ist mir egal! | Die Handbremse ist doch unwichtig! |

| Das ist doch gefährlich. | Sicher, | aber . . . | Da haben Sie recht. |
| Das kostet doch nicht viel, | Das stimmt, | | Das habe ich nicht gewußt. |
| und sie fahren sicherer. | Sie haben recht, | | Was machen wir jetzt? |
| Mit einer kaputten Handbremse | Das tut mir leid, | | Das tut mir leid. |
| darf man nicht fahren. | Das ist richtig, | | Verzeihung. |

**Sie können auch Dialoge zu folgenden Situationen spielen:**

Sie wollten für Ihr Auto nur einen neuen Reifen, aber die Werkstatt hat zwei montiert.
An einer Tankstelle. Sie wollten nur für 20 DM tanken, aber der Tankwart hat den Tank voll
gemacht.

# Vom Blech zum Auto
## Autoproduktion bei Volkswagen in Wolfsburg

Sehr früh morgens werden Montageteile und Material mit Zügen und Lastwagen nach Wolfsburg gebracht. Das Blech für die Autokarosserien kommt mit der Bahn.

Jetzt werden die Karosserien lackiert. Jede Karosserie wird mehrere Male gespritzt. So wird sie gegen Rost geschützt.

Zuerst wird das Blech automatisch geschnitten, dann werden daraus die Karosserieteile gepreßt: Dächer, Böden, Seitenteile usw.

Dann wird das Auto fertig montiert: Motor, Räder, Sitze usw. Die Autos werden noch einmal geprüft...

Danach werden die Blechteile zusammengeschweißt. Schwere Arbeit wird von Robotern gemacht.

...und dann – von einem eigenen Bahnhof aus – zu den Käufern geschickt.

## 1. Setzen Sie die Sätze richtig zusammen.

S. 221

| | | | |
|---|---|---|---|
| Das fertige Auto | | von Robotern | geschweißt. |
| Das Karosserieblech | | noch einmal | geprüft. |
| Motor, Räder und Sitze | wird | gegen Rost | gebracht. |
| Die Karosserien | | mit Zügen und Lastwagen | montiert. |
| Die fertigen Blechteile | werden | automatisch | geschützt. |
| Das Material | | von Arbeitern | geschnitten. |

Roboter (Aktiv) prüfen die Teile.

Die Teile (Passiv) werden von Robotern geprüft.

## 2. Bringen Sie die Sätze in die richtige Reihenfolge.

Machen Sie dann einen kleinen Text daraus.
Beginnen Sie die Sätze mit sehr früh morgens, zuerst, dann, danach, zuletzt, später: Sehr früh morgens wird .... Zuerst wird .... Dann werden ....

**Ergänzen Sie die Sätze:**

...pel in Rüsselsheim. In der Karosserieabtei-
...ng werden die Bleche geschnitten.

...er arbeitet eine komplizierte Maschine.
...e schneidet die Bleche.

...er werden die Karosserieteile geschweißt.
...ese Arbeit wird von Robotern gemacht.
...e ...

...der Montageabteilung werden Motor,
...ifen, Lampen und Bremslichter montiert.

...er arbeitet Sresko Plevac. Er ...

...um Schluß wird das ganze Auto geprüft.

...sef Pfisterer arbeitet schon seit 20 Jahren
...i Opel. Er ...

...n Autohaus in Kiel. Hier wird gerade ein
...agen verkauft.

...n Hinrichsen ist Verkäufer bei Opel. Er ...

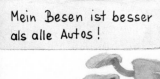

Mein Besen ist besser als alle Autos!

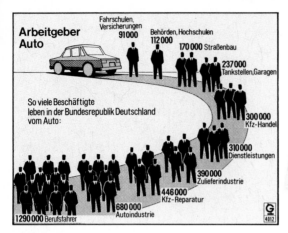

Arbeitgeber Auto

Fahrschulen, Versicherungen 91000
Behörden, Hochschulen 112000
170000 Straßenbau
237000 Tankstellen, Garagen

So viele Beschäftigte leben in der Bundesrepublik Deutschland vom Auto:

300000 Kfz-Handel
310000 Dienstleistungen
390000 Zulieferindustrie
446000 Kfz-Reparatur
680000 Autoindustrie
1290000 Berufsfahrer

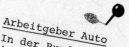

Arbeitgeber Auto

In der Bundesrepublik leben über 4 Millionen Arbeitnehmer vom Auto. Nur 1,8 Millionen arbeiten direkt für das Auto: in den großen Autofabriken, in kleineren Autoteilefabriken, in Tankstellen oder Werkstätten. Die anderen Stellen sind in Büros, Ämtern, Autogeschäften, Autoversicherungen und im Straßenbau.

Wo arbeiten?
in der Prüfabteilung
in + Dativ
(allgemeine Orte, Institutionen, ...)
bei ELO
bei + Namen
(von Firmen, Personen, ...)

### 1. Zum Beispiel Karl Böge

Karl Böge arbeitet bei „ELO" in Geislingen. Diese Firma produziert Lampen und Elektroteile für Autos. Karl Böge arbeitet in der Prüfabteilung. Dort muß er den ganzen Tag Lampen prüfen. Die Arbeit ist leicht, aber monoton. Er verdient 13,78 DM in der Stunde.

### 2. Beschreiben Sie die Arbeitsplätze der folgenden Personen.

| Name: | Betrieb: | Ort: | Produkt: | Abteilung: | genaue Arbeit: | Qualität der Arbeit: | Stunden lohn: |
|---|---|---|---|---|---|---|---|
| Kemal Turan | Kopperschmidt | Bielefeld | Werkzeuge für VW | Materialprüfung | Knöpfe drücken | einfach, laut | 14,30 |
| Dunja Ninic | Continental | Hannover | Autoreifen | Versand | Adressen kleben | einfach, monoton | 7,56 |
| Gerd Polenz | Thyssen | Duisburg | Autobleche | Schweißerei | Bleche schweißen | schwer, gefährlich | 14,90 |
| Nino Sabato | VDO | Schwalbach | Autoelektroteile | Versand | Lastwagen fahren | anstrengend, interessant | 14,90 |

# Haushaltsgeld – wofür?

Monatliches Nettoeinkommen von 4-Personen-Arbeitnehmerhaushalten mit mittlerem Einkommen insgesamt: **3198 DM**

davon für:

Möbel, Hausrat **237**

Kleidung **234**

Bildung, Unterhaltung **220**

Freiwill. Versicherungen, Beiträge u.a. **170**

Auto, Verkehr, Post **374**

Heizung, Strom, Gas **162**

Reisen **126**

Zigaretten, Alkohol u. a. **97**

Körperpflege, Gesundheit **84**

Geschenke **48**

Miete **418**

Nahrungsmittel **602 DM**

Ersparnis **426**

G 4270

## Lohn-/Gehaltsabrechnung

Was verdient Herr Böge brutto?
Wieviel zahlt die Firma ELO direkt an Herrn Böge?
Warum bekommt Herr Böge nicht seinen ganzen Lohn?

## Haushaltsgeld – wofür?

Wieviel Geld verdient eine normale Familie (4 Personen) in der Bundesrepublik? Was gibt sie für Essen, Kleidung, Auto usw. aus?
Herr Böge ist verheiratet und hat zwei Kinder (7 und 11 Jahre). Verdient er genug?

---

## Lohn-/Gehalts-Abrechnung

Elo + Co. KG
Max-Weber-Str. 16
7340 Geislingen
Tel. (07331) 126 89

Nr.    49
Name    Böge, Karl
Zeitraum 1.3. – 31.3.1984

| Lohn/Gehalt | | |
|---|---|---|
| 172 Std.    à DM 13,78 | | 2370,16 |
| 8 Über-Std. à DM 13,78 | | 110,24 |
| Über-Std.-Zuschläge ( 25 %) (3,45 DM) | | 27,60 |
| | Brutto-Verdienst | 2508,-- |

| Abzüge | | |
|---|---|---|
| Lohnsteuer (Stkl.: III/1) | 261,30 | |
| Kirchensteuer kath. | 16,90 | |
| Krankenversicherung | 136,68 | |
| Arbeitslosenversicherung | 57,68 | |
| Rentenversicherung | 231,99 | |
| Gesamt-Abzüge | | 704,55 |
| | Netto-Verdienst | 1803,45 |

| Steuerfreie Zuschläge | | |
|---|---|---|
| Fahrgeld | | 36,-- |
| . . . . . . . . . . . . . . . . | | |
| . . . . . . . . . . . . . . . . | | |
| | Auszuzahlender Betrag | 1839,45 |

Errechnet:
Datum 30.3.84
Zeichen *KY*

---

## Chemie: 3,2 Prozent mehr Lohn

**Bonn**          (dpa/ddp).
Die Gespräche zwischen der Gewerkschaft IG Chemie, Papier, Keramik und den Arbeitgebern der chemischen Industrie sind schon nach zwei Tagen zu Ende. Die etwa 660000 Arbeiter und Angestellten in den Chemie-, Papier- und Keramik-Fabriken sollen 3,2 Prozent mehr Gehalt bekommen. Außerdem müssen Arbeitnehmer über 58 Jahre nächstes Jahr nur noch 36 Stunden pro Woche arbeiten.

## Verhandlungen der IG Druck ab Montag

**Stuttgart**          (dpa).
Die Tarifgespräche für die rund 175000 Arbeitnehmer in der Druckindustrie fangen am nächsten Montag in Mannheim an. Die Gewerkschaft IG Druck und Papier verlangt 6,5 Prozent mehr Lohn und Gehalt. Die Arbeitgeber wollen nur 3 Prozent zahlen.

## Bis heute 700 000 Metallarbeiter im Streik

**Frankfurt**          (AP/dpa).
Etwa 21000 Metallarbeiter haben auch gestern wieder – einen Tag vor den Gesprächen zwischen Arbeitgebern und der Gewerkschaft IG Metall – gestreikt und demonstriert. Seit Ende Februar haben damit insgesamt etwa 700000 Metallarbeiter in der Bundesrepublik gestreikt. Die IG Metall verlangt 4 Prozent mehr Lohn.

Harry Gerth, 29, verheiratet, ein Kind, ist einer von rund 60 000 Beschäftigten bei VW in Wolfsburg. Vor zehn Jahren wurde der gelernte Metzger in einem Drei-Wochen-Kurs bei VW zum Fließbandarbeiter ausgebildet. Jetzt steht er als $CO_2$-Schweißer am Hochband in Halle 4, Karosserieabteilung. Hochband heißt: Er arbeitet mit den Händen über seinem Kopf, die Golf-Karosserien laufen an seinen Augen vorbei. Bei 271 Karosserien pro Tag hat Harry Gerth für ein Auto 92 Sekunden Zeit.

Harry ist Wechselschichtarbeiter, das heißt: Er arbeitet eine Woche von 5.30 Uhr bis 14 Uhr und die nächste Woche von 14

**Warum ein Schweißer bei VW mit seiner monotonen Fließbandarbeit zufrieden ist**

# Hauptsache, die Kasse stimmt

Uhr bis 22.30 Uhr. Sein Stundenlohn macht 16,06 DM. Brutto-Monatslohn: 2934,96 Mark.

Die 30 Minuten Essenspause pro Tag werden ihm nicht bezahlt. Aber er hat dreimal 16 Minuten bezahlte Pausen.

Nach Tarif hat Harry Gerth im Jahr 28 Tage Urlaub. Das Urlaubsgeld macht 50% von seinem Monatslohn. Als Wechselschichtarbeiter bekommt er alle 40 Monate zehn bezahlte Arbeitstage frei plus 300 Mark Taschengeld. Für jede Überstunde bekommt er zu den 16,06 Mark noch 40% dazu. Im letzten Jahr hat er außerdem ein Weihnachtsgeld von 981 Mark bekommen, und 420 Mark extra, weil VW gut verdient hat. Das ist aber nicht immer so, in Krisenjahren gibt es das nicht.

Der Lohn und die Sozialleistungen halten Harry Gerth bei VW, obwohl seine Arbeit kein Vergnügen ist. »Ich bin jeden Tag froh, wenn ich mit der Arbeit fertig bin; aber ich weiß auch, wieviel ich am Monatsende auf dem Bankkonto habe!« sagt er.

In den meisten Familien arbeiten die Frauen auch mit. »Als wir geheiratet haben, war das in den ersten vier Jahren auch so. Wir haben Winter- und Sommerurlaub gemacht, 20 000 DM gespart, den teuren Scirocco gekauft (wie jeder VW-Arbeiter bekommt er ein Auto zwischen 16 und 19% billiger); und wir haben uns für etwa 35 000 Mark Möbel gekauft.«

Seine Wohnung ist eine der Fabrikwohnungen von VW, die an die Arbeiter und Angestellten günstig vermietet werden: 78 qm groß, drei Zimmer, WC für Gäste extra, 444,30 DM Miete ohne Nebenkosten. Im Wohnzimmer: ein »Supercolor«-Fernseher.

Hat er Angst vor Rationalisie-

rung? »Wenn ich morgen a[n] einen anderen Arbeitspla[tz] müßte, wo ich weniger verdie[[]nen würde, würde ich trotzde[m] meinen jetzigen Lohn zwei Jahr[e] lang weiter bekommen.« Er wür[?]de also nicht entlassen. Das steh[t] im Tarif von IG Metall für VW[-] Arbeiter.

Hat er keine Karrierechancen[?] »Die Chance hatte ich vor ei[nem] paar Jahren. Da konnte ich Vo[r]arbeiter werden.« Als Vorarbei[?]ter hat man Vorteile: ma[n] kommt raus aus der Produktio[n,] raus aus der Monotonie, un[d] man bekommt mehr Gel[d.] Harry Gerth wollte aber nich[t.] »Ich bin in der Gewerkschaf[t.] Als Betriebsrat kann ich für me[i]ne Kollegen sprechen. Aber a[ls] Vorarbeiter wäre ich auf der an[]deren Seite. Ich kann doch nich[t] erst für einen Kollegen spreche[n] und später gegen ihn. Das wär[e] nichts für mich.« *Edith Hah[n]*

## Welcher Satz paßt zu welcher Überschrift?

Der Arbeitsplatz und die Arbeit von Harry Gerth
Arbeitszeit und Verdienst
Gewerkschaft und Karrierechancen

Harry Gerth ist Schweißer bei VW in Wolfsburg.
Als Betriebsrat kann er für seine Kollegen sprechen.
Er verdient 2934,96 DM im Monat.
Das wollte er aber nicht.
Das ist eine anstrengende Arbeit, weil er mit seinen Händen immer über dem Kopf arbeiten muß.
Harry Gerth ist meistens 8,5 Stunden in der Fabrik.
Dort steht er am Fließband und schweißt Karosserien für den Golf.
Diese Gewerkschaft hat einen eigenen Tarifvertrag mit VW.
Er ist Wechselschichtarbeiter.

☐ Das sind 16,06 DM in der Stunde.
☐ Er arbeitet in der Karosserieabteilung.
☐ Das heißt, er geht eine Woche morgens, die nächste Woche abends zur Arbeit.
☐ Harry Gerth ist in der IG Metall.
☐ Manchmal muß er auch Überstunden machen.
☐ Vor ein paar Jahren konnte er Vorarbeiter werden.
☐ Er ist zufrieden, obwohl diese Arbeit monoton ist.
☐ Dann würde er jetzt mehr verdienen.
☐ Dann bekommt er 40% mehr Stundenlohn.
☐ Dann würde er nicht mehr für die Arbeiter sprechen können.

## Machen Sie drei Texte.

ringen Sie die Sätze zu a), b) und c) in eine Reihenfolge. Sie haben dann drei kleine Texte.

nige Wörter sind besonders wichtig für die Verbindung mit dem Satz vorher. Unterstreichen
e diese Wörter.

## Berichten Sie.

elche Sozialleistungen bietet VW? Warum arbeitet Frau Gerth auch?

## Machen Sie ein Rollenspiel mit Ihrem Nachbarn.

r Nachbar ist Harry Gerth (oder eine Person von Seite 174). Sprechen Sie über den Arbeits-
atz.
e möchten z. B. wissen:
o arbeitet er/sie?
welcher Abteilung?
as macht er/sie dort genau?
ie gefällt ihm/ihr die Arbeit?
erdient er/sie genug?
ie lange arbeitet er/sie schon dort?
öchte er/sie vielleicht lieber eine andere Arbeit machen?
at er/sie einen sicheren Arbeitsplatz?

Ich habe einen sicheren Arbeitsplatz.

# Die Gefährlichkeit der Rasensprenger (4)

»Woher...?« stammelt Walter, »woher...?«
»Woher ich das weiß?« Herr Willeke muß lachen. »Aber mein lieber Freund – ich habe mich natürlich informiert. Information, mein Lieber, ist das halbe Leben. Ohne Information hätte ich in meinem Beruf keine Chance.«
»So«, sagt Walter, »und wo haben Sie sich informiert, wenn ich fragen darf?«
Dieses Mal ist Herr Willeke überrascht.
»Aber mein lieber Herr Gottschalk – Informationen kann man heute kaufen, das wissen Sie doch!«
Walter schweigt.
»Kurz und gut«, sagt Herr Willeke, »Ihr Nachbar Köhler hat seit gestern einen Rasensprenger vom Typ Helios. Reichweite sieben Meter. Nominalleistung acht Kilowatt, Infrarot-Empfindlichkeit und Digitalzündung.«
»Was haben Sie da gesagt?« Walter wird unruhig. »Reichweite – sieben Meter?«
»Genau sieben Komma fünf«, sagt Herr Willeke. »Das heißt ja...«
»Allerdings!« Herr Willeke nickt ernst.
»Und was... was kann ich dagegen tun?«
Herr Willeke lächelt. »Das erste und wichtigste, mein lieber Herr Gottschalk, haben Sie schon getan: Sie fragen mich um Rat. Wenn Ihnen jemand einen Rat geben kann, dann ich, der Vertreter der Firma Maßmann & Co.«

Herr Willeke öffnet seinen Aktenkoffer, nimmt einen bunten Prospekt heraus.
»Saturn«, sagt er, »das Spitzenmodell der Firma Maßmann & Co. Zwölf Kilowatt Leistung, fünfzehn Meter Reichweite, Fernbedienung und vor allem...« Herr Willeke macht eine kleine Pause »...mit dem ultramodernen AAR-Effekt.«
»Mit dem ultramodernen...was?«
»Dem automatischen Anti-Reaktions-Effekt!«
Walter versteht kein Wort. Herr Willeke lächelt freundlich. »Ich erkläre es Ihnen«, sagt er, »dafür bin ich schließlich hier. Saturn reagiert automatisch auf fremde Rasensprenger. Mit anderen Worten: wenn Herr Köhler seinen Rasensprenger anmacht, dann schaltet sich Saturn ebenfalls ein – und zwar automatisch und mit sehr viel mehr Energie.«
»Ich verstehe«, sagt Walter leise. »Das ist natürlich sehr interessant. Aber ich weiß nicht...ich meine, das kostet doch sicher viel Geld?«
In diesem Augenblick klingelt es wieder an der Tür. Walter will hochspringen.
»Keine Aufregung, Herr Gottschalk«, sagt Herr Willeke, »das ist nur Herr Buschfort.«
»Aha«, sagt Walter, »das ist nur Herr Buschfort.«
»Von der Bank Künzel & Künzel«, sagt Herr Willeke. »Wir arbeiten mit der Bank Künzel & Künzel schon seit Jahren zusammen. Herr Buschfort kennt Ihre finanzielle Situation, und ich bin sicher: er findet auch für Sie eine Lösung.«

**Fortsetzung folgt**

*»Ich erkläre es Ihnen«, sagt er, »dafür bin ich schließlich hier...«*

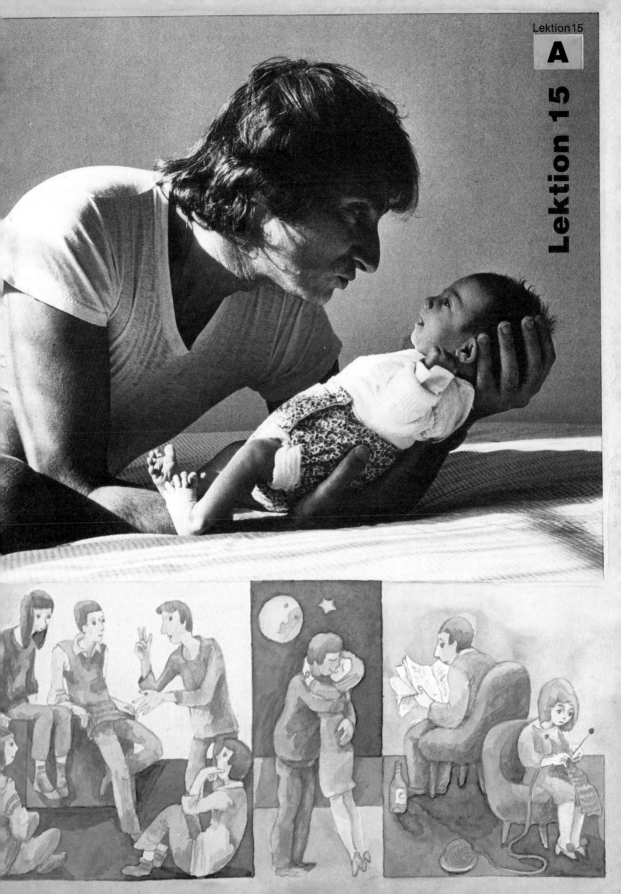

# Die beste Lösung für Barbara

Er findet mich zu dick – ich versuche abzunehmen.

Er mag keine Zigaretten – ich versuche, weniger zu rauchen.

Er findet mich zu nervös – ich versuche, ruhiger zu sein.

Er liebt Pünktlichkeit – ich versuche, pünktlicher zu sein.

Er findet mich langweilig – ich versuche, aktiver zu sein.

Er findet mich unfreundlich – ich versuche, netter zu sein.

Er sagt, ich arbeite zuviel – ich versuche, weniger zu arbeiten.

Er will mich ganz anders – ich versuche, einen anderen Mann zu finden.

**1. Was macht Barbara?**

S. 222, 1

| Barbaras Mann sagt: | Was macht Barbara? |
|---|---|
| „Du ißt zuviel." | Sie versucht, weniger zu essen. |
| „Ich mag nicht, wenn Frauen rauchen." | Sie versucht, . . . |
| „Du bist zu unruhig." | |
| „Du kommst schon wieder zu spät." | |
| „Andere Frauen sind aktiver." | |
| „Warum lachst du nie?" | |
| „Du kommst immer so spät aus dem Büro." | |
| „Dein Essen schmeckt nicht." | |

Ich bin, wie ich bin!

## Was gefällt Ihnen bei anderen Leuten? Was gefällt Ihnen nicht?

Mir gefallen lustige Menschen am besten.

Ich mag gern, wenn jemand gemütlich ist.

Unhöfliche Leute kann ich nicht leiden.

Mir gefällt nicht, wenn jemand viel redet.

| tanzen können | Kinder mögen | viel reden | Humor haben |
| zuviel trinken | sich aufregen über | ... | Tiere mögen |

aggressiv ... *laut* freundlich pünktlich langweilig

lustig dick gemütlich ... natürlich unhöflich

Ich mag Leute, wenn sie mich mögen!

## Was gefällt Ihnen an den folgenden Personen? Was gefällt Ihnen nicht?

S. 222, 1

Also, ich habe eine Kollegin, die versucht immer, mich zu ärgern.

Mein Bruder ist eigentlich ganz nett, aber er hat nie Lust, mir zu helfen.

| Mein Meine | Kollege Kollegin Chef(in) Nachbar(in) Freund(in) Schwester Bruder | vergißt versucht ... | immer, meistens, oft, manchmal ..., | mir mich sich sich mit mir mit mir essen / tanzen eine Pause über Politik die Wohnung ... | zu helfen / zu reden / zu ärgern / zu entschuldigen / zu unterhalten / anzurufen / zu gehen / einzuladen / zu flirten / zu machen / zu kritisieren / ... |
|---|---|---|---|---|---|
| | | hat | selten nie ... | Lust, Zeit, | |
| | | hilft mir | nie, selten, ..., | ... | aufzuräumen. ... |

**B1**

### 1. Ingrid und Peter

A. Hören Sie den Dialog.

B. Was ist richtig?

a) Ingrid ärgert sich,
- ☐ weil Peter zu spät zum Essen kommt.
- ☐ weil Peter schon gegessen hat.
- ☐ weil Peter nicht mit ihr essen will.

b) Peter kommt zu spät,
- ☐ weil er mit einem Kollegen gegessen hat.
- ☐ weil er noch arbeiten mußte.
- ☐ weil er noch telefonieren mußte.

c) ☐ Peter konnte Ingrid nicht anrufen.
- ☐ Peter hat vergessen, Ingrid anzurufen.
- ☐ Peter hat kein Telefon im Büro.

d) Ingrid sagt:
- ☐ „Du telefonierst nie mit mir."
- ☐ „Du vergißt immer, mich anzurufen."
- ☐ „Du rufst immer zu spät an."

### 2. Ingrid und Peter haben Probleme. Sie gehen zu einem Eheberater.

A. Was kritisiert Peter an Ingrid? Was kritisiert Ingrid an Peter?

B. Wenn Sie möchten, spielen Sie das Gespräch als Rollenspiel.

FRAGEN SIE IHREN EHE-BERATER

Sie hilft mir nie, das Auto zu waschen.

Er hat nie Zeit, mit mir ins Kino zu gehen.

Er/Sie vergißt... hilft... versucht... hat Angst... hat nie Lust... hat nie Zeit... hat nicht gelernt...

mir alles erzählen   Frühstück machen
ins Kino gehen   in der Küche helfen
Kinder in den Kindergarten bringen
die Wohnung aufräumen   sich duschen
das Auto waschen   meine Eltern einladen
den Fernseher anmachen   Geld sparen
mich küssen   den Fernseher ausmachen
mich morgens   Hosen in den
wecken   ...   Schrank hängen   ...

# Erst mal leben –

*Junge Paare heute:* # Kinder später

THEMA DES TAGES

Wenn junge Leute heute heiraten, wollen viele in den ersten Jahren frei sein, reisen und das Leben genießen. Andere sparen für ein Haus, eine Wohnung, Möbel oder ein Auto. Kinder sollen erst später oder überhaupt nicht kommen.

Eine Untersuchung der Universität Bielefeld hat gezeigt:

– 10 Prozent der jungen Ehepaare wollen gleich nach der Heirat Kinder.

– 30 Prozent meinen, daß Kühlschrank, Fernseher und Auto am

Anfang genauso wichtig sind wie Kinder.
– 60 Prozent finden, daß Anschaffungen wie Kühlschrank, Waschmaschine usw. während der ersten Ehejahre wichtiger sind. Nach einigen Jahren möchte man auch Kinder haben.

**ier sind einige Beispiele von Interviews aus der Untersuchung.**

. Hören Sie zu.     B.  Ergänzen Sie dann die Sätze.

oni (27) und
arola (25) Sauer,
äcker/Friseuse,
udwigshafen

c)
*Klaus-Dieter (26)
und Elke (24) Sören,
Arbeiter/Angestellte,
Hamburg*

arola meint, daß ein Ehepaar keine
_____ haben muß. Sie meint, daß
_____ genauso wichtig sind wie
_____. Sie hat Angst, daß Kinder sie nur
_____ würden.

Elke und ihr Mann wollen jetzt noch kein Baby, obwohl sie _____ lieben. Elke will weiter arbeiten, weil ihr Mann _____ verdient. Sie meint, daß sie noch _____ brauchen.

/alter (24) und
abriele (27) Strab,
ngestellter/Studentin,
erlin

d)
*Dieter (28) und
Sabine (27) Oelmann,
Programmierer/
Sekretärin, Essen*

'alter hofft, daß er und seine Frau bald
_____ finden. Er meint, daß man mit einem Kind nicht _____ leben kann. Außerdem möchte er nicht, daß seine Frau aufhört
_____ .

Sabine sagt, daß sie sofort _____ haben will. Sie meint, daß _____ für Kinder besser sind.

**WIR HABEN GEHEIRATET**

**Helmut Schwarz**
**Burglind Schwarz**
geb. Marquardt

Bielefeld 11, Am Stadion 20, 31. März 1983
z.Z. auf Reisen

WIR VERLOBEN UNS

*Carola Sczogalla*
Franziskusweg 1
4815 Schloß Holte-Stukenbrock

*Wolf Michael Puth*
Engelbert-Kämpfer-Straße 4
4920 Lemgo

Ostern 1983

○ Sag mal, stimmt es, daß Burglind geheiratet hat?
□ Ja, das habe ich auch gehört.
○ Und – ist er nett?
□ Ich weiß nur, daß er Helmut heißt.
○ Kennt sie ihn schon lange?
□ Sie hat ihn im Urlaub kennengelernt, glaube ich.

**1. Spielen Sie die Dialoge.**

S. 222, 2

a) Burglind hat geheiratet. Ihr Mann heißt Helmut. Sie hat ihn im Urlaub kennengelernt.
b) Giorgio hat eine neue Freundin. Sie ist Italienerin. Er kennt sie aus dem Deutschkurs.
c) Carola hat sich verlobt. Ihr Verlobter heißt Wolf-Michael. Sie kennt ihn aus der Diskothek.
d) Oliver hat geheiratet. Seine Frau ist Packerin. Er kennt sie aus der Fabrik.
e) Herr Krischer hat sich verlobt. Seine Verlobte heißt Maria. Er kennt sie aus der Universität.
f) Ina hat einen neuen Freund. Er ist Ingenieur. Sie kennt ihn aus der U-Bahn.

<u>Nebensatz mit 'daß'</u>

Stimmt es,
daß     Burglind geheiratet hat?
    Hat Burglind geheiratet?

Ich glaube, daß die Liebe in der Ehe nicht das Wichtigste ist.
Ich bin dagegen, daß eine Ehefrau arbeiten geht.
Ich glaube, daß die Ehe die Liebe tötet.
Ich bin der Meinung, daß die Frauen alle nur heiraten wollen.
Ich bin überzeugt, daß Kinder eine Ehe glücklicher machen.
Ich bin sicher, daß die Ehe in 50 Jahren tot ist.
Ich finde, daß man schon sehr jung heiraten soll.

**2. Was meinen Sie dazu?**

Das ist nicht ganz falsch.    Das ist doch Unsinn!    Na ja, ich weiß nicht.

Sicher, aber ...    Ich bin dafür, daß ...,    ...

# »So ist es jeden Abend«

Im Sommer ist es schön, weil wir dann abends in den Garten gehen. Dann grillen wir immer, und mein Vater macht ganz tolle Salate und Saucen.

Nicola, 9 Jahre

Bei uns möchte jeder abends etwas anderes. Ich möchte mit meinen Eltern spielen, meine Mutter möchte sich mit meinem Vater unterhalten, und mein Vater will die Nachrichten sehen. Deshalb gibt es immer Streit.

Holger, 11 Jahre

Bei uns ist es abends immer sehr gemütlich. Meine Mutter macht ein schönes Abendessen, und mein Vater und ich gehen mit dem Hund spazieren. Nach dem Essen darf ich noch eine halbe Stunde aufbleiben.

Petra, 9 Jahre

Meine Mutter möchte abends manchmal weggehen, ins Kino oder so, aber mein Vater ist immer müde. Oft weint meine Mutter dann, und mein Vater sagt: »Habe ich bei der Arbeit nicht genug Ärger?«

Frank, 10 Jahre

Bei uns gibt es abends immer Streit. Mein Vater kontrolliert meine Hausaufgaben und regt sich über meine Fehler auf. Meine Mutter schimpft über die Unordnung im Kinderzimmer. Dann gibt es Streit über das Fernsehprogramm. Mein Vater will Politik sehen und meine Mutter einen Spielfilm. So ist das jeden Abend.

Heike, 11 Jahre

Mein Vater will abends immer nur seine Ruhe haben. Wenn wir im Kinderzimmer zu laut sind, sagt er immer: »Entweder seid ihr still oder ihr geht gleich ins Bett!«

Susi, 8 Jahre

Ich möchte abends gern mit meinen Eltern spielen. Mutter sagt dann immer: »Ich muß noch aufräumen« oder »Ich fühle mich nicht wohl«. Und Vater will fernsehen.

Sven-Oliver, 8 Jahre

Wenn mein Vater abends um sieben Uhr nach Hause kommt, ist er ganz kaputt. Nach dem Essen holt er sich eine Flasche Bier aus dem Kühlschrank und setzt sich vor den Fernseher. Meine Mutter sagt dann immer: »Warum habe ich dich eigentlich geheiratet?«

Brigitte, 10 Jahre

### 1. Familienabend

Welche Sätze passen zu welchem Kind (S. 185)? Welche passen nicht?

Der Vater will jeden Abend fernsehen.
Eltern und Großeltern haben Streit.
Abends kommt oft Besuch.
Die Kinder sind abends alleine, weil
die Eltern weggehen.
Die Kinder dürfen abends ihre Freunde
einladen.
Der Vater muß abends lange arbeiten.

Es gibt Streit über das Fernsehen.
Der Abend ist immer sehr gemütlich.
Dem Vater schmeckt das Essen nicht.
Die Kinder müssen entweder ruhig sein, o[d]
sie müssen ins Bett.
Der Vater bringt Ärger von der Arbeit
nach Hause mit.
Die Eltern hören den Kindern nicht zu,
wenn sie Probleme haben.

### 2. Was machen die Familien in Ihrem Land abends? Gibt es ähnliche Probleme?

Ich weiß nicht. Jede Familie ist verschieden.

Viele Probleme sind ähnlich.

Bei uns ist abends immer die ganze
Familie zusammen: Großeltern, Tante ...

Die Familie ißt abends sehr lange.

. . .

Der Vater kommt oft sehr spät
nach Hause.

### 1. Der Ton macht die Musik.

A. Hören Sie die beiden Dialoge a) und b).

B. Wie finden Sie den ‚Ton‘ von Vater und Sohn im ersten und im zweiten Dialog?

a) ○ Es ist acht Uhr. Bitte geh' ins Bett.
  ☐ Ich bin aber noch nicht müde.
  ○ Du kannst ja im Bett noch lesen.
  ☐ Also gut. Gute Nacht.

b) ○ Geh' endlich ins Bett!
  ☐ Ich will aber nicht!
  ○ Kein Wort mehr!
  ☐ Ich gehe ja schon.

## Eine andere Situation:

n Mann fährt auf der Autobahn sehr schnell, aber seine Frau möchte das nicht.

ren Sie die Sätze.

Mensch, fahr langsamer!

Du fährst wie ein Verrückter.

Kannst du ein bißchen langsamer fahren?

Mußt du immer so schnell fahren?

Fahr doch langsamer!

Fahr bitte langsamer!

g) Halt den Mund!

h) Sei endlich still!

i) Mußt du mich immer kritisieren?

j) Ich fahre, wie ich will.

k) Ja, wenn du möchtest.

l) Hast du Angst?

m) Entschuldige bitte.

n) Ich fahre doch nicht schnell.

otieren Sie: Welcher Satz ist freundlich, welcher ist unfreundlich?

_____ b) _____ c) _____ d) _____ e), f), . . .

## Schreiben Sie weitere Minidialoge.

rwenden Sie die Sätze a) bis n). Spielen Sie die Dialoge.

Bitte fahr doch ein bißchen langsamer.

Halt den Mund!

...

...

...

...

...

...

## Machen Sie mit Ihrem Nachbarn einen Dialog.

ählen Sie dazu eine der folgenden Situationen aus und spielen Sie den Dialog dann im Kurs.

Sie haben Kopfschmerzen, und Ihr Freund (Ihre Freundin) raucht sehr viel.

Ihr Bruder ist zu Besuch. Er telefoniert dauernd mit seinen Freunden. Sie denken an Ihre Telefonrechnung.

Ihr Kollege kommt immer zu spät ins Büro, und Sie müssen dann seine Arbeit machen.

### Mit 30 hatte sie schon sechs Kinder.

Maria lebt in einem Altersheim. Trotzdem ist sie nicht allein, eine Tochter oder ein Enkelkind ist immer da, ißt mit ihr und bleibt, bis sie im Bett liegt. Maria ist sehr zufrieden – viele alte Leute bekommen nur sehr selten Besuch. Marias Jugendzeit war sehr hart. Eigentlich hatte sie nie richtige Eltern. Als

Maria, 94 Jahre alt,
Ururgroßmutter

sie zwei Jahre alt war, starb ihr Vater. Ihre Mutter vergaß ihren Mann nie und dachte mehr an ihn als an ihre Tochter. Maria war deshalb sehr oft allein, aber das konnte sie mit zwei Jahren natürlich noch nicht verstehen. Ihre Mutter starb, als sie 14 Jahre alt war. Maria lebte dann bei ihrem Großvater. Mit 17 Jahren heiratete sie, das war damals normal. Ihr erstes Kind, Adele, bekam sie, als sie 19 war. Mit 30 hatte sie schließlich sechs Kinder.

### Sie wurde nur vom Kindermädchen erzogen.

Adele lebte als Kind in einem gutbürgerlichen Elternhaus. Wirtschaftliche Sorgen kannte die Familie nicht. Nicht die Eltern, sondern ein Kindermädchen erzog die Kinder. Sie hatten auch einen Privatlehrer. Mit ihren Eltern konnte sich Adele nie richtig unterhalten, sie waren ihr immer etwas

Adele, 75 Jahre alt,
Urgroßmutter

fremd. Was sie sagten, mußten die Kinder unbedingt tun. Wenn zum Beispiel die Mutter nachmittags schlief, durften die Kinder nicht laut sein und spielen. Manchmal gab es auch Ohrfeigen. Als sie 15 Jahre alt war, kam Adele in eine Mädchenschule. Dort blieb sie bis zur mittleren Reife. Dann lernte sie Kinderschwester. Aber eigentlich fand sie es nicht so wichtig, einen Beruf zu lernen, denn sie wollte auf jeden Fall lieber heiraten und eine Familie haben. Auf Kinder freute sie sich besonders. Die wollte sie dann aber freier erziehen, als sie selbst erzogen worden war; denn an ihre eigene Kindheit dachte sie schon damals nicht so gern zurück.

# Fünf Ge

## auf d

So ein Foto gibt es nur noc
selten: fünf Generationen a
einem Sofa. Zusammen sind si
248 Jahre alt: von links Sandr
(6), Sandras Großmutter Inge
borg (50), Sandras Urgroßmutte
Adele (75), Sandras Ururgroß

# ationen

# Sofa

**...utter Maria (94) und Sandras ...utter Ulrike (23).**

**...wischen der Ururgroßmutter ...nd der Ururenkelin liegen 88 ...ahre. In dieser langen Zeit ist ...ieles anders geworden, auch ...ie Familie und die Erziehung.**

*Ingeborg, 50 Jahre,
Großmutter*

**Das Wort der Eltern war Gesetz.** Ingeborg hatte ein wärmeres und freundlicheres Elternhaus als ihre Mutter Adele. Auch in den Kriegsjahren fühlte sich Ingeborg bei ihren Eltern sehr sicher. Aber trotzdem, auch für sie war das Wort der Eltern Gesetz. Wenn zum Beispiel Besuch im Haus war, dann mußten die Kinder gewöhnlich in ihrem Zimmer bleiben und ganz ruhig sein. Am Tisch durften sie nur dann sprechen, wenn man sie etwas fragte. Die Eltern haben Ingeborg immer den Weg gezeigt. Selbst hat sie nie Wünsche gehabt. Auch in ihrer Ehe war das so. Heute kritisiert sie das. Deshalb versucht sie jetzt, mit 50 Jahren, selbständiger zu sein und mehr an sich selbst zu denken. Aber weil Ingeborg das früher nicht gelernt hat, ist das für sie natürlich nicht leicht.

*Ulrike, 23 Jahre alt,
Mutter*

**Der erste Rebell in der Familie.** Ulrike wollte schon früh anders leben als ihre Eltern. Für sie war es nicht mehr normal, immer nur das zu tun, was die Eltern sagten. Noch während der Schulzeit zog sie deshalb zu Hause aus. Ihre Eltern konnten das am Anfang nur schwer verstehen. Mit 17 Jahren bekam sie ein Kind. Das fanden alle viel zu früh. Den Mann wollte sie nicht heiraten. Trotzdem blieb sie mit dem Kind nicht allein. Ihre Mutter, aber auch ihre Großmutter halfen ihr. Beide konnten Ulrike sehr gut verstehen. Denn auch sie wollten in ihrer Jugend eigentlich anders leben als ihre Eltern, konnten es aber nicht.

**Sie findet Verwandte langweilig.** Sandra wird viel freier erzogen als Maria, Adele, Ingeborg und auch Ulrike. Bei unserem Besuch in der Familie sahen wir das deutlich. Sie mußte nicht ruhig sein, wenn wir uns unterhielten; und als sie sich langweilte und uns störte, lachten die Erwachsenen, und sie durfte im Zimmer bleiben. Früher wäre das unmöglich gewesen.

### 1. Maria, Adele, Ingeborg, Ulrike, Sandra

Die fünf Frauen lebten in verschiedenen Zeiten; ihre Erziehung und Jugendzeit waren deshal¹
auch verschieden. Was meinen Sie, welche Sätze passen wohl zur Jugendzeit von Maria, Ade⟩
Ingeborg, Ulrike und Sandra? Diskutieren Sie die Antworten.

a) Die Kinder machen, was die Eltern sagen.
b) Die Kinder sollen selbständig und kritisch sein.
c) Die Kinder wollen anders leben als ihre Eltern.
d) Die Familien haben viele Kinder.
e) Eltern und Kinder sind Partner.
f) Frauen müssen verheiratet sein, wenn sie ein Kind wollen.

g) Die Wünsche der Kinder sind unwichtig.
h) Der Vater arbeitet, und die Mutter ist Hause.
i) Man hat gewöhnlich nur ein oder z⟨ Kinder.
j) Frauen heiraten sehr jung.
k) Frauen wollen lieber heiraten als einen ⟩ ruf haben.

### 2. Damals und heute: Großvater und Enkel

S. 223 +
224, 3a + b

A. So lebte Heinrich Droste damals.

Heinrich Droste
Tischlermeister
geb. 2. 11. 1884
gest. 30. 3. 1938
(Großvater von
Detlev Droste)

Heinrich Droste war selbständiger Handwerker. Er lebte in einem Dorf in Westfalen. Heinrich Droste wohnte in seinem eigenen Haus. Das war klein, aber es gehörte ihm. Seine Kunden kannte er persönlich. Er arbeitete allein. Er stand jeden Morgen um fünf Uhr auf. In die Werkstatt ging er um sechs Uhr, und um sieben kam er nach Hause. Seine Frau ging nicht arbeiten. Die Kinder erzog sie fast allein. Der älteste Sohn durfte nur die Hauptschule (damals hieß sie noch Volksschule) besuchen. Er wurde auch Tischler.

Heute
(Präsens)

Er ist ...
Er wohnt ...
Er geht ...

Früher
(Präteritum)

Er war ...
Er wohnte ...
Er ging ...

Heinrich Droste bekam keinen Urlaub u⟨
keine Sozialleistungen. Er verdiente hö⟨
stens 450 Mark im Monat, in schlechten Z⟨
ten weniger.

B. Wie lebt sein Enkel Detlev heute?
Erzählen Sie.

Detlev Droste
Exportkaufmar⟨
geb. 23. 4. 194⟨

Angestellter in einem großen Betrieb
Stadt im Ruhrgebiet, große Mietwohnung
kein direkter Kundenkontakt
mit zwei Kollegen im Büro
Arbeitszeit von 8.30 bis 16.00 Uhr
Frau Verkäuferin
Kinder oft bei Großeltern
Tochter Gymnasium
30 Tage Urlaub, Monatslohn 2.800,– DM

## Jeder hat vier Urgroßväter

Der Vater der Mutter meiner Mutter ist mein Urgroßvater.
Der Vater der Mutter meines Vaters ist mein Urgroßvater.
Der Vater des Vaters meines Vaters ist mein Urgroßvater.
Der Vater des Vaters meiner Mutter ist mein Urgroßvater.

b) Und die Urgroßmütter?
Die Mutter der ...
Die Mutter des ...
...

S. 224, 4

## Machen Sie ein Fragespiel im Kurs.

S. 224, 4
S. 224, 5

Der Mann der Schwester meiner Mutter:
Wer ist das?

Das ist
dein Onkel.

Die Frau des Vaters meiner...
Die Tochter der...

Das ist ...

| ...kel | – Tante | Neffe – Nichte | Enkel – Enkelin | |
| ...usin | – Cousine | Sohn – Tochter | Bruder – Schwester | Schwager – Schwägerin |

## Wie war Ihre Jugend und Ihre Erziehung? Erzählen Sie.

... können folgende Wörter und Sätze verwenden:

Genitiv
der Onkel des Vaters/der Mutter/
des Kindes/der Kinder

S. 223 +
224, 3a+b

| ...ch | mußte durfte sollte konnte | selten nie oft manchmal meistens jeden Tag immer gewöhnlich regelmäßig | ... | Ich habe | immer oft nie selten ... | Lust / Zeit / Angst gehabt versucht vergessen ... ... | ... zu ... |

| | Mein Vater / Bruder | war | nie | ... |
| | Meine Mutter / Schwester | hat | oft | ... |
| | | | ... | |

| ...ch habe mich | | immer | über | ... | geärgert. |
| ...eine Eltern haben | sich | selten | für | | gefreut. |
| ...ein Vater hat | | oft | | | interessiert. |
| ...eine Mutter hat | | ... | | | aufgeregt. |
| | | | | | ... |

...ufpassen auf, anziehen, aufstehen, einkaufen, essen, schlafen gehen, fragen,
...gen, stören, bleiben, tragen, sich unterhalten, verbieten, bleiben, kritisieren,
...ngen, arbeiten, aufräumen, ausgeben, bekommen, mitgehen, putzen,
...udieren, rauchen, spielen, tanzen, helfen, kochen, spazierengehen, Sport treiben
...achen, fernsehen, schwimmen, weggehen, telefonieren, mitkommen

# Die Gefährlichkeit der Rasensprenger (5)

Es zeigte sich, daß Herr Buschfort von der Bank Künzel & Künzel sehr gut informiert war. Er wußte,
- daß Walter als Sachbearbeiter bei der Abraham-Versicherungsgesellschaft im Monat 4518 Mark brutto verdiente;
- daß davon 1047 Mark für Steuern und Versicherungen weggingen;
- daß er die 150 000-Mark-Hypothek für seine Doppelhaushälfte mit monatlich 1624 Mark abbezahlte;
- und daß der Familie etwa 1800 Mark monatlich zum Leben blieb.

Herr Buschfort mußte also gar nicht nach einer Lösung suchen: er hatte schon eine. Der Kaufvertrag über einen Rasensprenger, Modell Saturn, war schon fertig, Walter mußte nur noch unterschreiben.

»Monatlich 80 Mark«, sagte Herr Willeke, »und ein Jahr Garantie, das merken Sie gar nicht. Wenn Sie bitte hier Ihre Kontonummer schreiben...«

Walter zögerte.

»Ich kann verstehen«, sagte Herr Willeke und lächelte wieder, »daß Sie gern noch ein wenig nachdenken möchten. Nur, wenn ich Ihnen etwas im Vertrauen sagen darf...« er machte eine kleine Pause »...unser Modell Saturn hat einen großen Erfolg. Ich bin sicher, daß er schon sehr bald dreißig Prozent mehr kostet. Sie sehen – ich handle eigentlich gegen die Interessen meiner Firma.«

Walter unterschrieb.

Die Arbeiter kamen nicht am Dienstag, sondern erst am Donnerstag. Gegen 7 Uhr abends kam Walter aus dem Büro nach Hause. Lilo hatte Tränen in den Augen.

»Sieh dir das an!« rief sie, »alles ist schmutzig. Die Mauer haben sie kaputt gemacht, weil auf der Terrasse keine Steckdose war. Und dann haben sie den ganzen Rasen kaputt gemacht...!«

Walter hörte gar nicht zu. Er lief gleich in den Garten. Und da stand er, der Rasensprenger Saturn, das Spitzenmodell der Firma Maßmann & Co. Andy war begeistert.

»Ein tolles Ding, was Papa!«

»Ja«, sagte Walter, »der sieht schon besser aus als Helios. Siehst du hier diese kleinen Antennen? Das ist das Anti-Reaktions-System, verstehst du!«

»Wahnsinn!« sagte Andy, »echt! Glaubst du, daß die Köhlers ihn schon gesehen haben?«

»Da bin ich sicher.« Walter lächelte zufrieden.

Am Abend studierte Walter die Betriebsanleitung. Er vergaß dabei sogar die Tagesschau, ging erst um Mitternacht ins Bett und träumte von einem riesigen Rasensprenger, so groß wie ein Hochhaus.

In dieser Woche passierte nichts mehr. Lilo beruhigte sich, und auch Oma gewöhnte sich schließlich an Saturn, obwohl sie ihn sehr häßlich fand.

Doch zehn Tage später, am 28. Mai, wieder an einem Sonntag, kam die Katastrophe.

**Fortsetzung folgt**

*»Sieh dir das an!« rief sie...*

| Infinitiv | 3. Pers. Sg. Präsens | 3. Pers. Sg. Präteritum | Partizip II |
|---|---|---|---|
| anfangen | fängt an | fing an | angefangen |
| beginnen | beginnt | begann | begonnen |
| bekommen | bekommt | bekam | bekommen |
| bewerben | bewirbt | bewarb | beworben |
| bieten | bietet | bot | geboten |
| bleiben | bleibt | blieb | geblieben |
| braten | brät | briet | gebraten |
| brechen | bricht | brach | gebrochen |
| brennen | brennt | brannte | gebrannt |
| bringen | bringt | brachte | gebracht |
| denken | denkt | dachte | gedacht |
| einladen | lädt ein | lud ein | eingeladen |
| empfehlen | empfiehlt | empfahl | empfohlen |
| essen | ißt | aß | gegessen |
| fahren | fährt | fuhr | gefahren |
| fallen | fällt | fiel | gefallen |
| finden | findet | fand | gefunden |
| fliegen | fliegt | flog | geflogen |
| fließen | fließt | floß | geflossen |
| geben | gibt | gab | gegeben |
| gefallen | gefällt | gefiel | gefallen |
| gehen | geht | ging | gegangen |
| genießen | genießt | genoß | genossen |
| gewinnen | gewinnt | gewann | gewonnen |
| halten | hält | hielt | gehalten |
| heißen | heißt | hieß | geheißen |
| helfen | hilft | half | geholfen |
| kennen | kennt | kannte | gekannt |
| kommen | kommt | kam | gekommen |

| Infinitiv | 3. Pers. Sg. Präsens | 3. Pers. Sg. Präteritum | Partizip II |
|---|---|---|---|
| laufen | läuft | lief | gelaufen |
| lesen | liest | las | gelesen |
| liegen | liegt | lag | gelegen |
| lügen | lügt | log | gelogen |
| nehmen | nimmt | nahm | genommen |
| nennen | nennt | nannte | genannt |
| raten | rät | riet | geraten |
| schlafen | schläft | schlief | geschlafen |
| schlagen | schlägt | schlug | geschlagen |
| schneiden | schneidet | schnitt | geschnitten |
| schreiben | schreibt | schrieb | geschrieben |
| schwimmen | schwimmt | schwamm | geschwommen |
| sehen | sieht | sah | gesehen |
| singen | singt | sang | gesungen |
| sprechen | spricht | sprach | gesprochen |
| stehen | steht | stand | gestanden |
| stehlen | stiehlt | stahl | gestohlen |
| steigen | steigt | stieg | gestiegen |
| tragen | trägt | trug | getragen |
| treffen | trifft | traf | getroffen |
| treiben | treibt | trieb | getrieben |
| tun | tut | tat | getan |
| vergessen | vergißt | vergaß | vergessen |
| verlieren | verliert | verlor | verloren |
| waschen | wäscht | wusch | gewaschen |
| werden | wird | wurde | geworden |
| wissen | weiß | wußte | gewußt |
| ziehen | zieht | zog | gezogen |

**Lösungen zu Seite 129:**

**3. Diskutieren Sie jetzt im Kurs:**
1 Peter, 2 Klaus, 3 Hans, 4 Uta, 5 Brigitte, 6 Eva

**4. Die Personen auf dem Photo sind drei Ehepaare:**
Peter und Brigitte; Klaus und Uta; Hans und Eva

# Grammatikübersicht zu den Lektionen

## Lektion 1

### 1. Verben und Ergänzungen im Satz

*a) Aussagesatz  b) Satzfrage mit Inversion  c) Imperativ mit Inversion*

| Subjekt | Verb | Subjekt | Angabe | obligatorische Ergänzung | Verb |
|---|---|---|---|---|---|
| | | | | Hans Müller | heißen |
| | | | | Hans Müller | sein |
| | | | | – | verstehen |
| | | | | – | buchstabie |

a)

| Subjekt | Verb | Subjekt | Angabe | obligatorische Ergänzung |
|---|---|---|---|---|
| Ich | heiße | | | Hans Müller. |
| Ich | bin | | | Hans Müller. |
| Mein Name | ist | | | Hans Müller. |
| Das | ist | | | Hans Müller. |
| Ich | verstehe | | nicht. | |

b)

| Verb | Subjekt | Angabe | obligatorische Ergänzung |
|---|---|---|---|
| Heißen | Sie | | Hans Müller? |
| Sind | Sie | | Hans Müller? |
| Verstehen | Sie | nicht? | |

c)

| Verb | Subjekt | Angabe |
|---|---|---|
| Buchstabieren | Sie | bitte! |

*d) Wortfrage mit Fragewort und Inversion*

| Inversions-signal | Subjekt | Verb | Subjekt | Angabe | obligatorische Ergänzung | Verb |
|---|---|---|---|---|---|---|
| | | | | | wer? | sein |
| | | | | | wie? | heißen |
| | | | | | woher? | kommen |
| | | | | | Hans Müller | sein |
| | | | | | Hans Müller | heißen |
| | | | | | aus Deutschland | kommen |
| Wer | | ist | das? | | | |
| | Das | ist | | | Hans Müller. | |
| Wie | | heißen | Sie? | | | |
| | Ich | heiße | | | Hans Müller. | |
| Woher | | kommen | Sie | (denn)? | | |
| | Ich | komme | | (auch) | aus Deutschland. | |

| | | | heißen, kommen | | sein |
|---|---|---|---|---|---|
| ngular | 1. Person | ich | heiße komme | -e | bin |
| | 2. Person | Sie | heißen kommen | -en | sind |
| | 3. Person | er sie (es) | heißt kommt | -t | ist |
| lural | 3. Person | sie | heißen kommen | -en | sind |

## ektion 2

**ersonalpronomen und Verb**

| Person ingular | | du | lernst | -st |
|---|---|---|---|---|

| | *Verben mit Normalform* | *Verben mit besonderen Formen* | | | | |
|---|---|---|---|---|---|---|
| finitiv | lernen* | arbeiten warten | heißen | sprechen | haben | sein |
| ch | lerne | arbeite warte | heiße | spreche | habe | bin |
| u | lernst | arbeitest wartest | heißt | sprichst | hast | bist |
| Sie | lernen | arbeiten warten | heißen | sprechen | haben | sind |
| er/ sie/ es) | lernt | arbeitet wartet | heißt | spricht | hat | ist |
| sie | lernen | arbeiten | heißen | sprechen | haben | sind |

*ebenso:*

nachen – leben – wohnen – kommen – schreiben – studieren – liegen – verstehen – (mögen:)
ch möchte

## 2. Verben und ihre Ergänzungen und Angaben

| Inversions-signal | Subjekt | Verb | Subjekt | Angabe | obligatorische Ergänzung | Verb |
|---|---|---|---|---|---|---|
| | | | | | was? | sein |
| | | | | | was? | machen |
| | | | | | wie alt? | sein |
| | | | | | wie lange? | arbeiten |
| | | | | | Lehrerin (von Beruf) | sein |
| | | | | | Mechaniker | sein |
| | | | | | 28 Jahre alt | sein |
| | | | | | neu | sein |
| | | | | | drei Tage | arbeiten |
| Was | | sind | Sie | | von Beruf? | |
| | Ich | bin | | | Lehrerin (von Beruf). | |
| Was | | machen | Sie? | | | |
| | Ich | bin | | | Mechaniker. | |
| Wie alt | | sind | Sie? | | | |
| | Ich | bin | | | 28 Jahre alt. | |
| Wie lange | | arbeiten | Sie | hier? | | |
| | | Sind | Sie | hier | neu? | |
| | Ich | arbeite | | hier erst | drei Tage. | |
| | | | | | was? | machen |
| | | | | | | lernen |
| | | | | | | studieren |
| | | | | | | sprechen |
| | | | | | Deutsch | lernen |
| | | | | | Chemie | studieren |
| | | | | | Deutsch | sprechen |
| Was | | machst | du | denn hier? | | |
| | Ich | lerne | | hier | Deutsch. | |
| | Ich | studiere | | hier | Chemie. | |
| | Du | sprichst | | (aber)(schon) gut | Deutsch. | |

| versions-nal | Subjekt | Verb | Subjekt | Angabe | obligatorische Ergänzung | Verb |
|---|---|---|---|---|---|---|

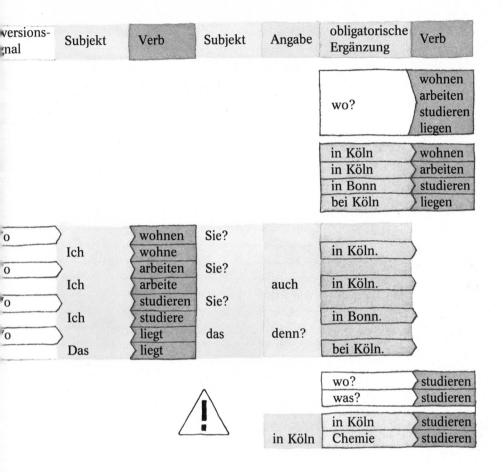

| wo? | | | | | | wohnen / arbeiten / studieren / liegen |

| | | | | | in Köln | wohnen |
| | | | | | in Köln | arbeiten |
| | | | | | in Bonn | studieren |
| | | | | | bei Köln | liegen |

| o | | wohnen | Sie? | | | |
| | Ich | wohne | | | in Köln. | |
| o | | arbeiten | Sie? | | | |
| | Ich | arbeite | | auch | in Köln. | |
| o | | studieren | Sie? | | | |
| | Ich | studiere | | | in Bonn. | |
| o | | liegt | das | denn? | | |
| | Das | liegt | | | bei Köln. | |

| wo? | | | | | | studieren |
| was? | | | | | | studieren |
| | | | | in Köln | | studieren |
| | | | | in Köln | Chemie | studieren |

## as Modalverb „mögen" im Satz

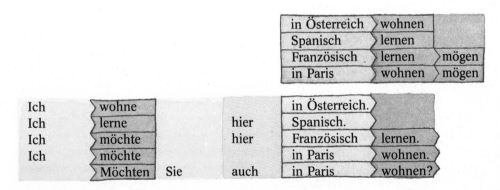

| | | | | | in Österreich | wohnen | |
| | | | | | Spanisch | lernen | |
| | | | | | Französisch | lernen | mögen |
| | | | | | in Paris | wohnen | mögen |

| Ich | | wohne | | | in Österreich. | |
| Ich | | lerne | | hier | Spanisch. | |
| Ich | | möchte | | hier | Französisch | lernen. |
| Ich | | möchte | | | in Paris | wohnen. |
| | | Möchten | Sie | auch | in Paris | wohnen? |

# Lektion 3

## 1. Artikel und Nomen

| | | indefiniter Artikel | | definiter Artikel |
|---|---|---|---|---|
| | | **positiv** | **negativ** | |
| Singular | | ein, eine, ein | kein, keine, kein | der, die, das |
| Plural | | – | keine | die |

| | | | | |
|---|---|---|---|---|
| | Maskulinum | Das,ist<br>das ist | ein<br>kein<br>Der | Tisch,<br>Stuhl.<br>Tisch ist groß. |
| Singular | Femininum | Das ist<br>das ist | eine<br>keine<br>Die | Dusche,<br>Badewanne.<br>Dusche ist klein. |
| | Neutrum | Das ist<br>das ist | ein<br>kein<br>Das | Schlafzimmer,<br>Wohnzimmer.<br>Schlafzimmer ist hell. |
| Plural | | Das sind<br>das sind | keine<br>Die | Stühle,<br>Tische.<br>Stühle    sind neu. |

*Artikel im Plural: Maskulinum = Femininum = Neutrum*

## 2. Definiter Artikel/Definitpronomen/Personalpronomen

| | | | | | |
|---|---|---|---|---|---|
| | Maskulinum | ist<br>Ja, | Der<br>der<br>er | Bungalow | in der Zeitung,<br>noch frei?<br>ist noch frei. |
| Singular | Femininum | ist<br>Ja, | Die<br>die<br>sie | Wohnung | in der Zeitung,<br>noch frei?<br>ist noch frei. |
| | Neutrum | ist<br>Ja, | Das<br>das<br>es | Haus | in der Zeitung,<br>noch frei?<br>ist noch frei. |
| Plural | | sind<br>Ja, | Die<br>die<br>sie | Bungalows | in der Zeitung,<br>noch frei?<br>sind noch frei. |

**erben und Ergänzungen im Satz: Qualitativergänzung**

| | | | | |
|---|---|---|---|---|
| | | | bequem | |
| | | | alt | sein |
| | | | modern | |

| | Ist | der Sessel | | bequem? |
|---|---|---|---|---|
| Die Couch | ist | | wirklich | bequem. |
| Das Bett | ist | | auch | bequem. |
| Die Möbel | sind | | sehr | bequem. |

*Qualitativergänzung*

⚠ *Adjektiv als Qualitativergänzung = unflektiert*

⚠

**ersonalpronomen und Verb: 1. und 2. Person Plural**        **haben    sein**    S. 195

*Person Plural*                  wir

heißen
kommen
sprechen
arbeiten

-en

haben    sind

*Person Plural*                  ihr

heißt
kommt
sprecht
arbeitet

-t

habt    seid

# .ektion 4

**omen: Pluralformen**

| ingular | + | = | Plural | Ebenso: |
|---|---|---|---|---|
| .uchen | - | | Kuchen | Brötchen, Zimmer, Möbel, Becher |
| Iagel | ¨ - | | Nägel | |
| rot | - e | | Brote | Salate, Teppiche, Tische, Stücke |
| tuhl | ¨ - e | | Stühle | Schränke, Städte, Säfte |
| lasche | - n | | Flaschen | Duschen, Dosen, Kisten |
| rau | - en | | Frauen | Wohnungen, Packungen |
| i | - er | | Eier | |
| ;las | ¨ - er | | Gläser | Männer, Häuser |
| .otelett | - s | | Koteletts | Appartements |

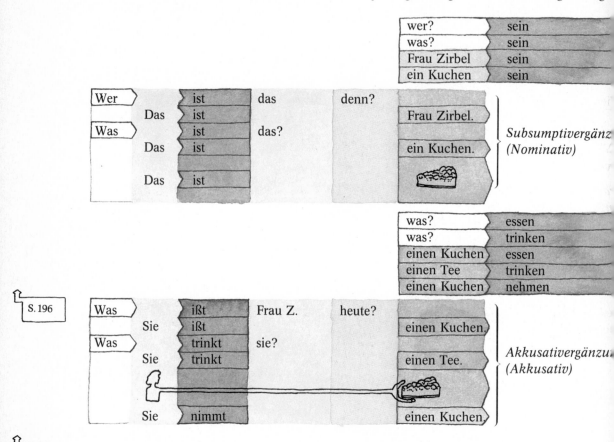

S.194, 1d **2. Der Akkusativ**

a) *Verben und ihre Ergänzungen im Satz: Subsumptivergänzung und Akkusativergänzung*

| | |
|---|---|
| wer? | sein |
| was? | sein |
| Frau Zirbel | sein |
| ein Kuchen | sein |

| Wer | | ist | das | | denn? | | | |
|---|---|---|---|---|---|---|---|---|
| | Das | ist | | | | Frau Zirbel. | | *Subsumptivergänz* |
| Was | | ist | das? | | | | | *(Nominativ)* |
| | Das | ist | | | | ein Kuchen. | | |
| | Das | ist | | | | | | |

| | |
|---|---|
| was? | essen |
| was? | trinken |
| einen Kuchen | essen |
| einen Tee | trinken |
| einen Kuchen | nehmen |

S.196

| Was | | ißt | Frau Z. | heute? | | |
|---|---|---|---|---|---|---|
| | Sie | ißt | | | einen Kuchen. | *Akkusativergänzu* |
| Was | | trinkt | sie? | | | *(Akkusativ)* |
| | Sie | trinkt | | | einen Tee. | |
| | Sie | nimmt | | | einen Kuchen. | |

S.198, 1  **b) *Artikelformen im Akkusativ***

| Masku- linum | einen keinen den | Kuchen essen |
|---|---|---|
| Femi- ninum | eine keine die | Cola trinken |
| Neutrum | ein kein das | Brot essen |
| Plural | keine die | Brötchen essen |

**c) *Verben mit Akkusativergänzung***

| | was? | machen |
|---|---|---|
| einen | Kartoffelsalat | essen |
| einen | Kaffee | trinken |
| einen | Kuchen | nehmen |
| kein | Steak | bekommer |
| den | Fisch | bezahlen |
| ein | Hähnchen | kochen |
| eine | Flasche Wasser | kaufen |
| eine | Dose Milch | haben |

 Es gibt keinen Kartoffelsalat
(es gibt + *Akkusativ*)

200 zweihundert

**engenangaben**

| | | | |
|---|---|---|---|
| as | trinkt Herr Meier? – Er trinkt | | Bier. |
| ieviel Bier | trinkt Herr Meier? – Er trinkt | ein Glas<br>drei Gläser | Bier.<br>Bier. |
| as | ißt Herr Meier? – Er ißt | | Kartoffeln. |
| ieviel Kartoffeln | ißt Herr Meier? – Er ißt | eine<br>drei<br>einen Teller<br>drei Teller | Kartoffel.<br>Kartoffeln.<br>Kartoffeln.<br>Kartoffeln. |

ein Bier = ein Glas Bier; einen Kaffee = eine Tasse Kaffee

**version**

*agewort als Inversionssignal*
*ngabe als Inversionssignal*
*rgänzung als Inversionssignal*

| | | | | S. 194, 1d |
|---|---|---|---|---|
| Was? | | essen | | |
| ein Brötchen<br>Suppe<br>Salat | | essen | | |

| Was | ißt | Herr M. | zum Frühstück? | |
|---|---|---|---|---|
| Zum Frühstück | ißt | er | | ein Brötchen. |
| | Essen | Sie | gern | Suppe? |
| ein, Suppe | esse | ich | nicht, | |
| er Salat | esse | ich | gern. | |

**perativ**

| | | | Suppe | nehmen | S. 194, 1c |
|---|---|---|---|---|---|
| Ich | möchte | | noch | Suppe. | |
| | Nehmen | Sie | doch noch | Suppe! | |
| | Nimm | | doch noch | Suppe! | |
| | Nehmt | | doch noch | Suppe! | |

Sie: Nehmen Sie! (= Infinitiv + „Sie")
du: Nimm! (= 2. P. Sg. ohne -st: nimmst)
ihr: Nehmt! (= 2. P. Plural)

**erbformen: Verben mit Vokalwechsel/Sonderformen**   S. 195, 1b

| | | | sprechen | essen | nehmen |
|---|---|---|---|---|---|
| | 1. Person | ich | spreche | esse | nehme |
| ngular | 2. Person | du | sprichst | ißt | nimmst |
| | | Sie | sprechen | essen | nehmen |
| | 3. Person | er/sie/es | spricht | ißt | nimmt |
| | 1. Person | wir | sprechen | essen | nehmen |
| lural | 2. Person | ihr | sprecht | eßt | nehmt |
| | 3. Person | sie | sprechen | essen | nehmen |

# Lektion 5

S. 200

**1. Verben und ihre Ergänzungen im Satz**

a) *Akkusativergänzung*

b) *Verbativergänzung*

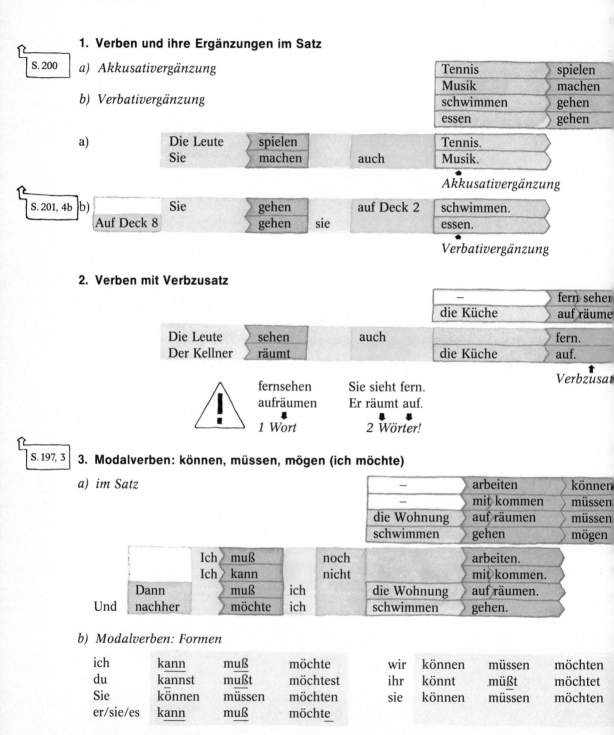

| Tennis | spielen |
| Musik | machen |
| schwimmen | gehen |
| essen | gehen |

a)

| Die Leute | spielen | | Tennis. |
| Sie | machen | auch | Musik. |

*Akkusativergänzung*

S. 201, 4b

b)

| | Sie | gehen | | auf Deck 2 | schwimmen. |
| Auf Deck 8 | | gehen | sie | | essen. |

*Verbativergänzung*

**2. Verben mit Verbzusatz**

| – | fern sehen |
| die Küche | auf räumen |

| Die Leute | sehen | auch | | fern. |
| Der Kellner | räumt | | die Küche | auf. |

*Verbzusatz*

⚠ fernsehen — Sie sieht fern.
aufräumen — Er räumt auf.
*1 Wort* — *2 Wörter!*

S. 197, 3

**3. Modalverben: können, müssen, mögen (ich möchte)**

a) *im Satz*

| – | arbeiten | können |
| – | mit kommen | müssen |
| die Wohnung | auf räumen | müssen |
| schwimmen | gehen | mögen |

| | Ich | muß | noch | | arbeiten. |
| | Ich | kann | nicht | | mit kommen. |
| Dann | | muß | ich | die Wohnung | auf räumen. |
| Und | nachher | möchte | ich | schwimmen | gehen. |

b) *Modalverben: Formen*

| ich | kann | muß | möchte | wir | können | müssen | möchten |
| du | kannst | mußt | möchtest | ihr | könnt | müßt | möchtet |
| Sie | können | müssen | möchten | sie | können | müssen | möchten |
| er/sie/es | kann | muß | möchte | | | | |

202 zweihundertzwei

S. 201, 6

**rben mit Vokalwechsel**

|          |          |            |     |          |            |
|----------|----------|------------|-----|----------|------------|
|          | schlafe  | fange an   | wir | schlafen | fangen an  |
|          | schläfst | fängst an  | ihr | schlaft  | fangt an   |
|          | schlafen | fangen an  | sie | schlafen | fangen an  |
| sie/es   | schläft  | fängt an   |     |          |            |

**e Uhrzeit**

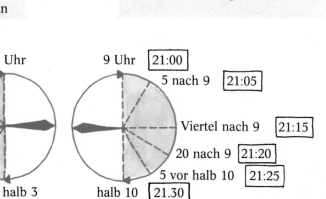

| | | |
|---|---|---|
| ie spät ist es?<br>ieviel Uhr ist es? | Es ist | halb drei / vierzehn Uhr dreißig /<br>fünf nach halb drei / vierzehn Uhr fünfunddreißig /<br>Viertel vor drei / vierzehn Uhr fünfundvierzig /<br>… |
| ann kommst du?<br>n wieviel Uhr<br>ommst du? | Ich komme um | neun Uhr / einundzwanzig Uhr /<br>fünf nach neun / einundzwanzig Uhr fünf /<br>Viertel nach neun / einundzwanzig Uhr fünfzehn /<br>… |

# ektion 6

**rb mit Vokalwechsel: empfehlen**

S. 203, 4

|        |            |     |           |
|--------|------------|-----|-----------|
|        | empfehle   | wir | empfehlen |
|        | empfiehlst | ihr | empfehlt  |
|        | empfehlen  | sie | empfehlen |
| sie/es | empfiehlt  |     |           |

**äpositionen**

|     |     |      |       |    |     |    |
|-----|-----|------|-------|----|-----|----|
| aus | von | nach | durch | an | auf | in |

Ich komme aus Frankreich.  
Ich komme aus Paris.

Ich fahre nach Italien.  
Ich fahre nach Rom.

Ich fahre von Paris nach Rom.

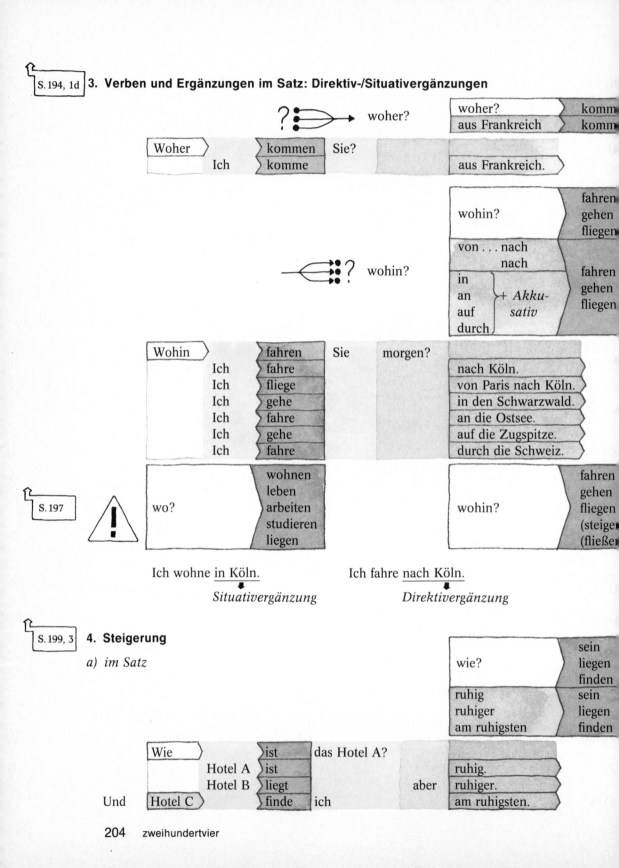

S. 194, 1d

## 3. Verben und Ergänzungen im Satz: Direktiv-/Situativergänzungen

| ? | → woher? | | woher? | komm |
| --- | --- | --- | --- | --- |
| | | | aus Frankreich | komm |

| Woher | kommen | Sie? | | |
| --- | --- | --- | --- | --- |
| | Ich | komme | | aus Frankreich. |

| ? | wohin? | | wohin? | fahren gehen fliegen |
| --- | --- | --- | --- | --- |
| | | | von . . . nach nach | |
| | | | in an auf durch } + Akkusativ | fahren gehen fliegen |

| Wohin | fahren | Sie | morgen? | |
| --- | --- | --- | --- | --- |
| | Ich | fahre | | nach Köln. |
| | Ich | fliege | | von Paris nach Köln. |
| | Ich | gehe | | in den Schwarzwald. |
| | Ich | fahre | | an die Ostsee. |
| | Ich | gehe | | auf die Zugspitze. |
| | Ich | fahre | | durch die Schweiz. |

S. 197

| wo? | wohnen leben arbeiten studieren liegen | | wohin? | fahren gehen fliegen (steige (fließe |
| --- | --- | --- | --- | --- |

Ich wohne in Köln.        Ich fahre nach Köln.
↓                         ↓
*Situativergänzung*       *Direktivergänzung*

S. 199, 3

## 4. Steigerung

a) *im Satz*

| wie? | sein liegen finden |
| --- | --- |
| ruhig ruhiger am ruhigsten | sein liegen finden |

| Wie | ist | das Hotel A? | |
| --- | --- | --- | --- |
| Hotel A | ist | | ruhig. |
| Hotel B | liegt | aber | ruhiger. |
| Und Hotel C | finde | ich | am ruhigsten. |

| igerungsformen | Positiv | Komparativ | Superlativ |
|---|---|---|---|
| | schön | schöner | am schönsten |
| el- | modern | moderner | am modernsten |
| ißig | wenig | weniger | am wenigsten |
| | praktisch | praktischer | am praktischsten |
| | teuer | teurer | am teuersten |
| kal- | warm | wärmer | am wärmsten |
| chsel | kalt | kälter | am kältesten |
| | kurz | kürzer | am kürzesten |
| | groß | größer | am größten |
| | hoch | höher | am höchsten |
| el- | gut | besser | am besten |
| ißig | gern | lieber | am liebsten |
| | viel | mehr | am meisten |

## elcher, welche, welches

S. 198
S. 200, 2b

| | Nominativ | Akkusativ |
|---|---|---|
| askulinum | Welcher Gasthof ist am ruhigsten?<br>Der Gasthof „Eden". | Welchen Zug nimmst du?<br>Den um 8.13. |
| mininum | Welche Pension ist am zentralsten?<br>Die Pension Schröder. | Welche Maschine nimmst du?<br>Die um 10.05. |
| eutrum | Welches Hotel ist am schönsten?<br>Das Hotel „Berlin". | Welches Flugzeug nimmst du?<br>Das um 10.05. |
| ural | Welche Zimmer sind am teuersten?<br>Die Hotelzimmer. | Welche Zimmer empfehlen Sie?<br>Die im Hotel Mozart. |

# ektion 7

## rsonalpronomen: Dativ

| | Nominativ | | Dativ | |
|---|---|---|---|---|
| Person | ich | | mir | |
| Person | du<br>Sie | | dir<br>Ihnen | |
| Person | er<br>sie<br>es | Carola gibt | ihm<br>ihr<br>ihm | ein Buch. |
| Person | wir | | uns | |
| Person | ihr | | euch | |
| Person | sie | | ihnen | |

Sie gibt ihm ein Buch.

## 2. Verben und ihre Ergänzungen im Satz: Verben mit Akkusativ- und Dativergänzung

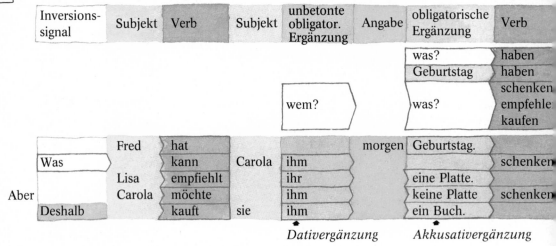

| Inversions-signal | Subjekt | Verb | Subjekt | unbetonte obligator. Ergänzung | Angabe | obligatorische Ergänzung | Verb |
|---|---|---|---|---|---|---|---|
| | | | | | | was? | haben |
| | | | | | | Geburtstag | haben |
| | | | | wem? | | was? | schenken empfehle kaufen |
| | Fred | hat | | | morgen | Geburtstag. | |
| Was | | kann | Carola | ihm | | | schenken |
| | Lisa | empfiehlt | | ihr | | eine Platte. | |
| Aber | Carola | möchte | | ihm | | keine Platte. | schenken |
| Deshalb | | kauft | sie | ihm | | ein Buch. | |

*Dativergänzung*  *Akkusativergänzung*

*Verben mit Dativ- und Akkusativergänzung*

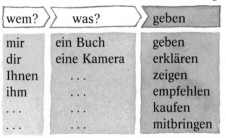

| wem? | was? | geben |
|---|---|---|
| mir | ein Buch | geben |
| dir | eine Kamera | erklären |
| Ihnen | ... | zeigen |
| ihm | ... | empfehlen |
| ... | ... | kaufen |
| ... | ... | mitbringen |

 *Die Dativergänzung ist nicht immer notwendig:*

Wir geben eine Party.
Sie kauft ein Brot.

## 3. Verben und ihre Ergänzungen im Satz: Verben mit Dativergänzung

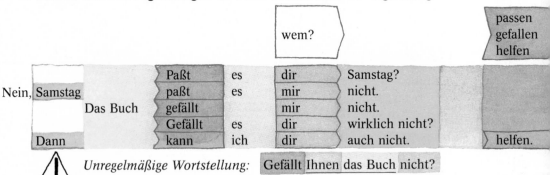

| | Subjekt | Verb | Subjekt | wem? | | Verb |
|---|---|---|---|---|---|---|
| | | | | | | passen gefallen helfen |
| Nein, | Samstag | Paßt | es | dir | Samstag? | |
| | | paßt | es | mir | nicht. | |
| | Das Buch | gefällt | | mir | nicht. | |
| | | Gefällt | es | dir | wirklich nicht? | |
| Dann | | kann | ich | dir | auch nicht. | helfen. |

⚠ *Unregelmäßige Wortstellung:* Gefällt Ihnen das Buch nicht?

## 4. Unregelmäßige Verben: wissen, mögen (ich mag)

| | | | | | |
|---|---|---|---|---|---|
| ich | weiß | mag | wir | wissen | mögen |
| du | weißt | magst | ihr | wißt | mögt |
| Sie | wissen | mögen | | | |
| er/sie/es | weiß | mag | sie | wissen | mögen |

**definitpronomen: einer, etwas**

S. 198
S. 200, 2b

|  | *Nominativ* | | | *Akkusativ* | | |
|---|---|---|---|---|---|---|
| ask. | Ist das | ein | Film? | Haben Sie | einen | Film? |
|  | Ja, das ist | einer. | | Ja, ich habe | einen. | |
| m. | Ist das | eine | Kassette? | Haben Sie | eine | Kassette? |
|  | Ja, das ist | eine. | | Ja, ich habe | eine. | |
| eutr. | Ist das | ein | Feuerzeug? | Haben Sie | ein | Feuerzeug? |
|  | Ja, das ist | eins. | | Ja, ich habe | eins. | |
| ur. | Sind das | | Feuerzeuge? | Haben Sie | | Feuerzeuge? |
|  | Ja, das sind | welche. | | Ja, ich habe | welche. | |

*definitpronomen im Satz*

| etwas | wissen |
|---|---|
| etwas | schenken |
| ein Radio | haben |
| eins | |

| Lisa | hat | | | morgen | Geburtstag. |
|---|---|---|---|---|---|
| Ich | möchte | | ihr | gern | etwas | schenken. |
| | Weißt | du | | nicht | etwas? |
| | Schenk | | ihr | doch | ein Radio. |
| Sie | hat | | | schon | eins. |

**kkusativergänzung als Pronomen**

S. 206, 3
S. 200, 2

| | | eine Lampe | suchen |
|---|---|---|---|
| die | | | nehmen |
| sie | | | einpacken |

| Ich | suche | | | eine Lampe. |
|---|---|---|---|---|
| Ich | nehme | | die. | |
| ie | nehme | ich. | | |
| | Packen | Sie | sie | bitte | ein. |

*ersonalpronomen, Definitpronomen: Formen in der 3. Person*

| | *Nominativ* | | *Akkusativ* |
|---|---|---|---|
| ask. | der (Füller) | | den. |
| | er | | ihn. |
| em. | die (Tasche) | | die. |
| | sie | | sie. |
| eutr. | das (Buch) | Ich nehme | das. |
| | es | | es. |
| ur. | die (Bücher) | | die. |
| | sie | | sie. |

S. 198, 2

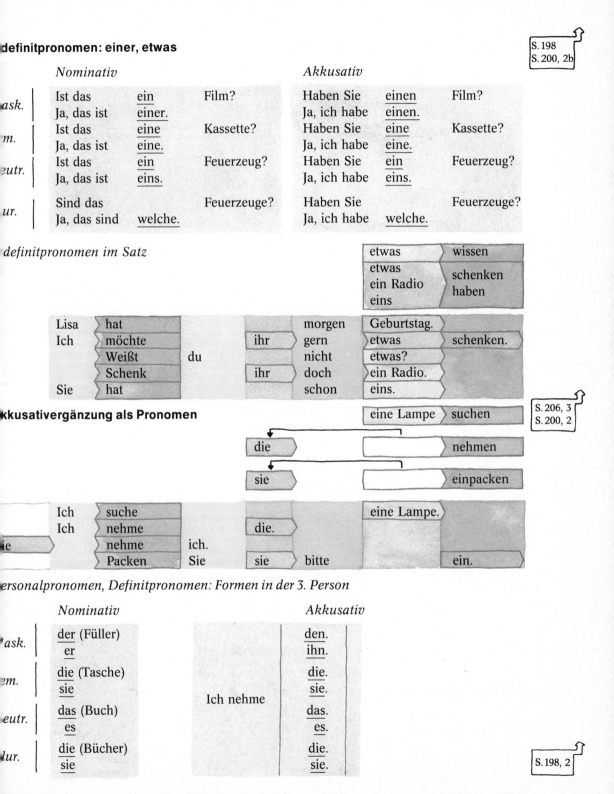

# Lektion 8

S. 205, 2 **1. Präpositionen**

vor

über

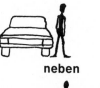
neben

hinter

unter

zwischen

S. 204, 3 **2. Situativergänzung: Präposition + Dativ**

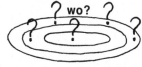

wo? — sein / stehen / liegen

 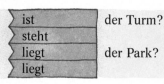

| Wo | | ist | der Turm? | |
| | Er | steht | | hinter der Kirche. |
| Wo | | liegt | der Park? | |
| | Er | liegt | | am Turm. |

**3. Dativ: Formen**

| | *Nominativ* | | | *Dativ* | | |
|---|---|---|---|---|---|---|
| *Maskulinum* | ein | Turm | | auf | einem | Turm. |
| | der | Turm | | auf | dem | Turm. |
| *Femininum* | eine | Kirche | Er steht | vor | einer | Kirche. |
| | die | Kirche | | vor | der | Kirche. |
| *Neutrum* | ein | Haus | | neben | einem | Haus. |
| | das | Haus | | neben | dem | Haus. |
| *Plural* | – | Häuser | Die Leute | in | | Häusern. |
| | die | Häuser | wohnen | in | den | Häusern. |

*Dativ Plural der Nomen:* -(e)n

| in | den | Wohnungen |
| auf | den | Türmen |
| vor | den | Kirchen |
| in | den | Häusern |

⚠️ *Ausnahme: Plural mit* -s:

in den Appartements
in den Bungalows

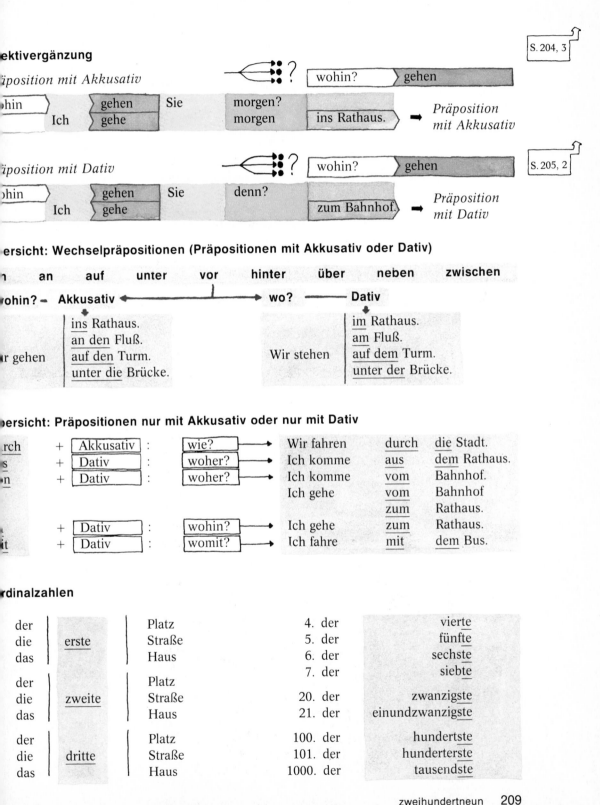

ektivergänzung

*äposition mit Akkusativ*   ◄══ :: ? | wohin? ⟩ gehen | S. 204, 3

| ohin ⟩ | gehen | Sie | morgen? |  |
| Ich | gehe | | morgen | ins Rathaus. ⟩ |

➡ *Präposition mit Akkusativ*

*äposition mit Dativ*   ◄══ :: ? | wohin? ⟩ gehen | S. 205, 2

| ohin ⟩ | gehen | Sie | denn? |  |
| Ich | gehe | | | zum Bahnhof. ⟩ |

➡ *Präposition mit Dativ*

**ersicht: Wechselpräpositionen (Präpositionen mit Akkusativ oder Dativ)**

n   an   auf   unter   vor   hinter   über   neben   zwischen

**ohin? –** **Akkusativ** ◄───────────┐ ────► **wo?** ────── **Dativ**

|  | Akkusativ |  | Dativ |
|---|---|---|---|
| r gehen | ins Rathaus. | Wir stehen | im Rathaus. |
| | an den Fluß. | | am Fluß. |
| | auf den Turm. | | auf dem Turm. |
| | unter die Brücke. | | unter der Brücke. |

**ersicht: Präpositionen nur mit Akkusativ oder nur mit Dativ**

| rch | + Akkusativ | : | wie? | ──► | Wir fahren | durch | die Stadt. |
| s | + Dativ | : | woher? | ──► | Ich komme | aus | dem Rathaus. |
| n | + Dativ | : | woher? | ──► | Ich komme | vom | Bahnhof. |
|  |  |  |  |  | Ich gehe | vom | Bahnhof |
|  |  |  |  |  |  | zum | Rathaus. |
|  | + Dativ | : | wohin? | ──► | Ich gehe | zum | Rathaus. |
| t | + Dativ | : | womit? | ──► | Ich fahre | mit | dem Bus. |

**rdinalzahlen**

| | | | | |
|---|---|---|---|---|
| der | | Platz | 4. der | vierte |
| die | erste | Straße | 5. der | fünfte |
| das | | Haus | 6. der | sechste |
| | | | 7. der | siebte |
| der | | Platz | | |
| die | zweite | Straße | 20. der | zwanzigste |
| das | | Haus | 21. der | einundzwanzigste |
| der | | Platz | 100. der | hundertste |
| die | dritte | Straße | 101. der | hunderterste |
| das | | Haus | 1000. der | tausendste |

S. 198, 1

# Lektion 9

## 1. Possessivartikel

a) *Nominativ*

|  |  | *Maskulinum* |  | *Femininum* |  | *Neutrum* |  |  | *Plural* |  |
|---|---|---|---|---|---|---|---|---|---|---|
|  |  | ein | Arzt | eine | Ärztin | ein | Buch |  | – | Ärz |
| ich |  | mein |  | meine |  | mein |  |  | meine |  |
| du |  | dein |  | deine |  | dein |  |  | deine |  |
| Sie |  | Ihr |  | Ihre |  | Ihr |  |  | Ihre |  |
| er | Das ist | sein | Arzt | seine | Ärztin | sein | Buch | Das sind | seine | Ärz |
| sie |  | ihr |  | ihre |  | ihr |  |  | ihre |  |
| wir |  | unser |  | unsere |  | unser |  |  | unsere |  |
| ihr |  | euer |  | eure |  | euer |  |  | eure |  |
| sie |  | ihr |  | ihre |  | ihr |  |  | ihre |  |

b) *Akkusativ und Dativ*

| *Akkusativ:* | einen | Arzt | eine | Ärztin | ein | Buch | – | Ärz |
|---|---|---|---|---|---|---|---|---|
|  | meinen |  | meine |  | mein |  | meine |  |
|  | deinen |  | deine |  | dein |  | deine |  |
|  | ... |  | ... |  | ... |  | ... |  |
| *Dativ:* | einem | Arzt | einer | Ärztin | einem | Buch | – | Ärz |
|  | meinem |  | meiner |  | meinem |  | meinen |  |
|  | deinem |  | deiner |  | deinem |  | deinen |  |

| er: | seine | Nase |
|---|---|---|
| sie: | ihre | Nase |

S. 202, 3

## 2. Modalverben: dürfen, sollen, wollen

a) *im Satz*

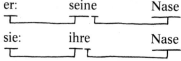

|  |  | Herr M. | darf | nicht mehr |  | rauchen. |
|---|---|---|---|---|---|---|
|  |  | Er | soll |  | Sport | treiben. |
| Jetzt |  |  | will | er | schwimmen | gehen. |

b) *Formen*

|  | dürfen | sollen | wollen |  |  | dürfen | sollen | wollen |
|---|---|---|---|---|---|---|---|---|
| ich | darf | soll | will | wir |  | dürfen | sollen | wollen |
| du | darfst | sollst | willst | ihr |  | dürft | sollt | wollt |
| Sie | dürfen | sollen | wollen |  |  |  |  |  |
| er/sie/es | darf | soll | will | sie |  | dürfen | sollen | wollen |

## Perfekt

*Formen*

|  | Was | hast | du | gemacht ? |
|--|-----|------|-----|-----------|
|  | Was | ist  | denn | passiert ? |

*Perfekt* = haben / sein + *Partizip II*

### Perfekt mit haben

| *Infinitiv* | | *Partizip II* |
|-------------|----------|---------------|
| machen | | gemacht |
| spielen | | gespielt |
| holen | | geholt |
| arbeiten | | gearbeitet |
| frühstücken | | gefrühstückt |
| aufräumen | Ich habe | aufgeräumt |
| helfen | | geholfen |
| trinken | | getrunken |
| bringen | | gebracht |
| schreien | | geschrien |
| weh tun | | weh getan |

### Perfekt mit sein

| *Infinitiv* | | *Partizip II* |
|-------------|--------|---------------|
| fallen | | gefallen |
| kommen | | gekommen |
| fahren | Ich bin | gefahren |
| gehen | | gegangen |
| aufstehen | | aufgestanden |
| brechen | Es ist | gebrochen |
| passieren | | passiert |

### Präsens und Perfekt im Satz

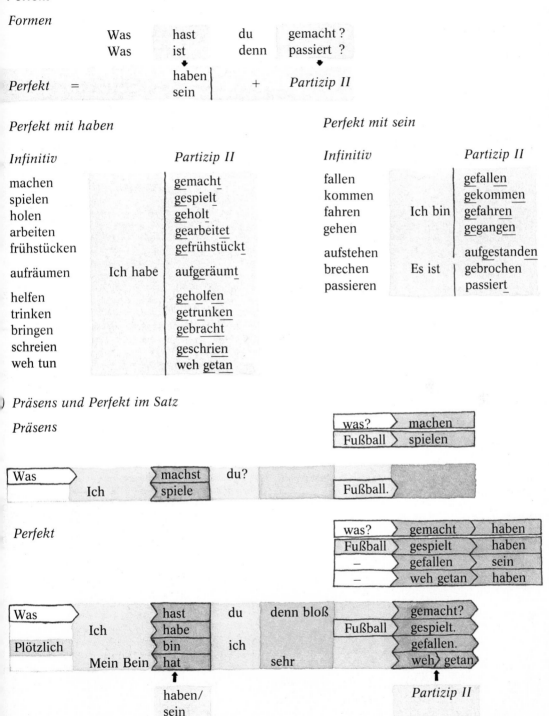

*Präsens*

| was? | machen |
| Fußball | spielen |

| Was | | | |
| | Ich | machst | du? |
| | | spiele | |
| | | | Fußball. |

*Perfekt*

| was? | gemacht | haben |
| Fußball | gespielt | haben |
| – | gefallen | sein |
| – | weh getan | haben |

| Was | | hast | du | denn bloß | | gemacht? |
| | Ich | habe | | | Fußball | gespielt. |
| Plötzlich | | bin | ich | | | gefallen. |
| | Mein Bein | hat | | sehr | | weh getan |

haben/ sein → *Partizip II*

# Lektion 10

## 1. Perfekt mit haben oder sein: Partizipformen

### a) Perfekt mit haben

Ich habe gemacht                                    Ich habe geschlafen

| 1. mit Präfix ge-: | **ge** | | **(e)t** | | mit Präfix ge-: | | **ge** | | **e** |
|---|---|---|---|---|---|---|---|---|---|
| machen | ge | mach | t | | schlafen* | | ge | schlaf | e |
| wohnen | ge | wohn | t | | finden | | ge | fund | e |
| arbeiten | ge | arbeit | et | | trinken | | ge | trunk | e |
| mieten | ge | miet | et | | schwimmen | | ge | schwomm | e |
| | | | | | nehmen | | ge | nomm | e |
| *Ebenso:* | | | | | schreien | | ge | schri | e |
| spielen, holen, suchen, frühstücken, heiraten, | | | | | schreiben | | ge | schrieb | e |
| kaufen, lernen, lieben, kochen, lachen, sagen, | | | | | helfen | | ge | holf | e |
| haben, meinen, fragen | | | | | sprechen | | ge | sproch | e |
| | | | | | singen | | ge | sung | e |
| | | | | | treffen | | ge | troff | e |

*Ebenso:* geben, essen, lesen, sehen

| unregelmäßig: | **ge** | | **t** | | unregelmäßig: | | **ge** | | **e** |
|---|---|---|---|---|---|---|---|---|---|
| denken | ge | dach | t | | stehen | | ge | stand | e |
| bringen | ge | brach | t | | | | | | |

| mit Verbzusatz: | | **ge** | | **t** | | mit Verbzusatz: | | **ge** | | **e** |
|---|---|---|---|---|---|---|---|---|---|---|
| aufräumen | auf | ge | räum | t | | anfangen | an | ge | fang | e |
| einkaufen | ein | ge | kauf | t | | fernsehen | fern | ge | seh | e |
| | | | | | | wehtun | weh | ge | ta | n |

| 2. ohne Präfix ge-: | | **t** | | ohne Präfix ge: | | **e** |
|---|---|---|---|---|---|---|
| verteilen | verteil | t | | gefallen | gefall | e |
| erleben | erleb | t | | bekommen | bekomm | e |
| studieren | studier | t | | vergessen | vergess | e |
| demonstrieren | demonstrier | t | | | | |

*...rfekt mit sein*

| Es ist passiert | Ich bin gefallen |
|---|---|

| ...ne Präfix ge-: | | **t** | mit Präfix ge: | **ge** | | **en** |
|---|---|---|---|---|---|---|
| ...ssieren | passier | t | fallen | ge | fall | en |
| | | | fahren | ge | fahr | en |
| | | | kommen | ge | komm | en |
| | | | werden | ge | word | en |
| | | | fliegen | ge | flog | en |
| | | | sein | ge | wes | en |
| | | | gehen | ge | gang | en |
| | | | sterben | ge | storben | en |
| | | | | ge | bor | en |

### ...räteritum: haben, sein

| ...h | hatte | war |
|---|---|---|
| ...u | hattest | warst |
| ...ie | hatten | waren |
| .../sie/es | hatte | war |
| ...ir | hatten | waren |
| ...r | hattet | wart |
| ...e | hatten | waren |

| Millionen Menschen | hatten | keine Arbeit. | |
|---|---|---|---|
| Millionen Menschen | haben | keine Arbeit | gehabt. |
| Ich | war | in Italien. | |
| Ich | bin | in Italien | gewesen. |

*...ei den Verben sein und haben: Man benutzt oft Präteritum statt Perfekt.*

# Lektion 11

## 1. Verben und ihre Ergänzungen im Satz:
### Akkusativergänzung + Qualitativergänzung

S. 199, 3

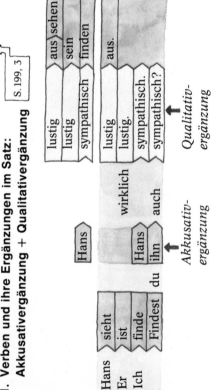

| Hans | sieht | | | Hans | | lustig | aus〉sehen |
| Er | ist | | | | wirklich | lustig | sein |
| Ich | finde | | | Hans | | sympathisch | finden |
| | Findest | du | | ihn | auch | lustig | aus. |

Akkusativ-ergänzung → | | | lustig. | sympathisch. | sympathisch? | ← Qualitativ-ergänzung

## 2. Artikel + Adjektiv + Nomen

- der〉Mund
- welcher〉Mund ?
- der kleine〉Mund

- ein〉Mund
- was für ein〉Mund ?
- ein kleiner〉Mund

## 3. Artikelwörter: dieser, mancher, jeder/alle

S. 198, 2

| Nominativ | | |
|---|---|---|
| dies **er** | Mann |
| manch **e** | Frau |
| jed **es** | Kind |
| dies **e** | Männer |
| manch **e** | Frauen |
| all **e** | Kinder |

| Akkusativ | | |
|---|---|---|
| dies **en** | Mann |
| manch **e** | Frau |
| jed **es** | Kind |
| dies **e** | Männer |
| manch **e** | Frauen |
| all **e** | Kinder |

⚠ *Die Artikelwörter dieser, mancher, jeder/alle haben die gleichen Formen wie der definite Artikel.*

⚠ alle = *Plural von* jeder

## 4. Nomen mit besonderen Formen (wie Adjektive)

| | *definiter Artikel* | *indefiniter Artikel* |
|---|---|---|
| *Nominativ* | der Arbeitslose | ein Arbeitslose **r** |
| *Akkusativ* | den Arbeitslosen | einen Arbeitslosen |
| *Plural* | die Arbeitslosen | – Arbeitslose |

*ebenso:*   der Beamte, der Angestellte

| | | | | | |
|---|---|---|---|---|---|
| der | kleine | Mann | ein | kleiner | Mann |
| dieser | | | kein | | |
| jeder | | | mein | | |
| mancher | | | Ihr | | |
| die | kleine | Frau | eine | kleine | Frau |
| diese | | | keine | | |
| jede | | | meine | | |
| manche | | | Ihre | | |
| das | kleine | Kind | ein | kleines | Kind |
| dieses | | | kein | | |
| jedes | | | mein | | |
| manches | | | Ihr | | |

*Akkusativ*

| | | | | | |
|---|---|---|---|---|---|
| den | kleinen | Mann | einen | kleinen | Mann |
| diesen | | | keinen | | |
| jeden | | | meinen | | |
| manchen | | | Ihren | | |
| die | kleine | Frau | eine | kleine | Frau |
| diese | | | keine | | |
| jede | | | meine | | |
| manche | | | Ihre | | |
| das | kleine | Kind | ein | kleines | Kind |
| dieses | | | kein | | |
| jedes | | | mein | | |
| manches | | | Ihr | | |

*Dativ*

| | | | | | |
|---|---|---|---|---|---|
| dem | kleinen | Mann | einem | kleinen | Mann |
| diesem | | | keinem | | |
| jedem | | | meinem | | |
| manchem | | | Ihrem | | |
| der | kleinen | Frau | einer | kleinen | Frau |
| dieser | | | keiner | | |
| jeder | | | meiner | | |
| mancher | | | Ihrer | | |
| dem | kleinen | Kind | einem | kleinen | Kind |
| diesem | | | keinem | | |
| jedem | | | meinem | | |
| manchem | | | Ihrem | | |

*Plural: Nominativ = Akkusativ*

| | | |
|---|---|---|
| die | kleinen | Männer |
| diese | | Frauen |
| alle | | Kinder |
| manche | | |
| keine | | |
| meine | | |
| Ihre | | |
| – | kleine | Männer |
| | | Frauen |
| | | Kinder |

*Plural: Dativ*

| | | |
|---|---|---|
| den | kleinen | Männern |
| diesen | | Frauen |
| allen | | Kindern |
| manchen | | |
| keinen | | |
| meinen | | |
| Ihren | | |
| – | kleine | Männern |
| | | Frauen |
| | | Kindern |

# Lektion 12

## 1. Modalverben: Präteritum

|            | wollen   | sollen   | können   | dürfen   | müssen  |
|------------|----------|----------|----------|----------|---------|
| ich        | wollte   | sollte   | konnte   | durfte   | mußte   |
| du         | wolltest | solltest | konntest | durftest | mußtest |
| Sie        | wollten  | sollten  | konnten  | durften  | mußten  |
| er/sie/es  | wollte   | sollte   | konnte   | durfte   | mußte   |
| wir        | wollten  | sollten  | konnten  | durften  | mußten  |
| ihr        | wolltet  | solltet  | konntet  | durftet  | mußtet  |
| sie        | wollten  | sollten  | konnten  | durften  | mußten  |

S. 210, 2

ich – te    wir – ten
du – test   ihr – tet
Sie – ten   sie – ten
er – te

## 2. Nebensatz mit Subjunktor

*a) Satzfolge: Hauptsatz, Nebensatz*

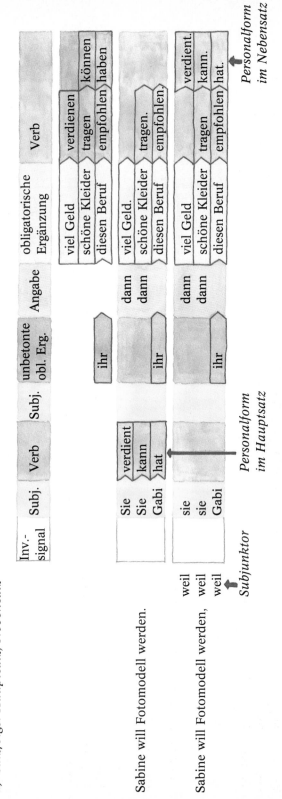

| Weil | Sabine | später | viel Geld | verdienen will, | möchte sie | diese Arbeit | gern | Fotomodell | werden. |
| Wenn | man | heute | | studieren will, | muß man | | | das Abitur | machen. |
| Obwohl | Eva | heute | wenig Freizeit | hat, | findet sie | | | sehr schön. | |

*Nebensatz = Inversionssignal*

## 3. Konjunktoren und Subjunktoren

*Konjunktoren*

| deshalb<br>also<br>trotzdem<br>dann | + Hauptsatz mit Inversion<br>(Konjunktor = Angabe) |
|---|---|

| und<br>oder<br>aber<br>denn | + Hauptsatz ohne Inversion<br>(Konjunktor keine Angabe) |
|---|---|

*Subjunktoren*

| weil<br>obwohl<br>wenn | + *Nebensatz* |
|---|---|

| Deshalb<br>Also<br>Trotzdem<br>Dann | schreibt<br>braucht<br>geht<br>arbeitet | sie<br>sie<br>sie<br>sie | jede Woche<br><br>vielleicht noch<br>oft nachts. | eine Bewerbung.<br>eine Lehrstelle.<br>zur Schule. |

| das<br>sie<br>sie | ist<br>sucht<br>findet | | ein schöner Beruf<br>eine Lehrstelle.<br>keine Lehrstelle. |

| das<br>sie<br>sie | | dann | ist<br>hat<br>findet | ein schöner Beruf<br>wenig Freizeit<br>eine Lehrstelle. |

Andrea möchte Krankenschwester werden.

| denn<br>und<br>aber |
|---|

Andrea möchte Krankenschwester werden,

| weil<br>obwohl<br>wenn |
|---|

Andrea möchte Krankenschwester werden,

*Konjunktor/*
*Subjunktor*

*Konjunktor/*
*Subjunktor*
*(= Angabe)*

*Konjunktor*
*(= Angabe)*

# Lektion 13

## 1. Reflexive Verben mit Präpositionalergänzung

| S. Ohlsen | ärgert | sich | worüber? | ärgern |
| | ärgerst | sich | wofür? | interessieren |
| du | ärgere | sich | über den Moderator | ärgern |
| | interessieren | sich | für Kultur | interessieren |
| Sie | interessiere | sich | | |
| Ich | | | | |
| Ich | | | | |

| Worüber | interessieren | sich | immer | über den Moderator. |
| Wofür | interessiere | dich | am meisten? | |
| | mich | am meisten | über die Sendezeit. | |
| | sich | besonders? | | |
| | mich | besonders | für Kultur. | |

Reflexivpronomen  Präpositionalergänzung

⚠ ! Er ärgert sich. ≠
   Er ärgert ihn.

## 2. Pronomen im Akkusativ  [S. 207, 6]

| Reflexivpronomen Akkusativ: | mich | dich | sich | uns | euch | sich |
| Personalpronomen Akkusativ: | mich | dich | Sie / ihn/sie/es | uns | euch | sie |

## 3. Fragewörter und Pronomen: wofür? – dafür

### a) im Satz

| Wofür | interessierst | du | sich | dich? | wofür? | interessieren |
| | Interessierst | du | sich | dich | für Politik? | interessieren |
| | interessiere | ich | sich | mich | dafür | interessieren |
| Dafür | interessiert | Sabine | | sich | | |

| | | | dich? | nicht. | für Politik? |
| | | | dich | auch nicht | dafür. |
| | | | mich | | |
| | | | sich | | |

### b) Formen

| Fragewort: | Pronomen: |
| wo(r) | da(r) |
| + | + |
| Präposition | Präposition |

| worauf | darauf |
| worüber | darüber |
| wofür | dafür |
| wonach | danach |

Bei Personen:

S. 217, 2b

## a) im Satz

Wenn du mit mir gehen würdest, dann würde ich immer bei dir sein.

(Aber leider gehst du nicht mit mir, deshalb bin ich nicht bei dir.)

Wenn du mich verstehen würdest, dann wärst du nie mehr allein.

(Aber leider verstehst du mich nicht, deshalb bist du jetzt allein.)

| Wenn | du | | gehen | würdest, | dann | würde | ich | | immer | bei dir | sein. |
|------|----|----|-------|----------|------|-------|-----|------|-------|---------|-------|
| Wenn | du | mich | verstehen | würdest, | dann | würde | ich | dich | immer | | lieben. |
| Wenn | du | meine Freundin | | wärest, | dann | wärst | du | | nie mehr | | allein. |
| Wenn | ich | bei mir | | hätte, | dann | hätte | ich | | immer | | Zeit. |

| Wenn | man | die Straßenmusik | verbieten | würde, | dann | wäre | ich | bestimmt | traurig. |
|------|-----|------------------|-----------|--------|------|------|-----|----------|----------|
| Wenn | Ohne Straßenmusik | | | | | wäre | ich | bestimmt | traurig. |

⚠ Nebensatz = Inversionssignal

## b) Formen

| | kommen | sein | haben | wollen | sollen | können | dürfen | müssen |
|------|--------|------|-------|--------|--------|--------|--------|--------|
| ich | würde kommen | wäre | hätte | wollte | sollte | könnte | dürfte | müßte |
| du | würdest kommen | wärst | hättest | wolltest | solltest | könntest | dürftest | müßtest |
| Sie | würden kommen | wären | hätten | wollten | sollten | könnten | dürften | müßten |
| er/sie/es | würde kommen | wäre | hätte | wollte | sollte | könnte | dürfte | müßte |
| wir | würden kommen | wären | hätten | wollten | sollten | könnten | dürften | müßten |
| ihr | würdet kommen | wärt | hättet | wolltet | solltet | könntet | dürftet | müßtet |
| sie | würden kommen | wären | hätten | wollten | sollten | könnten | dürften | müßten |

⚠ Präteritum: | ich | | war | hatte | wollte | sollte | konnte | durfte | mußte |

# Lektion 14

## 1. Steigerung  [S. 204, 4]

### a) Adjektiv allein (= Qualitativergänzung)

Der Peugeot ist | schnell.

Der Polo ist | schneller | als der Peugeot.

Der Corsa ist | am schnellsten | von allen Autos.

---

Der Peugeot ist | schnell.
Der Peugeot ist | sehr schnell.
Der Peugeot ist genauso schnell | wie der Nissan.
Der Peugeot ist nicht so schnell | wie der Polo.
Der Polo ist | schneller | als der Peugeot.
Der Corsa ist | viel schneller | als der Peugeot.
Der Corsa ist | am schnellsten.
Der Corsa ist | am schnellsten von allen Autos.

### b) Artikel + Adjektiv (= Attribut) + Nomen (= Subsumptivergänzung)

Der Peugeot ist ein | schnelles | Auto.

Der Polo ist ein | schnelleres | Auto | als der Peugeot.

Der Corsa ist das | schnellste | Auto | von allen.

Der Corsa ist das | schnellste | von allen Autos.

---

Der Peugeot ist ein | schnelles | Auto.
Der Peugeot ist ein | sehr schnelles | Auto.
Der Peugeot ist ein genauso schnelles | Auto | wie der Nissan.
Der Peugeot ist ein nicht so schnelles | Auto | wie der Polo.
Der Polo ist ein | schnelleres Auto | als der Peugeot.
Der Corsa ist ein | viel schnelleres Auto | als der Peugeot.
Der Corsa ist das | schnellste Auto.
Der Corsa ist das | schnellste | von allen Autos.

### c) Steigerungsformen im Satz  [S. 216, 2a]

| Der Peugeot ist | wirklich | genauso schnell | wie der Fiesta. |
| Der Polo ist | wirklich | schneller | als der Peugeot. |
| Der Polo ist | wirklich | ein schnelleres Auto | als der Peugeot. |

} wie, als = *Präposition*

| Der Peugeot ist | wirklich | genauso schnell, | wie | man | mir gestern | gesagt | hat. |
| Der Polo ist | wirklich | schneller, | als | man | mir gestern | gesagt | hat. |
| Der Polo ist | wirklich | ein schnelleres Auto, | als | man | mir gestern | gesagt | hat. |

*Nebensatz:* wie, als = *Subjunktor*

⚠ genauso . . . <u>wie</u>

*a) im Satz*

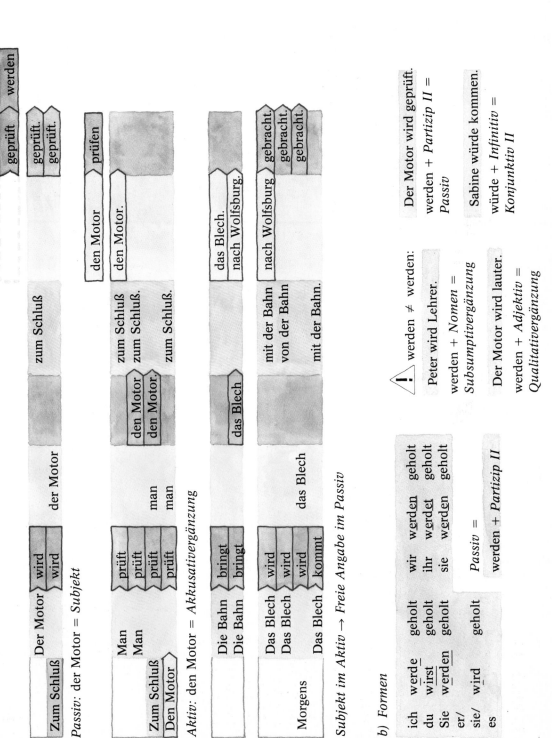

| Zum Schluß | Der Motor | wird | zum Schluß | | geprüft werden |
| Zum Schluß | der Motor | wird | zum Schluß | | geprüft. |

*Passiv: der Motor = Subjekt*

| | Man | prüft | | den Motor | zum Schluß | prüfen |
| | Man | prüft | | den Motor. | zum Schluß. | |
| Zum Schluß | | prüft | man | | den Motor | |
| Den Motor | | prüft | man | | zum Schluß. | |

*Aktiv: den Motor = Akkusativergänzung*

| | Die Bahn | bringt | | das Blech | | das Blech. |
| | Die Bahn | bringt | | | | nach Wolfsburg. |

| | Das Blech | wird | | mit der Bahn | nach Wolfsburg | gebracht. |
| | Das Blech | wird | | von der Bahn | | gebracht. |
| | Das Blech | wird | | nach Wolfsburg | | gebracht. |
| Morgens | | kommt | das Blech | mit der Bahn. | | |

*Subjekt im Aktiv → Freie Angabe im Passiv*

*b) Formen*

| ich | werde | geholt | | wir | werden | geholt |
| du | wirst | geholt | | ihr | werdet | geholt |
| Sie | werden | geholt | | Sie | werden | geholt |
| er/sie/es | wird | geholt | | | | |

*Passiv =*
*werden + Partizip II*

! werden ≠ werden:

Peter wird Lehrer.
*werden + Nomen =*
*Subsumptivergänzung*

Der Motor wird lauter.
*werden + Adjektiv =*
*Qualitativergänzung*

Der Motor wird geprüft.
*werden + Partizip II =*
*Passiv*

Sabine würde kommen.
*würde + Infinitiv =*
*Konjunktiv II*

# Lektion 15

## 1. Infinitivsatz: Infinitiv mit „zu"

S. 202, 3a

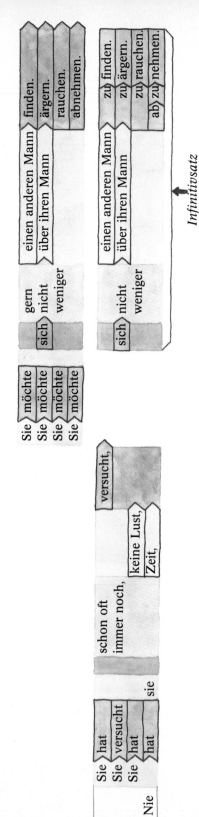

Sie möchte — sich — einen anderen Mann — finden.
Sie möchte — sich — über ihren Mann — ärgern.
Sie möchte — gern / nicht / weniger — rauchen.
Sie möchte — abnehmen.

Sie möchte — sich — einen anderen Mann — zu finden.
Sie möchte — sich — über ihren Mann — zu ärgern.
Sie möchte — nicht / weniger — zu rauchen.
Sie möchte — ab zu nehmen.

*Infinitivsatz*

⚠ *Verben mit Verbzusatz:*
*Infinitiv:* abnehmen, einladen
*Infinitiv mit „zu":* abzunehmen, einzuladen

Sie hat — schon oft — versucht,
Sie hat versucht, — immer noch, —
Sie hat — keine Lust, Zeit,
Sie hat —
Nie — sie

versuchen
vergessen
helfen
Lust haben
Zeit haben
— etwas zu tun

## 2. Nebensatz mit „daß"

S. 216, 2a

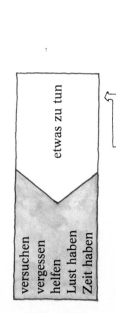

Carola hat — schon oft — gesagt: — Ein Ehepaar — keine Kinder — muß
Sie meint, — daß — ein Ehepaar — keine Kinder — haben muß.

*Subjunktor* ← daß

etwas sagen, meinen, hoffen, finden, wissen, glauben — daß . . .
sagen, meinen, hoffen, finden, wissen, glauben — daß . . .

## a) Formen

### Schwache Verben

| | Präsens | Präteritum | |
|---|---|---|---|
| ich | sage | sagte | -te |
| du | sagst | sagtest | -test |
| Sie | sagen | sagten | -ten |
| er/sie/es | sagt | sagte | -te |
| wir | sagen | sagten | -ten |
| ihr | sagt | sagtet | -tet |
| sie | sagen | sagten | -ten |

Partizip II: gesagt

### Starke Verben

| | Präsens | Präteritum | |
|---|---|---|---|
| ich | komme | kam | - |
| du | kommst | kamst | -st |
| Sie | kommen | kamen | -en |
| er/sie/es | kommt | kam | - |
| wir | kommen | kamen | -en |
| ihr | kommt | kamt | -t |
| sie | kommen | kamen | -en |

Partizip II: gekommen

⚠ Schwache Verben auf -ten, -den:

arbeiten → ich arbeitete
baden → ich badete

### Starke Verben (vgl. Liste auf S. 193)

S. 211, 3a
S. 212

| Infinitiv | 3. Pers. Sg. Präsens | 3. Pers. Sg. Präteritum | Partizip II |
|---|---|---|---|
| fahren | fährt | fuhr | gefahren |
| tragen | trägt | trug | getragen |
| anfangen | fängt an | fing an | angefangen |
| schlafen | schläft | schlief | geschlafen |
| laufen | läuft | lief | gelaufen |
| helfen | hilft | half | geholfen |
| sehen | sieht | sah | gesehen |
| essen | ißt | aß | gegessen |
| finden | findet | fand | gefunden |
| fliegen | fliegt | flog | geflogen |
| schneiden | schneidet | schnitt | geschnitten |
| schreiben | schreibt | schrieb | geschrieben |
| kommen | kommt | kam | gekommen |
| gehen | geht | ging | gegangen |
| stehen | steht | stand | gestanden |
| tun | tut | tat | getan |

### Mischformen (Endung wie schwache Verben)

| | | | |
|---|---|---|---|
| denken | denkt | dachte | gedacht |
| bringen | bringt | brachte | gebracht |
| kennen | kennt | kannte | gekannt |
| wissen | weiß | wußte | gewußt |

## b) im Satz

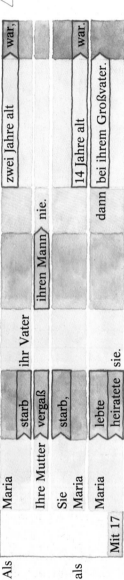

| Als | Maria | | zwei Jahre alt | war, | |
|---|---|---|---|---|---|
| | | ihr Vater | | | |
| | Ihre Mutter | starb | vergaß | ihren Mann | nie. |
| | Sie | starb, | | | |
| als | Maria | | 14 Jahre alt | war. | |
| | Maria | lebte | dann bei ihrem Großvater. | | |
| Mit 17 | | heiratete | sie. | | |

[S. 208, 3]

⚠️ als ≠ als:
Sie ist älter,
als ich geglaubt habe.
Maria war zwei Jahre alt,
als ihr Vater starb.

## 4. Genitiv

Ulrike ist die Mutter.
Ingeborg ist die Großmutter.

wessen Mutter?

Ulrike ist Sandras Mutter.
Ingeborg ist die Mutter der Mutter.

| | | |
|---|---|---|
| der Vater | des kleinen Mannes | |
| | der kleinen Frau | |
| | des kleinen Kindes | |
| | der kleinen Kinder | |

⚠️ Gesprochene Sprache:
der Vater   von dem Mann
            von der Frau . . .

| | | |
|---|---|---|
| der Vater | eines kleinen Mannes | |
| | einer kleinen Frau | |
| | eines kleinen Kindes | |
| | — kleiner Kinder* | |

*Ohne Adjektiv:
der Vater von Kindern

## 5. Nomen mit besonderen Formen: Maskuline Nomen II  [S. 214, 4]

| | | | | |
|---|---|---|---|---|
| **Singular** | Nominativ | der | Mensch | Kollege | Herr |
| | Akkusativ | des | Menschen | Kollegen | Herrn |
| | Dativ | dem | Menschen | Kollegen | Herrn |
| | Genitiv | des | Menschen | Kollegen | Herrn |
| **Plural** | Nominativ | die | Menschen | Kollegen | Herren |
| | Akkusativ | die | Menschen | Kollegen | Herren |

⚠️ Maskuline Nomen mit -(e)n im Plural haben -(e)n
in allen Formen außer Nominativ Singular.
Ebenso: Friede, Name, Tourist . . .

# phabetische Wortliste

Wortliste führt alle Wörter und Wendungen auf, die in den A- und B-Teilen der Lektionen ses Lehrbuchs vorkommen. Hinter jeder Eintragung ist die Seite angegeben, wo der betrefde Ausdruck zum ersten Mal auftritt. Falls das Wort oder die Wendung später in anderen leutungen eingeführt wird, ist auch diese Seitenzahl angegeben.

r Wortschatz für das Zertifikat Deutsch als Fremdsprache ist durch halbfetten Druck hervoroben. Die starken Verben sind mit einem * gekennzeichnet. Die Stammformen dieser ben sind auf Seite 193 aufgeführt.

ausreichend  S.146
ausruhen  S.163
e Aussage, -n  S.147
aussehen*  S.107
s Aussehen  S.137
außerdem  S.148
aussuchen  S.147
auswählen  S.187
auszahlen  S.175
ausziehen*  S.189
s Auto, -s  S.36
e Autobahn, -en  S.75
e Autofahrt, -en  S.76
s Autohaus, ¨er  S.173
automatisch  S.172
e Autoproduktion  S.172
r Autor, -en  S.162
e Autowerkstatt, ¨en  S.144

s Baby, -s  S.183
r Babysitter, -  S.136
r Bach, ¨e  S.13
r Bäcker, -  S.19
s Bad, ¨er  S.33
s Badezimmer, -  S.137
e Badewanne, -n  S.35
e Bahn  S.75
e Bahnfahrt, -en  S.76
r Bahnhof, ¨e  S.77
r Bahnsteig, -e  S.134
bald  S.183
r Balkon, -e  S.73
e Bank, -en  S.59
r/e Bankangestellte, -n (ein Bank-
    angestellter, eine Bankangestell-
    te)  S.132
e Bankfachkraft, ¨e  S.143
s Bankkonto, -konten  S.176
e Bar, -s  S.59
r Bart, ¨e  S.163
e Batterie, -n  S.87
r Bauch, ¨e  S.106
e Bauchschmerzen (Plural)  S.107
r Bauer, -n  S.19
s Bauernhaus, ¨er  S.36
Bayern  S.156
r Beamte, -n (ein Beamter)  S.137
beantragen  S.164
beantworten  S.17
r Becher, -  S.52
bedienen  S.57
befriedigend  S.146
beginnen*  S.163
e Behörde, -n  S.174
bei  S.26, 47, 96
beide  S.42
s Bein, -e  S.106

s Beispiel, -e  S.89
r Beitrag, ¨e  S.156
bekam (→ bekommen*)  S.188
bekannt  S.156
bekommen*  S.43
e Bemerkung, -en  S.146
benutzen  S.76
s Benzin  S.168
r Benzinverbrauch  S.168
bequem  S.37
r Berg, -e  S.13
r Bericht, -e  S.156
berichten  S.30
r Beruf, -e  S.20
s Beruferaten  S.156
e Berufserfahrung, -en  S.150
e Berufsschule, -n  S.146
e Berufswahl  S.152
r/e Beschäftigte, -n (ein Beschäftig-
    ter, eine Beschäftigte)  S.174
bescheiden  S.131
beschreiben*  S.39
beschweren  S.163
r Besen, -  S.173
besonders  S.70, 153
besser (→ gut)
e Besserung (→ Gute Besserung!)
bestellen  S.50
e Bestellung, -en  S.61
besten  S.72
bestimmen  S.144
bestimmt  S.89
r Besuch, -e  S.186
besuchen  S.110
betr. (→ betrifft)  S.151
r Betrag, ¨e  S.175
r Betrieb, -e  S.150
s Betriebsklima  S.150
r Betriebsrat, ¨e  S.176
e Betriebsrente, -n  S.150
betrifft  S.151
s Bett, -en  S.34
beurteilen  S.54
bewerben*  S.148, 151
e Bewerbung, -en  S.148
bezahlen  S.51
bezahlt  S.176
e Bezahlung  S.136
e Bibliothek, -en  S.59
bin (→ sein*)  S.10
s Bier, -e  S.45
e Bierflasche, -n  S.112
bieten*  S.150
s Bild,-er  S.70, 129
e Bildung  S.175
billig  S.40
e Biologie  S.146

bis  S.99, 132, 188
bis zu  S.151
bißchen  S.159
bitte  S.9
bitter  S.47
blau  S.130
s Blech, -e  S.172
s Blechteil, -e  S.172
bleiben*  S.110
blieb (→ bleiben*)  S.189
blond  S.128
bloß  S.112
e Blume, -n  S.83
e Bluse, -n  S.132
r Boden, ¨  S.163, 172
braten*  S.156
r Braten, - (→ Schweinebraten)
brauchen  S.52
braun  S.130
r Brei, -e  S.161
r Bremsbelag, ¨e  S.171
e Bremse, -n  S.169
s Bremslicht, -er  S.169
r Brief, -e  S.82
s Briefpapier  S.81
e Brille, -n  S.132
bringen*  S.60
s Brot, -e  S.45
s Brötchen, -  S.46
e Brücke, -n  S.97
r Bruder, ¨  S.144
e Brust, ¨e  S.106
brutto  S.152
r Bruttoverdienst  S.175
s Buch, ¨er  S.60
e Bücherei, -en  S.98
r Buchhändler, -  S.64
e Buchhändlerin, -nen  S.64
e Buchhandlung, -en  S.137
buchstabieren  S.10
r Bundeskanzler, -  S.142
r Bürger, -  S.164
e Bürgerin, -nen  S.164
e Bundesrepublik Deutschland
    S.12
s Büro, -s  S.46
r/e Büroangestellte (ein Büroar
    stellter, eine Büroangestellte)
    S.143
s Bürohaus, ¨er  S.96
r Bürokaufmann, Bürokaufleute
    S.144
r Bursche, -n  S.161
r Bus, -se  S.152
r Busen  S.106
e Butter  S.45
s Butterbrot, -e  S.46

holen  S. 60
hören  S. 17, 59
e **Hose,** -n (→ Hosenanzug)  S. 156
r Hosenanzug, ¨e  S. 156
s **Hotel,** -s  S. 72
**hübsch**  S. 89
s **Huhn,** ¨er  S. 152
r Humor  S. 181
r **Hund,** -e  S. 142
r **Hunger**  S. 161
hungern  S. 156
r **Hut,** ¨e  S. 161

**ich**  S. 9
ideal  S. 132
e **Idee,** -n  S. 85
e IG (= Industriegewerkschaft)  S. 175
**ihm** (→ **er, es**)  S. 83
**ihn** (→ **er**)  S. 87
**Ihnen** (→ **Sie**)  S. 11, 47
**ihnen** (→ **sie**)  S. 83
**ihr** (→ **sie**)  S. 83, 106
**im** [= in dem] (→ **in**)  S. 36
imaginär  S. 163
**immer**  S. 70, 150
r Import, -e  S. 151
**in**  S. 15, 24
e **Industrie** (→ Industriezentrum)  S. 151
e Industrie- und Handelskammer  S. 151
s Industriezentrum, -zentren  S. 70
e **Information,** -en  S. 91
r Ingenieur, -e  S. 19
e Ingenieurin, -nen  S. 19
inkl. (= inklusive)  S. 168
s Inland  S. 150
**ins** [= in das] (→ **in**)  S. 62
**insgesamt**  S. 175
r Installateur, -e  S. 143
s **Institut,** -e  S. 151
s **Instrument,** -e  S. 156
**intelligent**  S. 128, 130
r Intercity  S. 77
**interessant**  S. 131
**interessieren**  S. 158, 171
**international**  S. 70
s Interview, -s  S. 183
r Irokese, -n  S. 137
e Irokesenfrisur, -en  S. 137
**ist** (→ **sein***)  S. 9

**ja**  S. 10, 134, 159, 162, 186
e **Jacke,** -n  S. 132
r Jäger, -  S. 162
s **Jahr,** -e  S. 36
**jährig**  S. 163

r **Januar**  S. 114
r Jazz  S. 85
e Jazzband, -s  S. 111
**je**  S. 143
e Jeans (Plural)  S. 138
**jeder, jede, jedes**  S. 106, 135
**jeden Morgen**  S. 137
**jeden Tag**  S. 106
**jedesmal**  S. 159
**jemand**  S. 59
jetzig  S. 151
**jetzt**  S. 36
r Job, -s  S. 135
s Journal, -e  S. 156
r **Journalist,** -en  S. 188
e Journalistin, -nen  S. 188
s Jubiläum, Jubiläen  S. 85
e **Jugend**  S. 143
r/e **Jugendliche,** -n (ein Jugendlicher, eine Jugendliche)  S. 148
e Jugendsendung, -en  S. 158
e Jugendzeit  S. 188
**jung**  S. 128
r **Junge,** -n  S. 143
r **Juni**  S. 151

e **Kabine,** -n  S. 59
r **Kaffee**  S. 46
s **Kalbfleisch**  S. 48
**kalt**  S. 51
**kam** (→ **kommen***)  S. 188
e **Kamera,** -s  S. 81
e Kanalisation  S. 156
**kann** (→ **können**)  S. 62
**kann sein**  S. 159
**kannte** (→ **kennen***)  S. 188
e Kantine, -n  S. 46
**kaputt**  S. 169, 185
kaputtmachen  S. 160
e Karikatur, -en  S. 160
e Karosserie, -n  S. 172
e Karosserieabteilung, -en  S. 173
s Karosserieteil, -e  S. 172
e Karriere, -n  S. 152
e Karrierechance, -n  S. 150
e **Karte,** -n  S. 76, 134
e **Kartoffel,** -n  S. 45
r **Käse**  S. 45
s Käsebrot, -e  S. 46
e **Kasse,** -n  S. 176
e **Kassette,** -n  S. 82
r **Kassettenrecorder,** -  S. 82
kath. (= **katholisch**)  S. 175
**kaufen**  S. 52, 83
r Käufer, -  S. 172
e Kauffrau, -en  S. 25
s **Kaufhaus,** ¨er  S. 165

r **Kaufmann,** Kaufleute  S. 21
**kaum**  S. 152
**kein**  S. 35
r **Kellner,** -  S. 60
**kennen***  S. 48
**kennenlernen**  S. 134
e Keramik  S. 175
r Kfz-Handel  S. 174
r Kfz-Mechaniker  S. 143
**kg** (= → **Kilogramm**)  S. 52
KG (= Kommanditgesellschaft)
s **Kilogramm**  S. 52
r **Kilometer,** -  S. 74
s Kilowatt, -  S. 168
s **Kind,** -er  S. 34
r **Kindergarten,** ¨  S. 182
e Kindergärtnerin, -nen  S. 143
s Kindermädchen, -  S. 188
e Kinderschwester, -n  S. 188
e Kindersendung, -en  S. 156
e Kindheit  S. 188
s **Kinderzimmer,** -  S. 33
s **Kino,** -s  S. 59
r Kinofilm, -e  S. 158
e **Kirche,** -n  S. 36
e Kirchensteuer, -n  S. 175
klangvoll  S. 156
**klappen**  S. 148
**klar**  S. 134
e **Klasse,** -n  S. 142
r Klassenlehrer, -  S. 146
e Klassenlehrerin, -nen  S. 146
**kleben**  S. 174
s **Kleid,** -er  S. 133
e Kleidung  S. 132
s Kleidungsstück, -e  S. 133
**klein**  S. 34
klimatisiert  S. 72
**km** (= → **Kilometer**)  S. 74
km/h (= Kilometer pro Stunde)
s **Knie,** -  S. 106
e Kniestrümpfe (Plural)  S. 132
r **Knopf,** ¨e  S. 174
r **Koch,** ¨e  S. 60
e Köchin, -nen  S. 60
**kochen**  S. 55
r **Kofferraum**  S. 168
r **Kollege,** -n  S. 112
e **Kollegin,** -nen  S. 112
**komisch**  S. 13
**kommen***  S. 12, 75, 113, 158, 183
r Kommissar, -e  S. 156
s Kommunikationszentrum, -zentren  S. 164
e **Komödie,** -n  S. 158
**kompliziert**  S. 76
**können***  S. 62

! S.16
ne S.73
Ohr, -en S.106
Ohrfeige, -n S.188
Öl, -e S.50, 169
Onkel, - S.191
Orangensaft, -̈e S.49
Ordensschwester, -n S.30
dnen S.112
Ordnung, -en S.134
Ordnungsamt S.164
Organisation, -en S.156
Ort, -e S.165, 174
sterreich S.12
Österreicher, - S.26
Österreicherin, -nen S.26
al S.130

aar S.109
Paar, -e S.183
Packer, - S.25
Packerin, -nen S.25
Packung, -e S.52
Panne, -n S.169
Pantomimen-Spiel S.163
Pantomimenkurs, -e S.164
Papier (→ Briefpapier) S.81
Papierfabrik, -en S.134
Papierkorb, -̈e S.163
Park, -s S.98
Partner, - S.190
Party, -s S.84
Passagier, -e S.77
assen S.17, 84, 129
assieren S.112
Pause, -n S.61
eng! S.160
Penizillin S.108
Pension, -en S.72
erfekt S.150
Person, -en S.128
Personalabteilung, -en S.151
Personalchef, -s S.151
Personenraten S.30
ersönlich S.134
Persönlichkeit, -en S.150
Pfannkuchen, - S.53
Pfarrer, - S.128
Pfeffer S.158
Pfennig, -e S.163
Pferdestärke, -n S.168
Pflichtunterricht S.146
Pfund, -e S.156
hantastisch S.38
Photo (= → Foto) S.129
Physik S.146
Plan, -̈e S.100

e Platte, -n (= Schallplatte) S.83
r Plattenspieler, - S.82
e Plattform, -en S.97
r Platz, -̈e S.36, 163
plötzlich S.113
plus S.176
e Politik S.157
r Politiker, - S.30
e Politikerin, -nen S.30
r Polizist, -en S.149
e Pommes frites S.50
e Popmusik S.162
e Post S.150
s Postfach, -̈er S.150
praktisch S.37, 144
s Präsens S.143
s Präteritum S.143
e Praxis S.156
r Preis, -e S.168
preiswert S.168
pressen S.172
s Prestige S.152
prima S.38
r Privatlehrer, - S.188
e Privatlehrerin, -nen S.188
s Privatzimmer, - S.72
pro S.64
s Problem, -e S.106
r Problemfilm, -e S.158
s Produkt, -e S.174
e Produktion S.172, 176
produzieren S.36
s Programm, -e S.114, 156
r Programmierer, - S.19
e Programmiererin, -nen S.19
r Prospekt, -e S.96
s Prozent, -e S.147
r Prozeß, Prozesse S.137
e Prüfabteilung, -en S.174
e Prüfung, -en S.151
s PS (= → Pferdestärke) S.168
s Psycho-Spiel, -e S.135
r Psychologe, -n S.128
e Psychologin, -nen S.128
r Pullover, - S.132
r Punk, -s S.137
e Punkhexe, -n S.138
r Punkt, -e S.135
pünktlich S.136
e Pünktlichkeit S.180
putzen S.57

r Quadratmeter, - (= m²) S.33
e Qualität, -en S.165
e Quizsendung, -en S.158

e Rache S.156

s Rad, -̈er S.172
s Radio, -s S.83
r Radiorecorder, - S.83
r Rat S.108
e Ratgebersendung, -en S.158
s Rathaus, -̈er S.98
r Rathausmarkt S.163
e Rationalisierung, -en S.176
e Ratschläge (Plural) (→ Rat)
   S.109
rauchen S.82
raus S.176
s Rauschgift, -e S.156
real S.156
realistisch S.156
r Realschulabschluß, -abschlüsse
   S.146
e Realschule, -n S.146
r Realschüler, - S.147
r Realschulzweig, -e S.146
r Rebell, -en S.189
e Rechnung, -en S.171
e Rechnungsabteilung, -en S.150
recht haben (→ haben) S.108
rechts S.99, 170
r Rechtsanwalt, -̈e S.137
e Redaktion, -en S.132
reden S.181
regelmäßig S.159
e Regie S.156
regional S.158
s Regionalprogramm, -e S.156
reich S.131
r Reifen, - S.169
e Reihenfolge, -n S.138
s Reihenhaus, -̈er S.33
r Reis S.45
e Reise, -n S.149
reisen S.83
e Religion, -en S.146
e Rentenversicherung S.175
r Rentner, - S.46
e Rentnerin, -nen S.46
e Reparatur, -en S.168
reparieren S.171
e Reportage, -n S.156
s Restaurant, -s S.59
s Rezept, -e S.156
richtig S.24, 131, 135, 147, 188
e Richtung, -en S.101
r Riesenslalom S.156
s Rindfleisch S.48
e Rindfleischsuppe, -n S.46
r Roboter, - S.172
r Rock, -̈e S.132
s Rollenspiel, -e S.148
r Rost S.172

rot S. 130
r Rotwein, -e S. 50
e Roulade, -n S. 51
r Rücken, - S. 106
e Ruhe S. 185
ruhig S. 43, 72, 135
rund S. 130, 175
r Rundfunk S. 156

sabotieren S. 137
e Sache, -n S. 139, 163
r Saft, ⁻e (→ Apfelsaft) S. 50
sagen S. 24
r Salat, -e S. 45
r Salatteller, - S. 50
r Salbeitee S. 108
sammeln S. 163
r Samstag, -e S. 57
samstags S. 152
satt S. 53
r Satz, ⁻e S. 54
sauber S. 144
saubermachen S. 148
e Sauce, -n S. 185
sauer S. 47
schade S. 41
e Schallplatte, -n S. 82
scharf S. 47
r Schatten, - S. 162
schauen S. 87
r Schauspieler, - S. 163
e Schauspielerin, -nen S. 163
r Scheibenwischer, - S. 169
e Scheidung, -en S. 151
schenken S. 82
schicken S. 132, 150, 162
r Schilling S. 73
schimpfen S. 185
r Schinken, - S. 53
s Schinkenbrot, -e S. 51
schlafen* S. 59
schlafen gehen* (→ gehen*) S. 61
s Schlafzimmer, - S. 33
schlagen* S. 161
schlank S. 128
schlecht S. 85
schlief (→ schlafen*) S. 188
schließlich S. 188
schlimm S. 107
s Schloß, Schlösser S. 70
r Schlosser, - S. 21
e Schlosserin, -nen S. 21
r Schluß, Schlüsse S. 173
schmal S. 130
schmecken S. 53
e Schmerzen (Plural) S. 107
schmutzig S. 144

schneiden* S. 60
schnell S. 76
r Schnellimbiß S. 47
r Schnellkurs, -e S. 163
e Schokolade, -n S. 110
schon S. 21, 186
schön S. 37
r Schrank, ⁻e S. 34
schreiben* S. 57
e Schreibmaschine, -n S. 82
schreien* S. 113
r Schriftsteller, - S. 30
e Schriftstellerin, -nen S. 30
r Schuh, -e S. 132
r Schulabgänger, - S. 143
e Schulabgängerin, -nen S. 143
r Schulabschluß, -abschlüsse
  S. 147
e Schule, -n S. 145
r Schüler, - S. 69
e Schülerin, -nen S. 69
s Schülerproblem, -e S. 156
s Schulfach, ⁻er S. 147
s Schuljahr, -e S. 147
r Schulleiter, - S. 146
e Schulleiterin, -nen S. 146
s Schulsystem, -e S. 147
e Schulter, -n S. 106
e Schulzeit S. 148
schützen S. 172
schwach S. 168
r Schwager, ⁻ S. 191
e Schwägerin, -nen S. 191
schwarz S. 130
schwarzhaarig S. 128
r Schweinebraten, - S. 51
s Schweinefleisch S. 48
schweißen S. 172
r Schweißer, - S. 176
e Schweißerei, -en S. 174
e Schweiz S. 12
schwer S. 131, 137, 144, 145, 156
e Schwester, -n S. 148
schwierig S. 170
s Schwimmbad, ⁻er S. 59
schwimmen* S. 59
e Schwimmhalle, -n S. 98
r See, -n S. 13
s Segelboot, -e S. 96
segeln S. 99
sehen* S. 57
sehr S. 34
sei (→ sein*) (Imperativ) S. 148
sein* S. 9, 106
seit S. 111
e Seite, -n S. 161, 172, 176
r Sekretär, -e S. 21

e Sekretärin, -nen S. 21
r Sekretärinnenkurs, -e S. 151
e Sekunde, -n S. 176
selbst S. 139
selbständig S. 144, 190
selten S. 84
e Sendezeit, -en S. 158
e Sendung, -en S. 156
r Sessel, - S. 34
setzen S. 164
e Show, -s S. 158
sich (→ er, sie) S. 137, 158
sicher S. 136, 139, 149, 156
e Sicherheit S. 152
sie S. 14
Sie S. 9
sind (→ sein*) S. 10, 14
singen* S. 156
r Sitz, -e S. 172
e Situation, -en S. 67
Ski fahren* (→ fahren*) S. 114
r Ski-Weltcup S. 156
r Skikurs, -e S. 114
so S. 11, 63, 85, 132, 135, 148
so etwas S. 163
s Sofa, -s S. 188
sofort S. 41
sogar S. 110
r Sohn, ⁻e S. 160
solch S. 161
sollen* S. 108, 144, 158, 171
r Sommer, - S. 70
r Sommerurlaub S. 176
s Sonderangebot, -e S. 87
s Sonderdezernat, -e S. 156
sondern S. 33
e Sonne, -n S. 70
e Sonnenuhr, -en S. 97
r Sonntag, -e S. 57
sonst S. 138, 170
e Sorge, -n S. 131
soviel S. 160
sozial S. 152
r Sozialhelfer, - S. 156
e Sozialkunde S. 146
e Sozialleistung, -en S. 150
r Sozialpädagoge, -n S. 143
e Sozialpädagogin, -nen S. 143
r Soziologe, -n S. 156
e Soziologin, -nen S. 156
spannend S. 156
sparen S. 176
sparsam S. 131
Spaß machen S. 149
später S. 46
Spanisch S. 25
spazieren gehen* (→ gehen*) S.

# Quellennachweis der Illustrationen

**a) Fotos:**

*Seite 1:* Schild „Toiletten": Keystone Pressedienst, Hamburg; Schild „Parken verboten": Hans-Dieter Blittgens, Marquartstein
*Seite 2:* Schild „Polizei": Volker Arndt, Sessenhausen
*Seite 14:* Willy Brandt, Pablo Picasso: Keystone Pressedienst, Hamburg; Maria Theresia, Kleopatra, Napoleon, Heinrich Heine: Bildarchiv Preußischer Kulturbesitz, Berlin; Richard Wagner: Bilderdienst Süddeutscher Verlag, München; Albert Schweitzer: Historia-Photo, Hamburg; Dick und Doof, Marilyn Monroe, Christopher Lee: Dr. K. Karkosch, München
*Seite 20:* Alle Fotos: John's Modell-Service GmbH, Hamburg
*Seite 22:* „Levent Ergök": v. Klaer, März-Foto, Berlin; „Barbara und Rolf Link": Toni Hieberler, Bavaria-Verlag, Gauting
*Seite 23:* „Monika Sager...": Keystone Pressedienst, Hamburg
*Seite 30:* Julius Nyerere, Björn Borg, Fidel Castro, Mutter Theresa: Keystone Pressedienst, Hamburg; Papst Johannes Paul II., Simone de Beauvoir: dpa, Hamburg
*Seite 33:* Zwei Wohnzimmer: Herlinde Koelbl, Neuried; Hochhaus, Einfamilienhaus: Keystone Pressedienst, Hamburg; Reihenhäuser: Bavaria-Verlag, Gauting
*Seite 34:* Villeroy & Boch, Mettlach
*Seite 35:* Foto b): Villeroy & Boch, Mettlach; Fotos c) und d): de Sede, Klingnau; Fotos e) und f): STERN/Volker Krämer, Gruner+Jahr, Hamburg
*Seite 36:* Rothenburg: Bavaria-Verlag, Gauting; Bauernhaus in Vechta: Anthony-Verlag, Starnberg; Wieskirche: Bildarchiv Huber, Garmisch-Partenkirchen; Fabrik: Adam Opel AG, Rüsselsheim; Wassermühle: Helmut Tecklenburg, Meppen
*Seite 58/59:* Hapag-Lloyd AG, Bremen
*Seite 70:* Foto A: Verkehrsamt der Stadt Köln (R. Gärtner); Fotos B, C, E, F: Bavaria-Verlag, Gauting; Foto D: Interfoto – Friedrich Rauch, München; Foto G: Anthony-Verlag, Starnberg; Foto H: Fritz Prenzel, Gröbenzell
*Seite 72:* Pension Hubertushof: Bildarchiv Huber, Garmisch-Partenkirchen; alle anderen: Bavaria-Verlag, Gauting
*Seite 78:* Strandkörbe: J. Meiserschmidt, Bavaria-Verlag, Gauting; alle anderen: Ostseebad Damp GmbH & Co. KG, Damp
*Seite 91:* Messe- und Ausstellungs-GmbH, Köln
*Seite 95:* Karte, Bürgerschaft, Hafen: Color-Dia-Verlag, Hans Hartz, Hamburg; Verschmutzte Elbe: STERN/Anders, Gruner + Jahr, Hamburg
*Seite 96:* Fotos 1, 3: Color-Dia-Verlag, Hans Hartz, Hamburg; Fotos 2, 4, 5, 6: Tourist Information, Hamburg
*Seite 108:* © Heinz Röhner, Bilderdienst Süddeutscher Verlag, München
*Seite 110:* Fußballspiel: Erich Baumann, Bavaria-Verlag, Gauting
*Seite 116:* Erde, Ingrid Bergmann, Papst in Großbritannien, Prinz William: dpa Hamburg; Demonstration in New York, Arbeitsamt: Keystone Pressedienst, Hamburg; Krieg: AP-Bilderdienst, Frankfurt; Fußballweltmeisterschaft: Pressebildagentur Werek, München
*Seite 119:* Arbeiterdemonstration: Ullstein-Bilderdienst, Berlin; Schwarzer Freitag: dpa, Hamburg; Slum: Bilderdienst Süddeutscher Verlag, München; Schulklasse: Georg Friedel, München
*Seite 120/121:* Telefunken, Berlin

*Seite 121:* Arbeitslose, Hitler und Hindenburg: Bilderdien Süddeutscher Verlag, München; Militärparade: Ullstein-▶ derdienst, Berlin
*Seite 123:* Alle Fotos Ullstein-Bilderdienst, Berlin
*Seite 124:* Bild beim Lebenslauf: Presse- und Information dienst der Bundesregierung, Bundesbildstelle, Bonn; alle ren: Bilderdienst Süddeutscher Verlag, München
*Seite 125:* Bild beim Lebenslauf: dpa, Hamburg; alle ande Bilderdienst Süddeutscher Verlag, München
*Seite 137:* Franco Zehnder, Leinfelden-Echterdingen
*Seite 144:* „Nachtwächter", „Krankenschwester": Bilderd Süddeutscher Verlag, München
*Seite 148:* „Jugend '84": BRIGITTE – Gisela Caspersen
*Seite 155:* von links nach rechts: NDR; NDR; Ch. Huth, Ismaning – WDR; Foto Sessner, Dachau; Bilderdienst Süddeutscher Verlag, München – Interfoto-Pressebild-Agentur, München; Hermann Roth, München; WDR
*Seite 156:* Fledermaus: Limbrunner, Bildagentur Prenzel, Gröbenzell; Krankenhaus: Dr. Lorenz, Bavaria-Verlag, Gauting
*Seite 157:* Nachrichtensprecher: Drischel, Ellerbek; Chiru S. Müller, Ullstein-Bilderdienst, Berlin; Motorradfahrer: N ters, Bavaria-Verlag, Gauting
*Seite 163:* BRIGITTE – Jörg Jochmann
*Seite 172:* Volkswagenwerk AG, Wolfsburg
*Seite 173:* 4 Werkfotos: Adam Opel AG, Rüsselsheim
*Seite 176:* STERN – Jürgen Gebhardt
*Seite 179:* Jeanloup Sieff, Paris
*Seite 183:* links oben und rechts unten: P. O. Malibu, Transglobe Agency, Hamburg
*Seite 188/189:* R. Sennewald, Krummbek
*Seite 190:* „Heinrich Droste": Bilderdienst Süddeutscher Verlag, München

Alle anderen Fotos
– auf S. 2, 3, 17, 19, 21–23, 27, 36, 40, 42, 43, 45–47, 54, 65, 77, 90, 109–113: Wolfgang Isser, Ismaning;
– auf S. 128, 132, 135, 136, 138, 139, 144, 147–151, 157, 162, 165, 168, 169, 173, 182: Werner Bönzli, Reichertshausen

**b) Plakate, Zeichnungen, Grafiken:**

*Seite 20:* Globus-Kartendienst, Hamburg
*Seite 40:* RDM Ring deutscher Makler, München
*Seite 47:* Globus-Kartendienst, Hamburg
*Seite 67:* „35 Stunden sind genug": Gertrude Degenhardt, Mainz-Gonsenheim; „Die Herausforderung": Globus-Kart dienst, Hamburg
*Seite 69:* Dr. Paul Schwarz, Landau
*Seite 86:* © Walt Disney Productions, Frankfurt/Main
*Seite 94:* Klaus Hein Fischer, Hamburg
*Seite 101:* Hamburger Verkehrsverbund, Hamburg
*Seite 105:* Globus-Kartendienst, Hamburg
*Seite 116:* Globus-Kartendienst, Hamburg
*Seite 142:* Reza Bönzli, Reichertshausen
*Seite 143:* Globus-Kartendienst, Hamburg
*Seite 174:* Globus-Kartendienst, Hamburg
*Seite 175:* Globus-Kartendienst, Hamburg

# uellennachweis der Texte

*e 66:* Institut für Arbeitsmarkt- und Berufsforschung,
nberg; Institut Allensbach
*e 67:* Hör zu, 1981
*e 78:* abr-Prospekt: „Ferienwohnungen 1982"
*e 102: nach:* Alle Wege nach Hamburg, hrsg. vom
kehrsamt Hamburg
*e 106: nach:* Leser fragen – Dr. Braun antwortet, VITAL,
gust 1982
*en 118–121: nach:* Eine Volksschulklasse der Zwanziger
re. Eine Fernsehsendung von Georg Friedel, München
*e 137:* STERN – Michael Ludwig
*e 148:* „Jugend '84": BRIGITTE – Gerda Bödefeld
*e 162:* „Wennachwenn...": Text und Musik
ner Bönzli, Reichertshausen
*e 143:* BRIGITTE – Gabriele Birnstein
*e 176:* STERN – Edith Maahn
*en 188/189:* ELTERN – Sennewald

# Hören Sie mal!

## Übungen zum Hörverständnis

**Hören Sie mal!** bietet reichhaltiges Material zur Übung des Hörverstehens für die ersten zehn Lektionen von **Themen**.

Gesprochen wird normales Alltagsdeutsch, wie es in den deutschsprachigen Ländern überall zu hören ist.

Das Programm besteht aus drei Cassetten und einem Begleitbuch. Die Cassetten enthalten 48 Aufnahmen; verschiedene Textsorten und verschiedene regionale Sprachvarianten wurden berücksichtigt. Zu jeder Aufnahme gibt es im Begleitbuch eine Reihe von Übungen, die Schritt für Schritt zu einem genaueren Verständnis der Texte führen. Daneben wird auch die exakte Verwendung einzelner Wörter und Wendungen aus den Hörtexten geübt.

Im Anhang des Buches finden sich die Lösungen und Transkriptionen der Hörtexte.


**Hören Sie mal!**
Übungen zum Hörverständnis
von Claudia Hümmler-Hille und Eduard von Jan

3 Cassetten, Gesamtlaufzeit 133 Minuten, und ein Begleitbuch mit vielen Zeichnungen, Format DIN A4, 92 Seiten, kartoniert.
Hueber-Nr. 1484

sprachen der welt
hueber  **Max Hueber Verlag · D-8045 Ismaning**

# Framework 8
# MATHS S

# HOMEWORK BOOK

| | |
|---|---|
| **David Capewell** | Formerly Westfield School, Sheffield |
| **Marguerite Comyns** | Queen Mary's High School, Walsall |
| **Gillian Flinton** | All Saints Catholic High School, Sheffield |
| **Paul Flinton** | Chaucer School, Sheffield |
| **Geoff Fowler** | Maths Strategy Manager, Birmingham |
| **Derek Huby** | Mathematics Consultant, West Sussex |
| **Peter Johnson** | Wellfield High School, Leyland, Lancashire |
| **Penny Jones** | Waverley School, Birmingham |
| **Jayne Kranat** | Langley Park School for Girls, Bromley |
| **Ian Molyneux** | St. Bedes RC High School, Ormskirk |
| **Peter Mullarkey** | Netherhall School, Maryport, Cumbria |
| **Nina Patel** | Ifield Community College, West Sussex |

**OXFORD**
**UNIVERSITY PRESS**

UNIVERSITY PRESS

Great Clarendon Street, Oxford OX2 6DP

Oxford University Press is a department of the University of Oxford.
It furthers the University's objective of excellence in research,
scholarship, and education by publishing worldwide in

Oxford  New York

Auckland  Cape Town  Dar es Salaam  Hong Kong  Karachi
Kuala Lumpur  Madrid  Melbourne  Mexico City  Nairobi
New Delhi  Shanghai  Taipei  Toronto

With offices in

Argentina  Austria  Brazil  Chile  Czech Republic  France  Greece
Guatemala  Hungary  Italy  Japan  Poland  Portugal  Singapore
South Korea  Switzerland  Thailand  Turkey  Ukraine  Vietnam

Oxford is a registered trade mark of Oxford University Press
in the UK and in certain other countries

British Library Cataloguing in Publication Data

Data available

ISBN 9780199148899
ISBN 0 19 914889 9

10 9 8 7 6 5 4 3

The photograph on the cover is reproduced courtesy of
Graeme Peacock

The publishers would like to thank QCA for their kind permission to use
Key Stage 3 SAT questions.

Typeset by Tech-Set Ltd, Gateshead, Tyne and Wear
and Bridge Creative Services, Oxon.

Printed in Great Britain by Bell and Bain, Glasgow

# About this book

Framework Maths Year 8S has been written specifically for students who are working below but towards the objectives from the Framework for Teaching Mathematics in Year 8. The content is based on the Year 7 teaching objectives and each unit provides access to Year 8 objectives.

The authors are experienced teachers and maths consultants, who have been incorporating the Framework approaches into their teaching for many years and so are well qualified to help you successfully introduce the objectives in your classroom.

The books are made up of units which follow the Support tier of the medium-term plans that complement the Framework document, thus maintaining the required pitch, pace and progression.

This Homework Book is written to support students working below but towards the objectives in Year 8, and is designed to support the use of the Framework Maths 8S Student's Book.

The material is ideal for homework, further work in class and extra practice. It comprises:

◆ A homework for every lesson, with a focus on problem-solving activities.
◆ Worked examples as appropriate, so the book is self-contained.
◆ Past paper SAT questions at the end of each unit, at Level 4 and Level 5 so that you can check students' progress against National Standards.

Problem solving is integrated throughout the material as suggested in the Framework.

# Contents

**Remember:**

◆ To compare temperatures, place them on a number line.

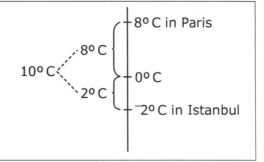

Here is a table of temperatures around the world on a certain day.

| City | Temperature (°C) | City | Temperature (°C) |
|------|------------------|------|------------------|
| Paris | 6°C | New York | ⁻7°C |
| Sydney | 18°C | Cape Town | 28°C |
| Helsinki | ⁻15°C | Buenos Aires | 11°C |
| Istanbul | ⁻2°C | Tokyo | ⁻5°C |

**1**    Which cities had a temperature greater than 8°C?

**2**    Which cities had a temperature less than 10°C?

**3**    Which cities had a temperature greater than ⁻3°C?

**4**    Which cities had a temperature less than ⁻6°C?

**5**    Which two cities had a temperature difference of:

    **a**   12°C             **b**   10°C             **c**   16°C?

    Use the number line to help you.
    There may be more than one answer to each part.

**6**    By how many °C would the temperature have to rise in New York to be the same as in Sydney?

**7**    By how many °C would the temperature in Buenos Aires have to fall to be the same as in Istanbul?

**8**    Use an encyclopaedia, atlas or the Internet to find out what countries the eight cities are in!

Each letter is matched to a number:

| A | B | C | D | E | F | G | H | I | J | K | L | M |
|---|---|---|---|---|---|---|---|---|---|---|---|---|
| 9 | ⁻1 | 8 | ⁻7 | 5 | ⁻6 | ⁻12 | 2 | ⁻11 | 13 | ⁻5 | 1 | ⁻8 |
| N | O | P | Q | R | S | T | U | V | W | X | Y | Z |
| 12 | 0 | 4 | ⁻2 | 3 | ⁻9 | 7 | 6 | ⁻3 | ⁻4 | 10 | ⁻10 | 11 |

Work out each of these problems.

Use the number line to help you.

Match the letter to the answer to make a sentence.

The first one is done for you.

| ⁻3 + 10 = 7 | ⁻7 + 7 = | ⁻5 + 10 = | 8 + ⁻5 = | ⁻3 + 6 = |
|---|---|---|---|---|
| T | | | | |

| 4 − 15 = | ⁻3 − 6 = | ⁻5 + 7 = | 3 − ⁻3 = | ⁻3 − 5 = | ⁻3 + 12 = | 15 + ⁻3 = |
|---|---|---|---|---|---|---|
| | | | | | | |

| 3 − ⁻4 = | 3 + ⁻3 = | ⁻3 − 3 = | ⁻13 + 13 = | ⁻8 − ⁻11 = | ⁻6 − 6 = | ⁻6 − 5 = | 6 − 9 = | 2 − ⁻3 = |
|---|---|---|---|---|---|---|---|---|
| | | | | | | | | |

| ⁻20 − ⁻9 = | ⁻10 + 1 = | ⁻2 − 5 = | ⁻8 − 3 = | ⁻8 + 5 = | ⁻14 + 3 = | 6 − ⁻6 = | 8 + ⁻3 = |
|---|---|---|---|---|---|---|---|
| | | | | | | | |

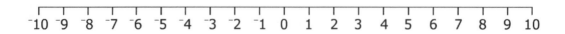

⁻10 ⁻9 ⁻8 ⁻7 ⁻6 ⁻5 ⁻4 ⁻3 ⁻2 ⁻1 0 1 2 3 4 5 6 7 8 9 10

This grid is arranged to show all the multiples of six up to 102.

These are in the sixth column.

multiples of 6

**Instructions**

◆ Copy the grid.

◆ Cross out number one

◆ Circle number two and cross out all multiples of 2

◆ Circle number three and cross out all multiples of 3

◆ Circle number five and cross out all multiples of 5

◆ Circle number seven and cross out all multiples of 7

◆ Circle the remaining numbers.

| 1 | 2 | 3 | 4 | 5 | 6 |
|----|----|----|----|----|----|
| 7 | 8 | 9 | 10 | 11 | 12 |
| 13 | 14 | 15 | 16 | 17 | 18 |
| 19 | 20 | 21 | 22 | 23 | 24 |
| 25 | 26 | 27 | 28 | 29 | 30 |
| 31 | 32 | 33 | 34 | 35 | 36 |
| 37 | 38 | 39 | 40 | 41 | 42 |
| 43 | 44 | 45 | 46 | 47 | 48 |
| 49 | 50 | 51 | 52 | 53 | 54 |
| 55 | 56 | 57 | 58 | 59 | 60 |
| 61 | 62 | 63 | 64 | 65 | 66 |
| 67 | 68 | 69 | 70 | 71 | 72 |
| 73 | 74 | 75 | 76 | 77 | 78 |
| 79 | 80 | 81 | 82 | 83 | 84 |
| 85 | 86 | 87 | 88 | 89 | 90 |
| 91 | 92 | 93 | 94 | 95 | 96 |
| 97 | 98 | 99 | 110 | 101 | 102 |

**1** Write down all the numbers that are circled.
These are the prime numbers.

A theory says that prime numbers are always one more or one less than a multiple of 6.

**2** Is this true?

**3** Which numbers go against the theory?

**4** Can you change the theory to take account of the numbers in your answer to question **3**.

> **Remember:**
> ◆ $6^2$ means $6 \times 6 = 36$ ◆ $6^2 = 36$ is a square number.

**1** Copy and complete this table of square numbers.

| $1^2$ | $2^2$ | $3^2$ | $4^2$ | $5^2$ | $6^2$ | $7^2$ | $8^2$ | $9^2$ | $10^2$ |
|---|---|---|---|---|---|---|---|---|---|
| 1 | 4 | | | | 36 | | | | |

Use your table to help answer these questions:

**a** Which two square numbers add together to make a square number less than 50?

**b** Which two square numbers add together to make a square number bigger than 50?

**c** Which three square numbers add together to make another square number?
Can you find more than one set of three?

**2** Copy and complete this table of triangular numbers.

| 1st | 2nd | 3rd | 4th | 5th |
|---|---|---|---|---|
| • | •<br>• • | •<br>• •<br>• • • | •<br>• •<br>• • •<br>• • • • | |
| 1 | 3 | 6 | 10 | |
| 6th | 7th | 8th | 9th | 10th |
| | | | | |
| | | | | |

**a** Which triangular number is also a square number?

**b** There are lots of examples where two triangular numbers add up to a square number.
Write down five examples.

**1**   Match each number sequence to its description. The first one is done for you.

**a**  5, 10, 15, 20, ..., 45

**b**  23, 29, 31, 37, 41, 43, 47

**c**  22, 24, 26, 28, ...

**d**  2, ..., 34, 36, 38

**e**  5, 10, 15, 20, ...

**f**  16, 20, 24, ..., 48

**i**   Even numbers greater than 20

**ii**  Multiples of 5

**iii** Multiples of 5 less than 50

**iv** Multiples of 4 greater than 15 and less than 50

**v**  Prime numbers between 20 and 50

**vi** Even numbers less than 40

Write the answer as

**a–iii**

**2**   **a**   Explain the difference between an infinite and a finite sequence.

  **b**   Which of the sequences in question 1 are finite?

**3**   Here is a cloud of numbers:

Use each number in the cloud once only to find:

  **a**   Three consecutive numbers that have a sum of 21.

  **b**   Two consecutive numbers that have a product of 12.

  **c**   The first five multiples of 3.

  **d**   The sequence of even numbers between 7 and 15.

---

**Remember:**

◆ You can use the general term to generate a sequence.

| General term | 3 × pattern number + 2 | | | | |
|---|---|---|---|---|---|
| Pattern number | 1 | 2 | 3 | 4 | 5 |
| Term | 3 × 1 + 2 = 5 | 3 × 2 + 2 = 8 | 11 | 14 | 17 |

The first five terms of the sequence are 5, 8, 11, 14, 17.

---

**1** Match each general term with its number sequence. The first one is done for you.

    **a** 4 × pattern number − 3

       The first four terms are 1, 5, 9, 13

       **a** matches with **ii**

    **b** 2 × pattern number −1

    **c** 5 × pattern number + 2

    **d** 5 × pattern number − 3

    **i** 2, 7, 12, 17, .........

    **ii** 1, 5, 9, 13, .........

    **iii** 1, 3, 5, 7, .........

    **iv** 7, 12, 17, 22, .........

**2** Here is a sequence of square patterns made from matchsticks:

| Pattern number 1 | Pattern number 2 | Pattern number 3 | Pattern number 4 |
|---|---|---|---|
|  | 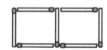 |  | 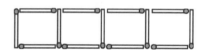 |

    **a**    Write down the first four terms of the number sequence for the number of matchsticks in each pattern.

    **b**    Write down the rule for finding the next term in the sequence.

    **c**    A pattern in the sequences uses 25 matchsticks. What pattern number is it?

**3** This is one pattern in a sequence:

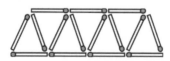

These are the first five terms of the number sequence for the number of matchsticks in each pattern: 11, 19, 7, 15, 23

    **a**    Write the number sequence in the correct order.

    **b**    Draw the triangle patterns to match the number sequence.

    **c**    Write down the rule for finding the next term in the sequence.

_____ Level 4

Look at these three signs:

| < | = | > |
|---|---|---|
| is **less** than | is **equal** to | is **greater** than |

Examples:

$$5 < 6 \qquad 4 - 3 = 2 - 1 \qquad 6 - 2 > 9 - 6$$
5 is **less** than 6    4 − 3 is **equal** to 2 − 1    6 − 2 is **greater** than 9 − 6

Put the correct **sign**, < or = or >, into each number sentence.

**a**    8 + 2 _____ 7 + 6      **b**    6 − 3 _____ 1 + 2

**c**    0 _____ ⁻3               **d**    ⁻7 _____ ⁻2

**e**    3 − 2 _____ ⁻5      **f**    5 − 5 _____ 4 − 6     *6 marks*

_____ Level 5

Look at these number cards:

| +3 | 0 | −5 | +9 | +2 | −8 | +7 | −2 |
|----|---|----|----|----|----|----|----|

**a**    Choose a card to give the answer 4.

| +2 | + | −5 | + | ☐ | = 4 |

*1 mark*

**b**    Choose a card to give the **lowest** possible answer.
Copy and fill in the cards below and work out the answer.

| −2 | − | ☐ | = | _____ |

*2 marks*

**Remember:**

◆ You show parallel lines with arrows:

◆ You show perpendicular lines with a square:

◆ Opposite angles are equal:

**1** Draw a pair of perpendicular lines and mark with a right angle.

**2** Draw a pair of parallel lines and mark them with arrows.

**3** Copy or trace this cuboid.

On your diagram, mark all visible parallel lines (>,>>,>>>) and all visible perpendicular lines ( ⌐ ).

**4** Use a ruler to draw a pair of parallel lines.

Rotate the ruler and draw another pair of parallel lines.

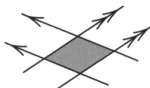

Name this shaded shape. What other shape could you draw using this method?

**5** Find each of these unknown angles.

**a**

**b**

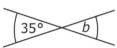

**6** Find these unknown angles.

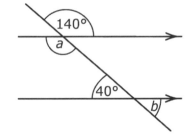

8

**Remember:**

◆

Acute angle          Right angle          Obtuse angle          Reflex angle

◆ You measure angles with a protractor.

**1** Copy and complete the table for these angles.

| Question | Angle | Type of angle | Estimate | Measurement |
|----------|-------|---------------|----------|-------------|
| a | $\hat{ABC}$ | | | |
| b | $\hat{DEF}$ | | | |

**a**

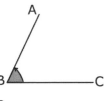

**b**

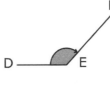

**e**

**c**

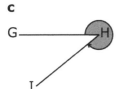

**d**

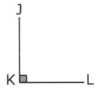

**2** Draw these angles and label them. Write down whether the angle is right, acute, obtuse or reflex.

a  ∠ABC = 45°          b  ∠DEF = 135°          c  ∠GHI = 270°

d  ∠JKL = 300°         e  ∠MNO = 75°

**3** Measure the angles in this triangle.
Add up your three answers.
What is the total?

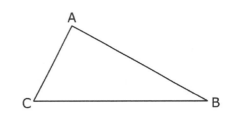

**Remember:**

- There are 360° at a point.

  $a + b + c = 360°$

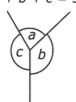

- There are 180° on a straight line.

  $p + q = 180°$

- Vertically opposite angles are equal

Calculate the unknown angles.

**1**

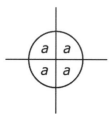

**2**

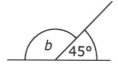

**3**

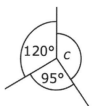

**4**

**5**

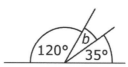

**6**

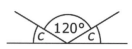

**7**

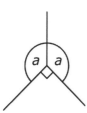

**8**

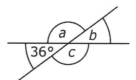

**9**

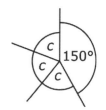

**10** Two circles have been cut into sectors. Decide which sectors fit together to make the circles.

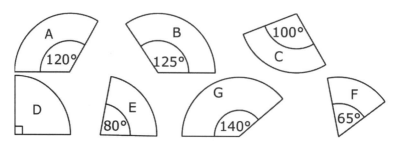

**Remember:**

◆ Right-angled     ◆ Equilateral     ◆ Isosceles     ◆ Scalene

One angle 90°

All angles 60°
All sides equal

Two angles equal
Two sides equal

No angles equal
No sides equal

◆ The angles in a triangle add to 180°.

**1  a**   △ABC is right-angled. Find AB̂C.

**b**   Find PQ̂R, length PQ and PR̂Q.

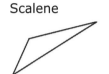

**2**   Find these unknown angles.

**a**

**b**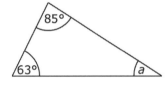

**c**

**d**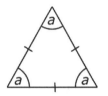

**e**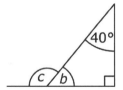

**f**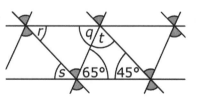

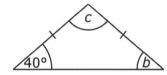
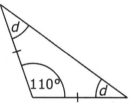

**3**   By measuring the sides or the angles, decide what kind of triangle these are.

**a**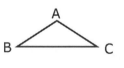

**b**

**c**

**d**

**1** Measure these screws to the nearest mm.

**a**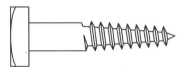

**b**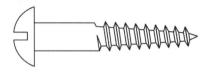

**c**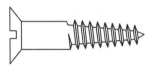

**d**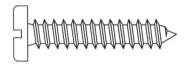

**2 a** Measure the lines AB, BC and CA in this triangle.

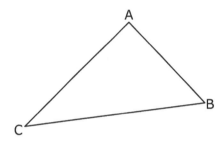

**b** What sort of triangle is △ABC?

**3** Measure the length and width of an A4 sheet of paper.

**4** Draw lines so that:

**a** AB = 6 cm 3 mm **b** CD = 48 mm **c** EF = 5.6 cm

**5** Find these unknown angles.

**a** 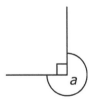 **b** 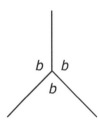 **c**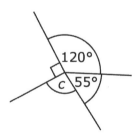

**d** 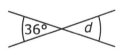 **e** 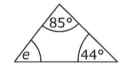 **f**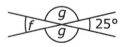

---

**Remember:**

◆ To construct a triangle:

1    Draw the base line first, using a ruler.

2    Measure angles using a protractor.

3    Measure lengths of sides with a ruler.

---

**1**  Construct ΔPQR. Measure the length PQ.

What sort of triangle is PQR?

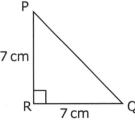

**2**  **a**  Construct ΔABC. Measure angle BAC.

What sort of triangle is ABC?

**b**  Construct ΔDEF. Measure angle D and angle F.

**c**  ΔABC and ΔDEF are **congruent**.

What does congruent mean?

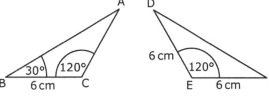

**3**  Construct any equilateral triangle.

Label the angles and sides with their measurements.

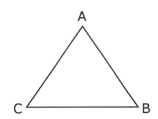

**4**  Construct each of these triangles.

**a**    CB = 5 cm, ∠B = 40°, AB = 9 cm.

Measure AC. What sort of triangle is ABC?

**b**    Length CB = 5 cm, angle ACB = 50°, angle CBA = 80°.

Measure angle CAB and length AB. What sort of triangle is ABC?

**c**    BC = 8.5 cm, ∠ACB = 45°, angle AC = 6 cm.

Measure angle ∠ABC, ∠CAB and AB. What sort of triangle is ABC?

**d**    CB = 6 cm, ∠C = 30°, ∠B = 60°.

Measure ∠A. What sort of triangle is ABC?

Level 4

Two pupils drew angles on square grids.

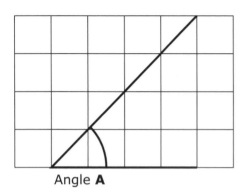

Angle **A**                Angle **B**

**a**    Which word below describes angle **A?**

acute

obtuse

right-angled

reflex                                                            *1 mark*

**b**    Is angle **A bigger** than angle **B?**
Explain your answer.                                    *1 mark*

Level 5

Look at these angles.

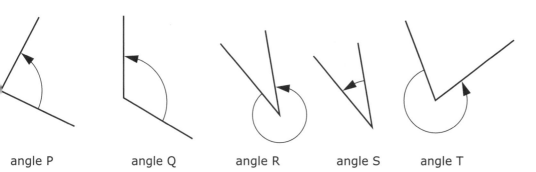

angle P          angle Q          angle R          angle S          angle T

**a** One of the angles measures **120°**. Write down its letter.  *1 mark*

**b** Make a drawing to show an angle of **157°**.
Label the angle 157°.  *2 marks*

**c** 15 pupils measured two angles. Here are their results.

<table>
<tr><td colspan="2" align="center">Angle A</td></tr>
</table>

| Angle measured as | Number of pupils |
|:---:|:---:|
| 36° | 1 |
| 37° | 2 |
| 38° | 10 |
| 39° | 2 |

<table>
<tr><td colspan="2" align="center">Angle B</td></tr>
</table>

| Angle measured as | Number of pupils |
|:---:|:---:|
| 45° | 5 |
| 134° | 3 |
| 135° | 4 |
| 136° | 3 |

Use the results to decide what each angle is most likely to measure.

**i** What size is angle **A**? How did you decide?  *1 mark*

**ii** What size is angle **B**? How did you decide?  *1 mark*

**Remember:**

◆ Probability of a result = $\dfrac{\text{the number of ways the result can happen}}{\text{the total number of possible results}}$

For this spinner:

The probability of getting 6 is $\frac{1}{9}$

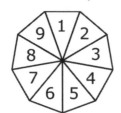

◆ On a probability scale:

impossible               evens               certain

0                    $\frac{1}{2}$                    1

$\frac{1}{9}$

**1**    Here are three fair spinners. In a game, you choose one of the spinners to spin.
You win a prize if the spinner lands on a 5.

**A** 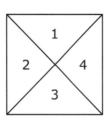    **B** 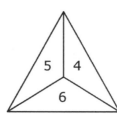    **C**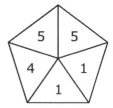

Which spinner would you choose? Explain your answer carefully.

**2**    Shakira puts 5 red marbles, 3 blue marbles and 2 green marbles into her pocket.
She takes out a marble at random.
Work out the probability of the marble chosen being:

   **a**    red          **b**    blue          **c**    green

**3**    Draw a probability scale going from 0 to 1. Mark on it the probabilities
you worked out in question 2.

**4**    Joe has a set of four cards. Every card is marked with an 'A', a 'B' or a 'C'.
Joe says:

> If I pick a card at random, I'm more likely to get an
> 'A' than a 'B'. Getting a 'C' will be impossible!

What cards could Joe have? Explain your answer.

| Remember: |
|---|
| ◆ The possible results of a trial are called **outcomes**. |
| ◆ An **event** is the set of outcomes you are looking for. |

**1**　Carl writes the names of the days of the week on 7 cards:

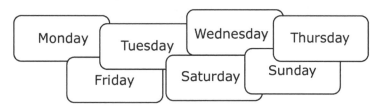

He shuffles the cards and picks one at random. List the favourable outcomes for the following events. The first one is done for you.

**a**　The chosen day is during the weekend.

　　Answer: Saturday, Sunday

**b**　The name of the day contains the letter 'T'.

**c**　The name of the day has more than 7 letters.

**2**　This diagram shows information about the children in Class 8A.

Male or female?

| Wear glasses? | | Male | Female |
|---|---|---|---|
| | Glasses | 4 | 3 |
| | No glasses | 13 | 12 |

A student from the class is chosen at random. How many favourable outcomes are there for each of the following events?

**a**　The student chosen is male.

**b**　The student chosen wears glasses.

**c**　The student chosen is a boy who wears glasses.

**3**　A capital letter is chosen at random from the alphabet.

| A　B　C　D　E　F　G　H　I　J　K　L　M　N　O　P　Q　R　S　T　U　V　W　X　Y　Z |
|---|

List the favourable outcomes for each of these events.

**a**　The letter chosen contains straight lines only.

**b**　The letter chosen is a vowel.

**c**　The letter chosen is one of the letters of the word Abacus.

> **Remember:**
>
> ◆ Probability of an event = $\dfrac{\text{the number of favourable outcomes}}{\text{the total number of outcomes}}$

**1**   Molly picks a number at random from this table.

| 4 | 13 | 27 | 3 |
|---|----|----|---|
| 64 | 7 | 9 | 10 |
| 5 | 82 | 17 | 24 |

List the favourable outcomes for the following events.

**a**   The number chosen is less than 20.

**b**   The number chosen is a square number.

**c**   The number chosen contains the digit '7'.

**d**   The number chosen is an odd number.

**2**   Work out the probability of each of the events in question 1.
You should leave your answers as fractions.

**3**   This table shows the contents of a box of chocolates.

|  |  | Type of chocolate | |
|--|--|------|------|
|  |  | Milk | Milk |
| Type of centre | Hard | 5 | 4 |
|  | Soft | 9 | 7 |

The total number of
outcomes is
5 + 4 + 9 + 7 =

Mandy chooses a chocolate at random. What is the probability that she chooses:

**a**   a milk chocolate

**b**   a chocolate with a hard centre

**c**   a plain chocolate with a hard centre

**d**   a milk chocolate with a soft centre?

**4**   Milly chooses one of these cards at random.
Find the probability that the letter on the card
chosen is:

**a**   a vowel          **b**   the letter 'B'.

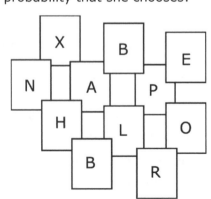

---

**Remember:**

◆ Experimental probability $= \dfrac{\text{number of times the event occurs}}{\text{total number of trials}}$

---

1. Martin checks a batch of parts made by a machine. The parts need to be the right size – if they are too big or too small they must be rejected.
The table shows the results of Martin's test.

| Test result | Number of parts |
|---|---|
| Too small | 5 |
| Acceptable | 38 |
| Too big | 7 |

**a** How many parts did Martin test?

Use the data in the table to estimate the probability that the next part made by the machine will be:

**b** too small

**c** acceptable

**d** the wrong size.

2. The manager of a convenience store makes a note of what 20 customers buy:

| | 1 | 2 | 3 | 4 | 5 | 6 | 7 | 8 | 9 | 10 | 11 | 12 | 13 | 14 | 15 | 16 | 17 | 18 | 19 | 20 |
|---|---|---|---|---|---|---|---|---|---|---|---|---|---|---|---|---|---|---|---|---|
| Milk | ✓ | | | ✓ | | | | | | ✓ | ✓ | | | | | ✓ | | | | |
| Bread | | ✓ | | ✓ | ✓ | | ✓ | | | ✓ | | ✓ | | ✓ | ✓ | ✓ | ✓ | | ✓ | ✓ |
| Other groceries | | ✓ | ✓ | | ✓ | ✓ | | ✓ | ✓ | | ✓ | | ✓ | | | ✓ | | ✓ | | |

Use the information in the table to estimate the probability that the next customer will buy:

**a** bread

**b** milk

**c** other groceries

**Remember:**

◆ Experimental probability = $\dfrac{\text{number of times the event occurs}}{\text{total number of trials}}$

Jake made a trick dice. He tested it 100 times. His results are in the table.

| 4 | 6 | 4 | 5 | 1 | 5 | 5 | 1 | 6 | 6 |
|---|---|---|---|---|---|---|---|---|---|
| 6 | 3 | 4 | 4 | 4 | 6 | 6 | 3 | 1 | 6 |
| 2 | 6 | 6 | 3 | 6 | 2 | 2 | 4 | 4 | 6 |
| 3 | 6 | 5 | 3 | 5 | 3 | 5 | 4 | 3 | 6 |
| 5 | 6 | 6 | 2 | 6 | 5 | 6 | 2 | 4 | 6 |
| 6 | 4 | 3 | 6 | 3 | 6 | 6 | 6 | 3 | 5 |
| 5 | 4 | 6 | 1 | 3 | 6 | 3 | 2 | 5 | 5 |
| 6 | 1 | 5 | 1 | 5 | 3 | 6 | 4 | 3 | 3 |
| 6 | 3 | 3 | 5 | 6 | 6 | 2 | 3 | 2 | 2 |
| 6 | 3 | 3 | 6 | 6 | 5 | 3 | 1 | 1 | 2 |

**a** Copy and complete this frequency table for Jake's results:

| Score on dice | Tally | Frequency |
|---|---|---|
| 1 | ‖‖ ‖‖ ‖‖‖ | 8 |
| 2 | | |
| 3 | | |
| 4 | | |
| 5 | | |
| 6 | | |
| | | Total = |

Check: there are 100 pieces of data in the table above, so you should have 100 pieces of data in your table.

**b** Work out an estimate for the probability of each score, using the data in the frequency table.

**c** Which scores are most likely on Jake's trick dice?
Which scores are least likely?

**d** How good a job of making a trick dice did Jake do?
Explain your answer.

> **Remember**:
> ◆ If a spinner is fair, all the outcomes are equally likely.

Four students were given a five-sided spinner to test.

Alan tested the spinner 10 times.

| 1 | 1 | 5 | 1 | 2 | 5 | 4 | 3 | 2 | 3 |
|---|---|---|---|---|---|---|---|---|---|

Brendan tested it 20 times.

| 3 | 2 | 2 | 4 | 2 | 3 | 5 | 1 | 3 | 1 |
|---|---|---|---|---|---|---|---|---|---|
| 2 | 2 | 1 | 4 | 5 | 4 | 1 | 2 | 1 | 3 |

Claire tested it 30 times.

| 1 | 4 | 4 | 5 | 2 | 1 | 2 | 1 | 3 | 3 |
|---|---|---|---|---|---|---|---|---|---|
| 2 | 2 | 1 | 3 | 3 | 3 | 4 | 4 | 1 | 2 |
| 1 | 5 | 1 | 3 | 4 | 1 | 2 | 1 | 4 | 1 |

Debbie tested the spinner 40 times.

| 1 | 1 | 4 | 2 | 5 | 1 | 4 | 1 | 5 | 3 |
|---|---|---|---|---|---|---|---|---|---|
| 4 | 5 | 4 | 3 | 5 | 1 | 4 | 3 | 3 | 3 |
| 3 | 3 | 2 | 1 | 4 | 2 | 3 | 3 | 3 | 2 |
| 2 | 5 | 2 | 1 | 5 | 1 | 2 | 3 | 5 | 3 |

**a** Copy and complete the table to show the theoretical probability of each score, if the spinner is fair.

| Score | 1 | 2 | 3 | 4 | 5 |
|-------|---|---|---|---|---|
| Probability | | | | | |

**b** You can combine all the students' test results, so there are 100 pieces of data.
Copy and complete this tally chart for these 100 trials:

| Score | Tally | Frequency |
|-------|-------|-----------|
| 1 | | |
| 2 | | |
| 3 | | |
| 4 | | |
| 5 | | |
| | Total = | |

Alan      10
Brendan   20
Claire     30
Debbie    <u>40</u>
          100

**c** Do you think that the spinner is fair?
Use the data in the tables to support your argument.

Level 4

Bryn has some bags with some black beads and some white beads.

He is going to take a bead from each bag without looking.

**a** Match the pictures to the statements. The first is done for you.

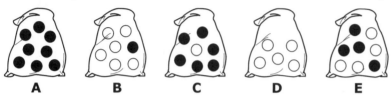

A      B      C      D      E

It is **impossible** that Bryn will take a black bead from bag ......**D**....

It is **unlikely** that Bryn will take a black bead from bag ...............

It is **equally likely** that Bryn will take
a black bead or a white bead from bag ...............

It is **likely** that Bryn will take a black bead from bag ...............

It is **certain** that Bryn will take a black bead from bag ...............

*3 marks*

**b** Bryn has **5 white** beads in a bag.

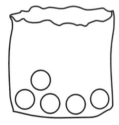

He wants to make it **more likely** that he will take a **black** bead
than a **white** bead out of the bag.

How many **black** beads should Bryn put into the bag?    *1 mark*

**c** There are **20** beads altogether in another bag.

All the beads are either black or white.

It is **equally likely** that Bryn will take a black bead or a white
bead from the bag.

How many black beads and how many white beads are there in
the bag?    *2 marks*

A machine sells sweets in **five** different colours:
red, green, orange, yellow, purple.

You **cannot choose** which colour you get.

There are the **same number** of each colour in the machine.

Two boys want to buy a sweet each.

**Ken** says:

> I **don't** like **yellow** ones or **orange** ones.

**Colin** says:

> I like **all** of them.

**a** What is the **probability** that **Ken** will get a sweet that he **likes?**

*1 mark*

**b** What is the **probability** that **Colin** will get a sweet that he
**likes**?

*1 mark*

**c** Draw an arrow on a scale from 0 to 1 to show the probability
that **Ken** will get a sweet that he likes.

*1 mark*

**d** Draw an arrow on a scale from 0 to 1 to show the probability
that **Colin** will get a sweet that he likes.

*1 mark*

**e** Mandy buys one sweet.
The arrow on this scale shows the probability that Mandy gets a
sweet that she likes.

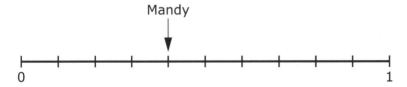

Write a sentence that **could** describe which sweets Mandy likes.

*1 mark*

## Puzzle: Uncle Peter's Rabbit

When their father died, the three sons of Albert Hodwinckle were left 17 rabbits. The rabbits had to be shared accordingly to their father's will:

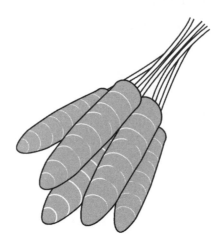

> 'My eldest son shall receive $\frac{1}{2}$ of my rabbits.'
>
> 'My second son shall receive $\frac{1}{3}$ of my rabbits.'
>
> 'My youngest son shall receive $\frac{1}{9}$ of my rabbits.'

The sons found it difficult to share out the rabbits according to their father's instructions, as none of the rabbits were to be harmed.

Eventually the sons went to visit their Uncle Peter, who said he would lend them his pet rabbit 'Veggie', but that Veggie had to be returned at the end of the day.

1   How did the sons fulfil their father's wishes and divide up the rabbits in the correct fractions?

2   Which one of the sons should receive 'Veggie' as part of their share, and return 'Veggie' to Uncle Peter?

Explain your reasoning.

In each of these questions, use the four digits to make two equivalent fractions.

For example:

1, 2, 4, 8 ⟹ $\dfrac{1}{2} = \dfrac{4}{8}$ ✓

**1**  1, 2, 5, 10  ⟹ $\dfrac{\square}{\square} = \dfrac{\square}{\square}$

**2**  1, 12, 4, 3  ⟹ $\dfrac{\square}{\square} = \dfrac{\square}{\square}$

**3**  1, 9, 3, 3  ⟹ $\dfrac{\square}{\square} = \dfrac{\square}{\square}$

**4**  3, 8, 4, 6  ⟹ $\dfrac{\square}{\square} = \dfrac{\square}{\square}$

**5**  2, 9, 3, 6  ⟹ $\dfrac{\square}{\square} = \dfrac{\square}{\square}$

**6**  15, 5, 2, 6  ⟹ $\dfrac{\square}{\square} = \dfrac{\square}{\square}$

**7**  6, 10, 20, 3  ⟹ $\dfrac{\square}{\square} = \dfrac{\square}{\square}$

**8**  12, 21, 7, 4  ⟹ $\dfrac{\square}{\square} = \dfrac{\square}{\square}$

**9**  24, 6, 20, 5  ⟹ $\dfrac{\square}{\square} = \dfrac{\square}{\square}$

**10**  7, 24, 21, 8  ⟹ $\dfrac{\square}{\square} = \dfrac{\square}{\square}$

Copy these boxes.

Work out each answer and write it in the space underneath

Write in the correct sign: less than (<) or greater than (>).

For example:

| $\frac{1}{2}$ of 44 | > | $\frac{1}{3}$ of 60 |
|:---:|:---:|:---:|
| 22 | | 20 |

**1**

| $\frac{1}{4}$ of 60 | | $\frac{2}{3}$ of 30 |
|:---:|---|:---:|
| | | |

**2**

| $\frac{3}{4}$ of 16 | | $\frac{1}{3}$ of 33 |
|:---:|---|:---:|
| | | |

**3**

| $\frac{1}{5}$ of 100 | | $\frac{3}{4}$ of 36 |
|:---:|---|:---:|
| | | |

**4**

| $\frac{2}{3}$ of 48 | | $\frac{1}{2}$ of 66 |
|:---:|---|:---:|
| | | |

**5**

| $\frac{2}{5}$ of 25 | | $\frac{3}{4}$ of 20 |
|:---:|---|:---:|
| | | |

**6**

| $\frac{3}{5}$ of 40 | | $\frac{2}{3}$ of 33 |
|:---:|---|:---:|
| | | |

**7**

| $\frac{3}{10}$ of 40 | | $\frac{3}{7}$ of 21 |
|:---:|---|:---:|
| | | |

**8**

| $\frac{9}{10}$ of 30 | | $\frac{1}{3}$ of 90 |
|:---:|---|:---:|
| | | |

**9**

| $\frac{3}{4}$ of 60 | | $\frac{2}{3}$ of 93 |
|:---:|---|:---:|
| | | |

**10**

| $\frac{5}{6}$ of 30 | | $\frac{4}{9}$ of 72 |
|:---:|---|:---:|
| | | |

**11**

| $\frac{3}{5}$ of 25 | | $\frac{1}{8}$ of 96 |
|:---:|---|:---:|
| | | |

**12**

| $\frac{2}{7}$ of 49 | | $\frac{1}{4}$ of 64 |
|:---:|---|:---:|
| | | |

**1** This box contains 12 percentage questions.

| | | |
|---|---|---|
| 10% of 90 | 25% of 84 | 25% of 160 |
| 5% of 80 | 10% of 120 | 20% of 330 |
| 5% of 140 | 20% of 80 | 10% of 230 |

These three amounts from the box add up to 85:

| 20% of 330 | + | 5% of 140 | + | 10% of 120 | |
|---|---|---|---|---|---|
| 66 | + | 7 | + | 12 | = 85 |

Which three amounts add up to these target values?

**a** 24

**b** 27

**c** 36

**d** 45

**e** 93

**f** 70

**2** Make up percentage questions to give the answers below. The first one is done for you.

**a** 6

Question: 10% of 60

**b** 10

**c** 14

**d** 5

**e** 11

**f** 8

> **Hint:**
> There are lots of possible questions for each value.

Look through newspapers and magazines at home for articles containing percentages or decimals.

Cut them out and stick them on to A4 paper.

For each percentage write the equivalent decimal. For each decimal, write the equivalent percentage.

For example:

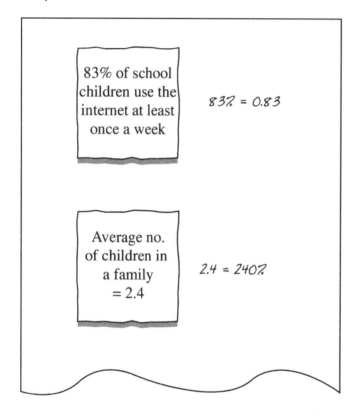

83% of school children use the internet at least once a week

$83\% = 0.83$

Average no. of children in a family $= 2.4$

$2.4 = 240\%$

**1** Here is a number line.

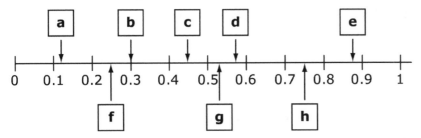

Choose a number from the cloud for each box. Not all the numbers are used.

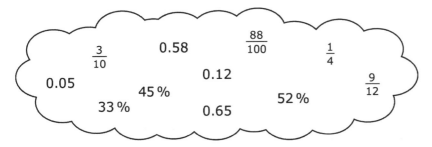

For example, **a** is 0.12

**2** Here is another number line.

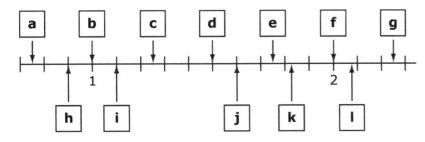

Choose a number from the cloud for each box. Not all the numbers are used.

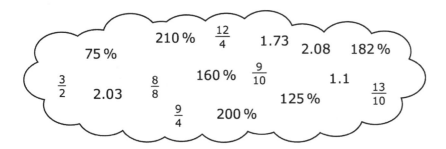

**Level 4**

**a**    Copy and complete these statements with the missing numbers.

50%    of    _____    = 27        *1 mark*

a quarter    of    _____    = 27        *1 mark*

**b**    Copy the calculation and write numbers in each space below to make the calculation correct.

_____ ÷ _____ = 27        *1 mark*

**Level 5**

This is how Caryl works out **15% of 120** in her head.

       **10%** of 120 is **12**

        **5%** of 120 is   **6**

so       **15%** of 120 is **18**

**a**    Copy and complete the following to show how Caryl can work out **$17\frac{1}{2}$% of 240** in her head.

       _____%  of 240 is _____

       _____%  of 240 is _____

       _____%  of 240 is _____

so       **$17\frac{1}{2}$%**    of 240 is _____        *2 marks*

**b**    Work out **35% of 520**.
*Show your working.*        *2 marks*

**Remember:**

◆ You can:

| add | subtract | multiply | divide |
|-----|----------|----------|--------|
| $a + b$ | $a - b$ | $ab$ | $\dfrac{a}{b}$ |

two unknowns.

◆ You can add and subtract numbers from an unknown: $x - 3$
◆ You can multiply and divide an unknown by a number: $3x$

**1** Write an expression for each of the following:

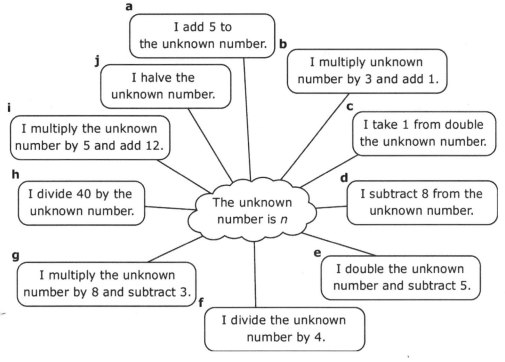

**a** I add 5 to the unknown number.

**b** I multiply unknown number by 3 and add 1.

**j** I halve the unknown number.

**i** I multiply the unknown number by 5 and add 12.

**c** I take 1 from double the unknown number.

**h** I divide 40 by the unknown number.

The unknown number is $n$

**d** I subtract 8 from the unknown number.

**g** I multiply the unknown number by 8 and subtract 3.

**e** I double the unknown number and subtract 5.

**f** I divide the unknown number by 4.

**2** In question 1 the unknown number $n$ is equal to 8.
Work out the value of each expression.

**3** Choose numbers from the cloud that could be the values of the variables in each expression. The first one is done for you.

**a** $x + y = 12$ $x = 8$ $y = 4$

**b** $ab = 12$ **c** $3c = d$

**d** $e - f = 3$ **e** $\dfrac{24}{g} = h$

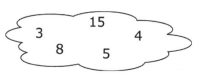

3  15  8  5  4

**Remember:**

◆ An expression is a sentence containing letter terms.

◆ An equation can be solved to find an unknown value.

**1**  **a**  Copy this diagram. Decide which are expressions and which are equations and draw a line to the correct name.
(One has been done for you.)

| $6n + 1$ | | $x - 2 = 13$ | | $10x + 4 = 104$ |

| $2c + 5c - 18 + 2c$ | | Equations | | $5p - 6$ |

| $48 = 6a$ | | | | $3z = 21$ |

| | $2y = 50$ | | Expressions | | $5p = 18 + 12$ |

| $8p + 3p + 7$ | | $6y - 6 = 0$ | | $7p + 18$ |

**b**  For each of the equations work out the value of the unknown.

**2**  Solve each of these equations.

| **a** | $3x = 15$ | **e** | $7 - a = 2$ |
| **i** | $2 + f = 1$ | **b** | $x + 9 = 42$ |
| **f** | $16 = c + 4$ | **j** | $g - 5 = {}^-2$ |
| **c** | $y - 3 = 10$ | **g** | $6d = 30$ |
| **k** | $4h = 60$ | **d** | $\frac{1}{2}x = 7$ |
| **h** | $e - 8 = 0$ | **l** | $2x + 1 = 11$ |

**3**  Write this as an equation and solve it.

"I think of a number ($n$), multiply by 3, subtract 7 and the answer is 11."

**Remember:**

◆  $x + 2x = 3x$

◆  $4p - 3p + p = 2p$

**1**  Use these terms in all the questions:

| $4x$ | $3x$ | $5x$ | $2x$ | $8x$ | $6x$ |

**a**  Find two terms that add together to make:

**i**  $9x$     **ii**  $6x$     **iii**  $13x$     **iv**  $12x$     **v**  $5x$

**b**  Find three terms that add together to make:

**i**  $9x$     **ii**  $10x$     **iii**  $17x$     **iv**  $15x$     **v**  $12x$

**c**  Subtract one term from another to make:

**i**  $6x$     **ii**  $3x$     **iii**  $4x$     **iv**  $x$     **v**  $2x$

**d**  Use all of the six terms (adding and subtracting) to make:

**i**  $28x$     **ii**  $24x$     **iii**  $20x$     **iv**  $0$     **v**  $10x$

**2**  $8x$ ☐ $6x$ ☐ $5x$ ☐ $4x$

Use ☐+☐ , ☐+☐ and ☐−☐ once each in the expression to make these amounts:

**a**  $13x$     **b**  $15x$     **c**  $11x$

**3**  Find the perimeter of each number.

**a**

**b**

**c**

**d**

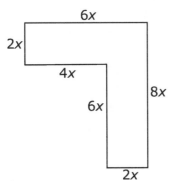

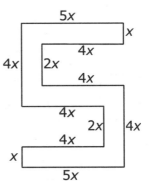

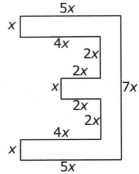

33

**Remember:**
◆ Like terms use the same letter and can be collected.
◆ Unlike terms cannot be collected together.

**1**  Simplify these expressions by collecting like terms:

   **a**  $3x + 2y - x + 5y$    **f**  $6 + 7g - 11 + 8y - 3$

   **b**  $2a - 3b + 7a + 5b$    **g**  $7h - 3i - 4h - 2i$

   **c**  $6c + 3 - 2c - 5$    **h**  $6j + 8k + 7 - 3j$

   **d**  $3d + 5e - 4e + 7d$    **i**  $4m - 8n - 5m + 4n$

   **e**  $6f - 18 - 3f + 7$    **j**  $6p - 3q + 7p - 8 + 4q + 3$

**2**  Copy and complete these algebra walls.
Each layer is found by adding and simplifying the terms in the boxes below.

**a**

| ? + ? | | | |
|---|---|---|---|
| ? | | $3x + 1$ | |
| $3x$ | $x$ | $x + 1$ | $2x$ |

**b**

| ? + ? | | | |
|---|---|---|---|
| ? + ? | | ? + ? | |
| $2a + 3b$ | $5a$ | $a + 3b$ | $5b$ |

**c**

| ? + ? | | | |
|---|---|---|---|
| $5c + 3$ | | ? + ? | |
| ? | $3$ | $c + 1$ | $2c + 3$ |

**d**

| ? + ? | | | |
|---|---|---|---|
| $5d + 3e$ | | $2d + 4e$ | |
| ? + ? | $d + e$ | $d + e$ | ? + ? |

**3**  Use these bricks to build an algebra wall.

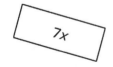

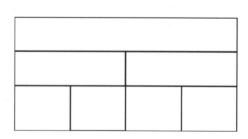

| $7x + 6y + 2$ |
|---|

**1**  In these expressions $a = 5$, $b = 3$, $c = 4$
Work out the value of each expression.
The first one is done for you.

**a**  $3a + b = 3 \times 5 + 3$
$\qquad = 15 + 3$
$\qquad = 18$

**b**  $6c$  **g**  $ab$  **l**  $4b - 15$

**c**  $a + b$  **h**  $bc$  **m**  $10b + ac$

**d**  $2a + c$  **i**  $2a + 3b$  **n**  $8 + 4b$

**e**  $4a - b$  **j**  $8a - 5c$  **o**  $a - b - c$

**f**  $3c - a$  **k**  $ab - 12$

**2**  **Matching pairs**

In each of these expressions $x = 6$ and $y = 2$.

Match the expressions with their values. The first one is done for you.

**a**  $3x - 5$    **i**  0

**b**  $x - 3y$  **ii**  2

**c**  $xy$  **iii**  12

**d**  $8y$  **iv**  13

**e**  $2x + 3y$  **v**  14

**f**  $4x - 5y$  **vi**  16

**g**  $x - 2y$  **vii**  18

**3**  In this question, $m = 4$ and $n = 5$
Write expressions using $m$ and $n$ that have these values. The
first one is done for you.

**a**  $18 = 2m + 2n$  **d**  9  **g**  1

**b**  16  **e**  13  **h**  3

**c**  25  **f**  19  **i**  11

35

1   You are given the first 5 terms of a sequence. Match each
sequence with its general term. The first one is done for you.

| | **Sequences** | | **General terms** |
|---|---|---|---|
| **a** | 8, 13, 18, 23, 28 | **i** | $3n + 5$ |
| **b** | 5, 7, 9, 11, 13 | **ii** | $2n - 1$ |
| **c** | 1, 3, 5, 7, 9 | **iii** | $30 - 5n$ |
| **d** | 8, 11, 14, 17, 20 | **iv** | $5n + 3$ |
| **e** | 25, 20, 15, 10, 5 | **v** | $2n + 3$ |
| **f** | 11, 14, 17, 20, 23 | **vi** | $5n + 25$ |
| **g** | 30, 35, 40, 45, 50 | **vii** | $3n + 8$ |

2   Write down the first five terms of the sequences for these
general terms:

a   $2n + 7$

c   $6n - 3$

b   $4n - 3$

d   $22 - 3n$

3   **Challenge**

Here is a sequence of dots.

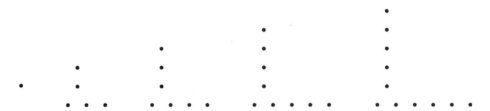

a   Write down the number of dots for each of the first five
terms in this sequence.

b   Write down the general term for this sequence.

c   How many dots will there be in the 10th term?

Kath puts **1 small square tile** on a square dotty grid, like this:

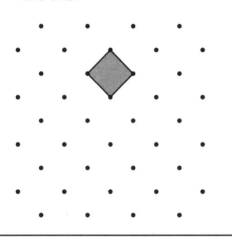

Den makes a **bigger square** with **4** small square tiles like this:

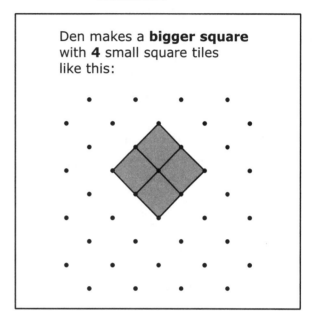

a    Scott has **9** small square tiles.

On a square grid, show how Scott can make a **square** in the same way with **9** small square tiles.    *1 mark*

b    On a square grid, show how to make a **square** with **more than 9** of these small square tiles.

How many tiles are there in your square?    *1 mark*

c    Huw wants to make some more squares with the tiles.

Write **3 other** numbers of tiles that he can use to make squares.

*2 marks*

A teacher has a large pile of cards.

An expression for the **total** number of cards is **6n + 8**.

**a** The teacher puts the cards in two piles.

The number of cards in the first pile is **2n + 3**.

first pile          second pile

Write an expression to show the number of cards in the second pile.

*1 mark*

**b** The teacher puts all the cards together.

Then he uses them to make **two equal piles**.

Write an expression to show the number of cards in one of the piles.

*1 mark*

**c** The teacher puts all the cards together again,
then he uses them to make two piles.

There are **23** cards in the first pile.

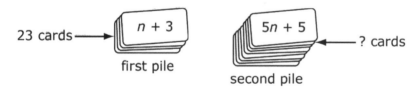

23 cards ⟶ first pile

second pile ⟵ ? cards

How many cards are in the second pile?
Show your working.                *2 marks*

38

You should know these metric conversions:

> **Remember:**
>
> | Length | Weight | Capacity |
> |---|---|---|
> | 1 cm = 10 mm | 1 kg = 1000 g | 1 t = 1000 kg |
> | 1 m = 100 cm | 1 cl = 10 ml | 1 l = 1000 ml |
> | 1 km = 1000 m | | |

1  For each sentence, choose the correct metric unit from this list:

| mm | cm | m | km | g | kg | t | ml | cl | l |
|---|---|---|---|---|---|---|---|---|---|

    **a**    The width of a door is just less than 1 ____.

    **b**    A cup holds 200 ____ of liquid.

    **c**    An apple weighs approximately 100 ____.

    **d**    It is 1410 ____ from John o'Groats to Land's End.

    **e**    A large container of drinking water contains 4 ____.

    **f**    John Roy of Clacton, Essex held the record for the longest moustache in Great Britain. It was 189 ____ long.

    **g**    The deepest cave in Great Britain is in Wales. It is 308 ____ deep.

    **h**    A wash-basin holds about 8 ____ of water.

    **i**    A lorry weighs 10 ____.

    **j**    An adult man might weigh 70 ____.

2  Change each of these measurements to centimetres (cm).

    **a**    10 mm        **b**    45 mm        **c**    1 m

    **d**    2 m          **e**    1 km

3  Change each of these measurements to grams (g).

    **a**    1000 mg      **b**    1 kg        **c**    4000 mg

    **d**    2.5 kg       **e**    1 t

4  How many full cans of drink (330 ml) can I fill from a litre bottle of drink?

1   Choose the most likely answer for each of these.

a   A can of lemonade holds
   i   33 ml       ii   330 ml       iii   3300 ml.

b   The speed limit on the roads around the school is
   i   30 mph      ii   300 mph      iii   3000 mph.

c   The thickness of glass in a window is
   i   3 mm        ii   30 mm        iii   300 mm.

d   The width of a saucer is
   i   2.5 cm      ii   25 cm        iii   250 cm.

e   The classroom is
   i   3 m         ii   6 m          iii   12 m high.

f   An adult weight about
   i   7 kg        ii   70 kg        iii   700 kg.

g   A bucket holds
   i   0.3 l       ii   3 l          iii   30 l.

2   i What does each division represent on each scale?
   ii Write down the value shown by each pointer on each of the scales.

a

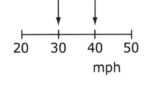

b

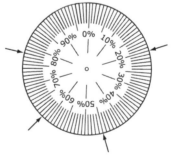

c

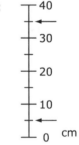

d

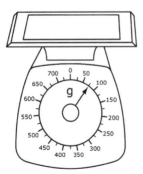

e

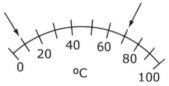

f

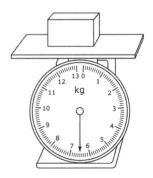

**1** A pentomino is made by joining five squares.
There are 12 pentominoes.
Two pentominoes are shown here.

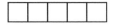 

Draw the other 10 pentominoes on squared paper.

Find the perimeter and area of each pentomino.

**2** This table gives the perimeters and areas of some shapes.

| Perimeter (cm) | Area (cm²) |
|:---:|:---:|
| 4 | 1 |
| 6 | 2 |
| 8 | 3 |
| 8 | 4 |
| 10 | 4 |
| 10 | 5 |
| 12 | 5 |

Draw each shape on squared paper.
For example:

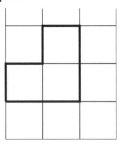

Perimeter = 8 cm
Area = 3 cm²

**3** Find the missing lengths.

**a** 5 cm
Perimeter = 16 cm ?

**b** ?
Perimeter = 20 m (square) ?

**c** ?
Perimeter = 26 m 3 m

**4** Find the missing lengths.

**a** 8 cm
Area = 32 cm² ?

**b** 10 m
Area = 50 m² ?

**c** ?
Area = 100 mm² (square) ?

**1** Find the perimeter and area of these shapes:
Each square is 1 cm².

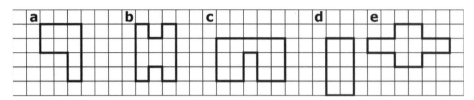

**2** Draw these shapes on squared paper. Find the perimeter and area of each shape.

**a**

8 cm
4 cm

**b**

square
5 cm

**c**
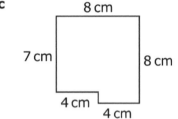
8 cm
7 cm
8 cm
4 cm
4 cm

**d**
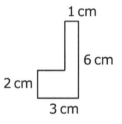
1 cm
6 cm
2 cm
3 cm

**e**
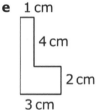
1 cm
4 cm
2 cm
3 cm

**3** Calculate the perimeter and area of these shapes.

**a**
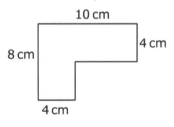
10 cm
4 cm
8 cm
4 cm

**b**
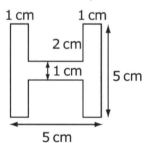
1 cm   1 cm
2 cm
1 cm
5 cm
5 cm

**c**
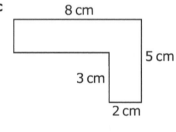
8 cm
5 cm
3 cm
2 cm

**4** Calculate each of the shaded areas.

**a**
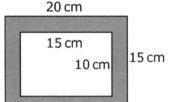
20 cm
15 cm
10 cm
15 cm

**b**
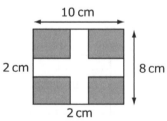
10 cm
2 cm
8 cm
2 cm

**5** Twelve identical rectangles are arranged to make this square.
Calculate the area of one of the rectangles.

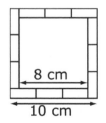
8 cm
10 cm

All these nets form a closed cube. Each square is 1cm².

a    b    c    d

e    f    g    h

i    j    k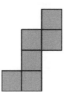

**a**   Calculate the perimeter of each net.

**b**   Calculate the area of each net.

**2 a**   What is the length of one edge for this cube?
Each small square is 1 cm².

**b**   Calculate the surface area of the cube.

**c**   Calculate the perimeter of the net.

**3**  Calculate the surface area of cubes with edge length:

**a**   3 cm   **b**   5 cm   **c**   7 cm

**4**  The area of one face of a cube is 36 cm².

**a**   What the length of one edge?

**b**   What is the surface area of the cube?

Area = 36 cm²

**5**  Each brick in a set of toy bricks is a cube of edge length 4 cm.

**a**   Find the surface area of one cube.

**b**   If the surface area of all the cubes is 1152 cm²,
how many bricks are there in the set?

**1**  These nets each make a cuboid. Each small square is 1 cm².

**a** 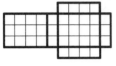     **b** 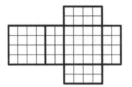     **c**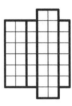

**d** 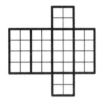     **e** 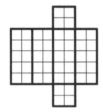     **f**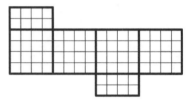

Find the length, width, height and surface area of each cuboid.

**2**  Find the surface area of each of these cuboids.

**a** 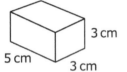     **b** 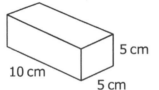     **c**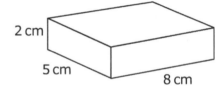

**3**  Find the surface area of this cereal packet.

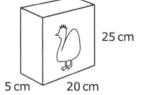

**4**  For each of these cuboids:

  **i**   Calculate the surface area.

  **ii**  Work out the dimensions.

**a** 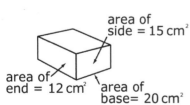     **b** 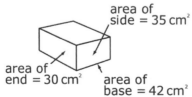     **c**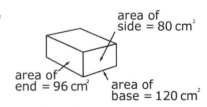

Level 4

**a** What is the **area** of this rectangle?

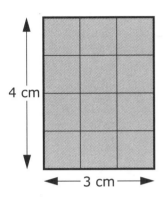

*1 mark*

**b** I use the rectangle to make four triangles.

Each triangle is the same size.

What is the area of **one** of the triangles?

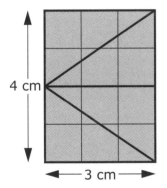

*1 mark*

**c** I use the four triangles to make a trapezium.

What is the area of the trapezium?

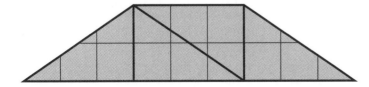

*1 mark*

Level 5

Lucy is investigating areas and perimeters of shapes.

She makes a **square** with a perimeter of 24cm.

NOT TO
SCALE

**a**   Calculate the area of her square.                    *1 mark*

Lucy makes a rectangle with a perimeter of 24cm.

The **length** is **twice** the **width**.

NOT TO
SCALE

**b**   Calculate the area of her rectangle.                 *1 mark*

**1**  For each function machine, input the numbers
1, 2, 3, 4 and list the output.

**Hint:** $1 \times 4 - 3 = 1$
$2 \times 4 - 3 = 5$

**a**

**b**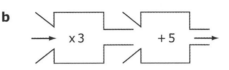

**c**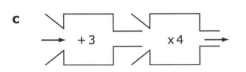

**d**

**2**  Match each function with its function machine.

**a**  Double the input number then subtract 3

**i**  $n \longrightarrow \boxed{\times 2} \rightarrow \boxed{+ 3} \rightarrow$

**b**  $2n + 3$

**ii**  $n \longrightarrow \boxed{+ 3} \rightarrow \boxed{\times 2} \rightarrow$

**c**  Think of a number, add 3 then double it.

**iii**  $n \longrightarrow \boxed{- 3} \rightarrow \boxed{\times 2} \rightarrow$

**d**  Input $n$, subtract 3, multiply by 2.

**iv**  $n \longrightarrow \boxed{\times 2} \rightarrow \boxed{- 3} \rightarrow$

**3**  Work out the outputs for each of these pairs of function machines.

**a**  $\begin{matrix}1\\2\\3\\4\end{matrix} \boxed{\times 3} \rightarrow \boxed{+ 4} \rightarrow$  and  $\begin{matrix}1\\2\\3\\4\end{matrix} \boxed{+ 4} \rightarrow \boxed{\times 3} \rightarrow$

**b**  $\begin{matrix}1\\2\\3\\4\end{matrix} \boxed{\times 2} \rightarrow \boxed{+ 4} \rightarrow$  and  $\begin{matrix}1\\2\\3\\4\end{matrix} \boxed{+ 2} \rightarrow \boxed{\times 2} \rightarrow$

**c**  $\begin{matrix}1\\2\\3\\4\end{matrix} \boxed{\times 2} \rightarrow \boxed{\times 3} \rightarrow$  and  $\begin{matrix}1\\2\\3\\4\end{matrix} \boxed{\times 3} \rightarrow \boxed{\times 2} \rightarrow$

**i**  Two of the pairs give the same answers. Explain why.

**ii**  Explain why the function machines in other pairs give different outputs.

Match each function machine with its equation and table of values.

**1** 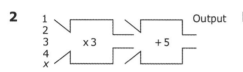 Output

**a** $y = 3x + 5$

**i**

| x | 1 | 2 | 3 | 4 |
|---|---|---|---|---|
| y | 8 | 11 | 14 | 17 |

**2** 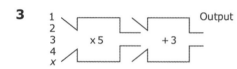 Output

**b** $y = 5x + 3$

**ii**

| x | 1 | 2 | 3 | 4 |
|---|---|---|---|---|
| y | 2 | 7 | 12 | 17 |

**3** 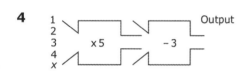 Output

**c** $y = 5x - 3$

**iii**

| x | 1 | 2 | 3 | 4 |
|---|---|---|---|---|
| y | 1 | 4 | 7 | 10 |

**4** Output

**d** $y = 3x - 2$

**iv**

| x | 1 | 2 | 3 | 4 |
|---|---|---|---|---|
| y | 8 | 13 | 18 | 23 |

**5** Copy and complete the table of values for each of these function machines.
Express the function as an equation.
The first one is done for you.

**a**

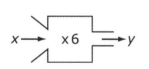

| x | 0 | 1 | 2 | 3 |
|---|---|---|---|---|
| y | 0 | 6 | 12 | 18 |

Equation is $y = 6x$

**b**

| x | 0 | 1 | 2 | 3 |
|---|---|---|---|---|
| y | | | | |

**c**

| x | 0 | 1 | 2 | 3 |
|---|---|---|---|---|
| y | | | | |

**d**

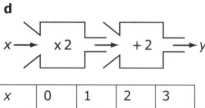

| x | 0 | 1 | 2 | 3 |
|---|---|---|---|---|
| y | | | | |

**e**

| x | 0 | 1 | 2 | 3 |
|---|---|---|---|---|
| y | | | | |

**f**

| x | 0 | 1 | 2 | 3 |
|---|---|---|---|---|
| y | | | | |

**Remember:**

◆ The table of values shows the coordinate pairs.
  For example:

| x | 0 | 1 | 2 | 3 |
|---|---|---|---|---|
| y | ⁻1 | 1 | 3 | 5 |

(0,⁻1)     (2,3)

**1**  **a**  Show the equation $y = 3x + 1$ as a function machine.

**b**  Input the values 0, 1, 2 and 3.
      Copy and complete this table of values:

| x | 0 | 1 | 2 | 3 |
|---|---|---|---|---|
| y |   |   |   |   |

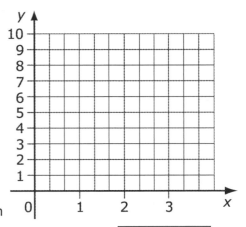

**c**  Plot the points on a copy of the grid. Join them
      up to make a straight line.

**d**  Now do the same for the equation $y = 2x + 2$.

**e**  Write down the point where the two lines intersect.

**Hint:**
"intersect"
means
"cross"

**2**  Two graphs are drawn on
this grid. One is $y = 2x + 1$.
The other is $y = x + 4$.
Work out (and explain)
which equation belongs to
each graph.

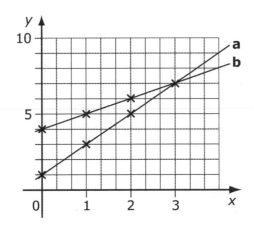

49

**1** For each of these equations, only two of the coordinate pairs given lie on the graph. Which coordinate pair is the odd one out? The first one is done for you.

    **a**    $y = 3x - 2$     **i**   (1,1)     **ii**   (2,4)   **iii** (4,12)

        **i**     when $x = 1$   $y = 3 - 2 = 1$ (1,1) OK

        **ii**    when $x = 2$   $y = 6 - 2 = 4$ (2,4) OK

        **iii**   when $x = 4$   $y = 12 - 2 = 10$ (4,10) So (4, 12) is the odd one out.

    **b**    $y = 3x + 5$     **i**   (1,8)     **ii**   (2, 10)    **iii**   (4,17)

    **c**    $y = 2x - 1$     **i**   (2,3)     **ii**   (5, 8)     **iii**   (6,11)

    **d**    $y = \frac{1}{2}x + 4$     **i**   (2,4)     **ii**   (4, 6)     **iii**   (0,4)

**2** Copy the grid.

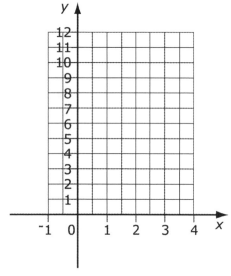

    **a**    Make a table of values for $y = 2x + 3$.
         Use $x$ values 0, 1, 2, 3, 4.

    **b**    Plot the coordinate pairs from your table.

    **c**    Join your points to make a straight line.

    **d**    Extend the line down. Write down the coordinate pair when $x = -1$ : ($^-1$,   )

    **e**    Explain how you could find the $y$ value when $x = {}^-1$ from the equation $y = 2x + 3$.

**Remember:**
- Every coordinate pair on a line parallel to the *x*-axis has the same *y* value.
- Every coordinate pair on a line parallel to the *y*-axis has the same *x* value.

**1**   Draw a set of axes from ⁻6 to +6 on each axis.
Plot each set of coordinate points and join them to form a straight line.
Write the equation for each line.

  **a**   (⁻2, 5)  (⁻2, ⁻3)  (⁻2, 1)  (⁻2, ⁻6)
  **b**   (3, 4)  (⁻5, 4)  (0,4 )  (6, 4)
  **c**   (5, 1)  (5, ⁻6)  (5, ⁻2)  (5, 4)

**2**   Match each line to its equation.

  **i**   $y = 6$

  **ii**   $y = 4$

  **iii**   $x = ⁻2$

  **iv**   $x = 6$

  **v**   $y = ⁻2$

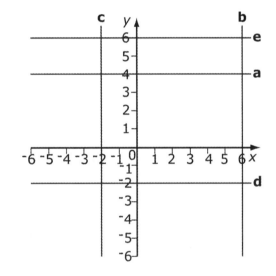

**3**   Copy this grid with the line $y = x$.

  **a**   Draw the line $y = 4$ on your grid.

  **b**   Draw the line $x = ⁻2$ on your grid.

  **c**   What is the name of the shape formed between the lines $y = x$, $y = 4$ and $x = ⁻2$?

  **d**   What is the area of this shape?

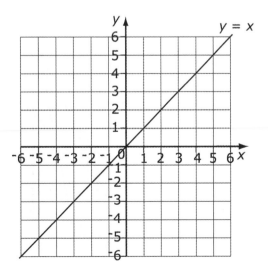

> **Remember:**
> ◆ The bigger the multiples of $x$, the steeper the line.

**1**   For each of these equations:

$y = 2x - 1$   $y = 4x - 1$   $y = 3x - 1$

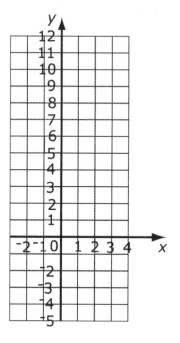

   **a**   Copy and complete the table of values

| $x$ | $^-1$ | 0 | 1 | 2 | 3 |
|---|---|---|---|---|---|
| $y$ | | | | | |

   **b**   Copy the grid.

   **c**   Plot the coordinate pairs on the grid and join them to form a straight line. Label each line with its equation.

   **d**   Plot each graph on the same grid.

   **i**   At what point do all of the graphs intersect?

   **ii**   Which graph is the steepest? Explain why this is the case.

**2**   Match each graph to its equation.

   **i**    $y = 5x + 5$

   **ii**   $y = 2x + 4$

   **iii**  $y = x$

   **iv**   $y = x - 4$

   **v**    $y = {}^-4$

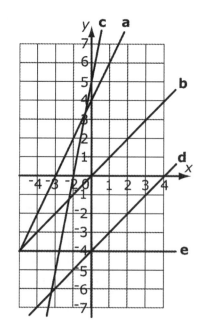

Level 4

**a** I can think of three different rules to change **6** to **18**:

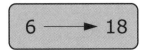

Copy and complete these sentences to show what these rules could be.

first rule: **add** _____ *1 mark*

second rule: **multiply by** _____ *1 mark*

third rule: **multiply by 2 then** _____ *1 mark*

**b** Now I think of a new rule.

The new rule changes 10 to 5 **and** it changes 8 to 4:

Write what the new rule could be. *1 mark*

**Level 5**

**a**   You pay **£2.40** each time you go swimming.

Copy and complete the table.

| Number of swims | 0 | 10 | 20 | 30 | |
|---|---|---|---|---|---|
| Total cost (£) | 0 | 24 | | | *1 mark* |

**b**   Show the information on a copy of the graph below.

Join the points with a straight line.                              *2 marks*

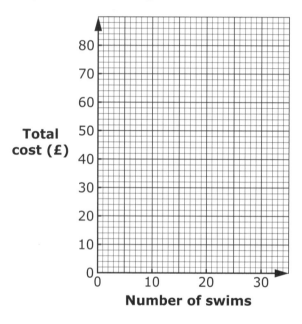

**c**   A different way of paying is to pay a **yearly** fee of **£22**.

Then you pay **£1.40** each time you go swimming.

Copy and complete the table.

| Number of swims | 0 | 10 | 20 | 30 | |
|---|---|---|---|---|---|
| Total cost (£) | 22 | 36 | | | *1 mark* |

**d**   Now show this information on the same graph.

Join these points with a straight line.                              *2 marks*

**e**   For **how many swims** does the graph show that the cost is the
**same** for both ways of paying?                              *1 mark*

For each target number, find four different 'multiply or divide by 10 or 100' questions that give the target number.

For example:   Target: 35

$350 \div 10 = 35$

$3.5 \times 10 = 35$

$0.35 \times 100 = 35$

$3500 \div 100 = 35$

**1**   Target: 4

**2**   Target: 20

**3**   Target: 52

**4**   Target: 540

**5**   Target: 125

**Remember:**

◆ It helps to use a number line when rounding.

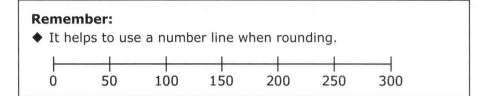

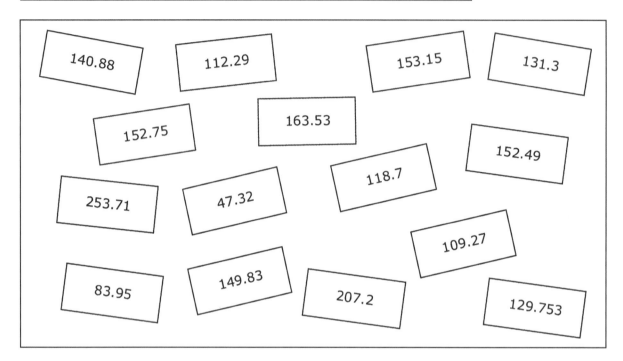

140.88    112.29    153.15    131.3

152.75    163.53    152.49

253.71    47.32    118.7

109.27

83.95    149.83    207.2    129.753

Find all the numbers in the box which round to:

**1**    200 to the nearest 100

**2**    150 to the nearest 10

**3**    153 to the nearest whole number

**4**    100 to the nearest 100

**5**    120 to the nearest 10?

This map shows seven towns, A, B, C, D, E, F and G and the roads between them. The distances are in km.

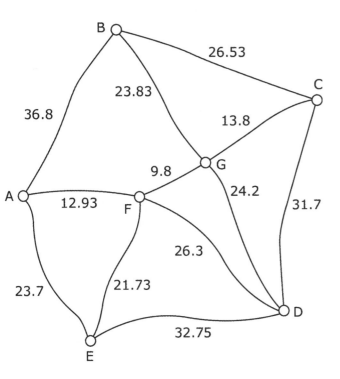

Calculate the shortest distance from:

**a**    A to D

> **Hint:**
> You can go A to F to D or A to E to D.
> Which is the shortest route?

**b**    A to C

**c**    C to E

**d**    B to C via E

Show all your working.

In this number diagram the answer to each calculation is 72.

Find the missing numbers. Show all your working.

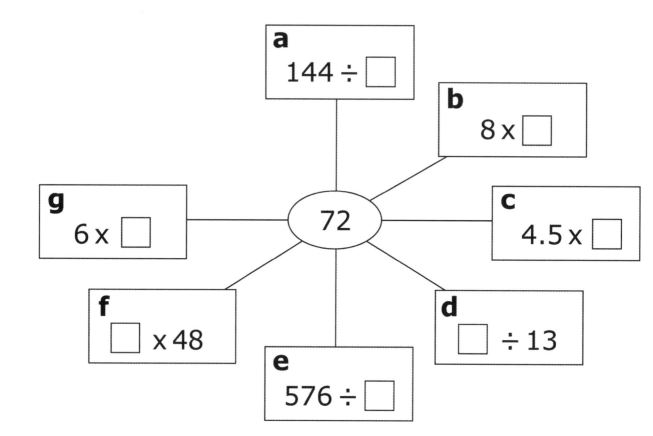

**Remember:**
You can multiply large numbers using the

**Grid method**                or        **Standard method**

26 x 32

|     | 30  | 2  |
|-----|-----|----|
| 20  | 600 | 40 |
| 6   | 180 | 12 |

600 +
40 +
180 +
12
832

```
      32
    x 26
      12    6 x 2
     180    6 x 30
      40    20 x 2
     600    20 x 30
     832
```

Copy and complete these number walls.
Two bricks next to each other multiply to make the brick above.
Choose a mental or a written method for each calculation.

**1**

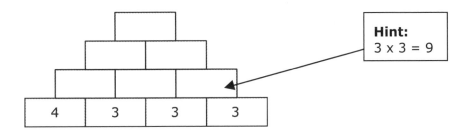

**Hint:**
3 x 3 = 9

**2**

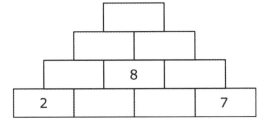

**3**

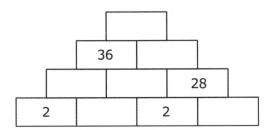

**Remember:**

You can work out division using repeated subtraction

296 ÷ 13

$$
\begin{array}{ll}
296 & \\
260 & 13 \times 20 \\
\hline
36 & \\
26 & 13 \times 2 \\
\hline
10 & \\
\hline
13 \times 22 & (+)\ 10 = 296 \\
\end{array}
$$

So 296 ÷ 13 = 22 remainder 10

**1**    Work out the answer to each calculation.
Show your working.

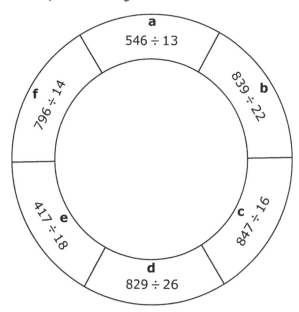

**2**    For each of your answers in question 1, use the tables to match
the remainder to a letter.

| Remainder | 0 | 1 | 2 | 3 | 4 | 5 | 6 | 7 | 8 | 9 | 10 | 11 | 12 |
|-----------|---|---|---|---|---|---|---|---|---|---|----|----|----|
| Letter | P | Z | E | A | Q | N | W | I | H | G | T | X | L |

| Remainder | 13 | 14 | 15 | 16 | 17 | 18 | 19 | 20 | 21 | 22 | 23 | 24 | 25 |
|-----------|----|----|----|----|----|----|----|----|----|----|----|----|----|
| Letter | K | F | S | D | R | V | J | U | B | Y | C | O | M |

Your answers should spell the name of a famous mathematician.

**1**  In this puzzle you start at A. You get to B by only stepping on
the squares where the ratio is equivalent to 2 : 1.

You can only move horizontally and vertically, **not** diagonally.

List the numbers of the squares you step on.

A

|  | 2 : 1 |  |  |  |
|---|---|---|---|---|
| **1** 6 : 4 | **2** 20 : 10 | **3** 6 : 3 | **4** 12 : 3 | **5** 12 : 8 |
| **6** 10 : 2 | **7** 40 : 20 | **8** 9 : 2 | **9** 9 : 6 | **10** 8 : 2 |
| **11** 8 : 6 | **12** 8 : 4 | **13** 18 : 9 | **14** 24 : 12 | **15** 4 : 16 |
| **16** 30 : 10 | **17** 16 : 4 | **18** 2 : 4 | **19** 16 : 8 | **20** 20 : 15 |
| **21** 20 : 5 | **22** 50 : 20 | **23** 50 : 25 | **24** 10 : 5 | **25** 40 : 10 |
|  | 2 : 1 |  |  |  |

B

For example, from A you can step on square ③
because 6 : 3 is equivalent to 2 : 1

$$\div 3 \left( \begin{array}{c} 6 : 3 \\ 2 : 1 \end{array} \right) \div 3$$

**2**  Copy and complete this grid to make your own puzzle.
Use ratios equivalent to 2 : 3.

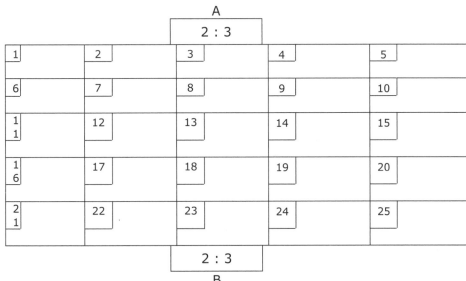

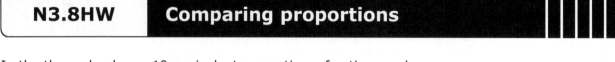

In the three clouds are 10 equivalent proportions, fractions and percentages.
Some of the fractions are in simplest form.

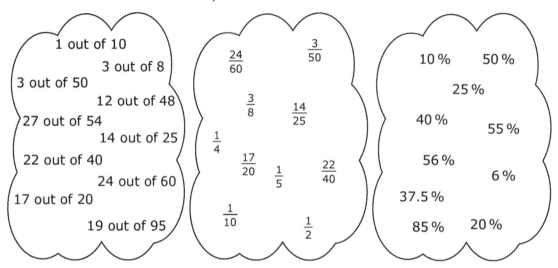

Copy and complete this table by matching
the proportions, fractions and percentages.
The first one is done for you.

| Proportion | Fraction | Percentage |
|---|---|---|
| 17 out of 20 | $\dfrac{17}{20}$ | 85% |
| | | 56% |
| | | 55% |
| | | 50% |
| | | 40% |
| | | 37.5% |
| | | 25% |
| | | 20% |
| | | 10% |
| | | 6% |

This table shows the money systems used in different countries around the world.
Find the missing values in the table.

The first one is done for you.

| Country | Money | £1 = | £2 = | £3 = | £5 = |
|---|---|---|---|---|---|
| Norway | krone | 11.5 krone | 23 krone | a | b |
| Singapore | Singapore dollar ($) | $2.75 | c | d | e |
| Thailand | baht | f | 134 baht | g | h |
| Switzerland | Swiss franc | i | j | 6 francs | k |
| Malta | lire | l | m | n | 30 lire |

**a**

×3    £1 is 11.5 krone    ×3

so    £3 is 34.5 krone

Note: these exchange rates in real life may change from day to day.

Level 4

Here are some number cards:

0 1 2 3 4 5

Joan picked these three cards:

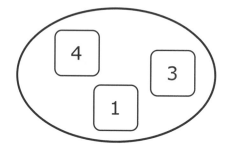

She made the number **314** with her cards.

**a** **i** Which extra card should she pick to make her number
**10 times** as big? *1 mark*

**ii** What number is **10 times** as big as 314? *1 mark*

**b** **i** Andy has these cards:

He made the number 42.5 with four of his cards.
Use some of Andy's cards to show the number **10 times** as
big as 42.5 *1 mark*

**ii** Use some of Andy's cards to show the number **100 times**
as big as 42.5 *1 mark*

Level 5

Screenwash is used to clean car windows.

To use Screenwash you mix it with water.

| Winter mixture |
|---|
| Mix **1** part Screenwash with **4** parts water. |

| Summer mixture |
|---|
| Mix **1** part Screenwash with **9** parts water. |

a   In **winter,** how much water should I mix with **150ml of Screenwash**?                                                     *1 mark*

b   In **summer,** how much Screenwash should I mix with **450ml of water**?                                                        *1 mark*

c   Is this statement correct?

   | **25%** of **winter** mixture is **Screenwash**. |
   |---|

   Write Yes or No.

   Explain your answer.                                                                         *1 mark*

**Remember:**
Congruent shapes are exactly the same shape and size

In questions 1–3, write down the letters of the congruent shapes.

**1**   **a** ☐   **b** ☐   **c** ◇   **d** ◇

**2**   **a** △   **b** ◇   **c** ◇   **d** ◇

**3**   **a**   **b**   **c**   **d**

**4**   A translation is a sliding movement.
Which of these shapes are translations of shape A?

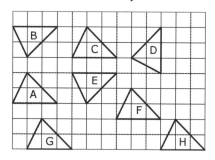

**5**   On squared paper, draw the x-axis from x = 0 to x = 13
and the y-axis from y = 0 to y = 13.

Plot each of these shapes on the same grid.

◆   Name each shape.

◆   Translate each shape by the amount given.

◆   Write down the coordinates of the translated shape.

**A** (0,11) (1, 13) (5,13) (6,11) (0,11)   Translate $\begin{pmatrix} 6 \text{ right} \\ 1 \text{ down} \end{pmatrix}$

**B** (10,2) (11,2) (11,3) (10,3) (10,2)   Translate $\begin{pmatrix} 4 \text{ left} \\ 6 \text{ up} \end{pmatrix}$

**C** (12,2) (13,2) (13,3) (12,3) (12,2)   Translate $\begin{pmatrix} 1 \text{ left} \\ 6 \text{ up} \end{pmatrix}$

**D** (1,5) (2,5) (2,7) (1,7) (1,5)   Translate $\begin{pmatrix} 10 \text{ right} \\ 0 \text{ up} \end{pmatrix}$

1    Copy these shapes onto squared paper.
     Reflect each shape in the vertical mirror line.

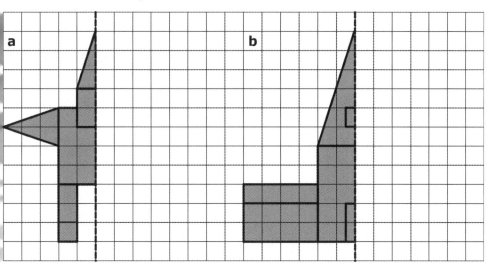

2    Which of the following reflections can you make by
     positioning a mirror on this 'face'?

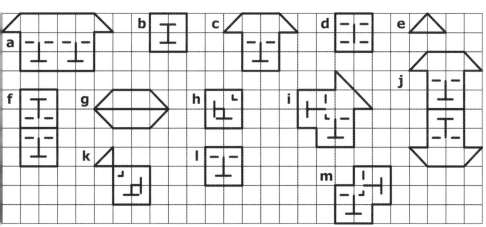

3    Copy these shapes onto squared paper.
     Reflect each shape in the mirror lines.

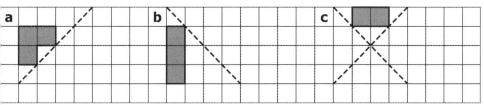

1  Give the angle and direction of each of these rotations.

a 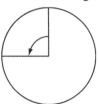  b 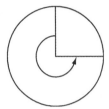  c 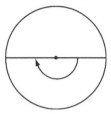  d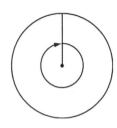

2  Copy these shapes and rotate about **x** through the angle given.

    **a**  180° clockwise     **b**  180° clockwise     **c**  180° clockwise

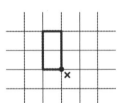  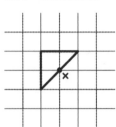  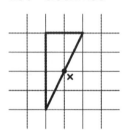

3  Find the angle of rotation to transform the grey kite to each of the other kites.

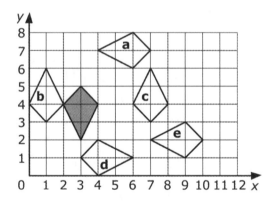

4  Calculate the angle of rotation of the minute hand of this clock as it moves from:

    **a**  12 to 12     **b**  12 to 3

    **c**  12 to 1     **d**  12 to 2

    **e**  12 to 4     **f**  1 to 6

**Remember:**

◆ A shape has **reflection symmetry** if you can fold it so that one half fits exactly on top of the other.

◆ The order of **rotational symmetry** is the number of times a shape looks exactly like itself in a complete turn.

**1**   Copy each shape and draw in the lines of symmetry.

   **a**     **b**     **c**     **d**

**2**   Find the order of rotational symmetry for each of these shapes.

   **a**     **b**     **c**     **d**     **e**

   **f**     **g**     **h**     **i**     **j**

**3**   Six milk bottles are placed in a crate. This arrangement has one line of symmetry

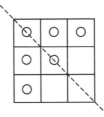

   Find:

   **a**   three different arrangements each with one line of symmetry

   **b**   two different arrangements each with two lines of symmetry

   **c**   one arrangement with no lines of symmetry.

**4**   Draw these two congruent shapes on squared paper and cut them out.

   Fit them together to make:

   **a**   a shape with only one line of symmetry

   **b**   a shape with rotational symmetry of order 2

   **c**   a shape that has two lines of symmetry and rotational symmetry of order 2.

   Draw each arrangement that you make.

**1**  Copy and complete these sentences.

    **a**    Congruent shapes are exactly the same ____ and the same ____.

    **b**    A sliding transformation is called a _____.

    **c**    A turning transformation is called a _____.

    **d**    A mirror image transformation is called a _____.

**2**  The diagram shows transformations of a triangle.

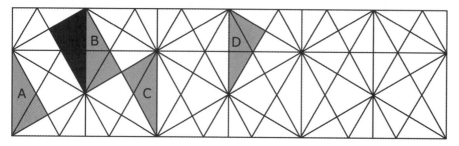

| reflection | translation | rotation |
|---|---|---|

Select the correct transformation from the box to move the black triangle to:

**a**    triangle A

**b**    triangle B

**c**    triangle C

**d**    triangle D

**3**  Identify the pairs of congruent shapes in each diagram.
Describe the transformation which will move one to the other.
Give as much information as you can for each transformation.

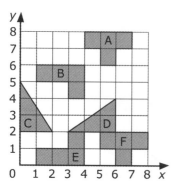
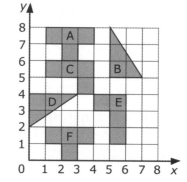

**1** Which tub of margarine is the better value?

 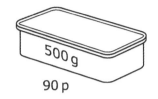

250 g
50 p

500 g
90 p

**2** These ingredients make 4 Yorkshire puddings. Work out the ingredients needed to make:

**a** 2 Yorkshire puddings

**b** 1 Yorkshire pudding

**c** 8 Yorkshire puddings.

*Yorkshire Pudding*

200 g flour
2 eggs
500 ml milk
pinch of salt

**3** The number of fish eaten by a shark depends on its weight.

**a**

100 kg

**b**

150 kg

**c**

80 kg

**d**

35 kg

The 100 kg shark eats 200 fish.
How many fish does each of the other sharks eat?

**4** A glass tumbler holds 250 ml.

**a** How many glasses could you fill from a 2 l bottle of lemonade?

**b** What is the ratio of the glass capacity to the bottle capacity?

**Remember:**
1000ml = 1l

Level 4

Look at the shaded shape.

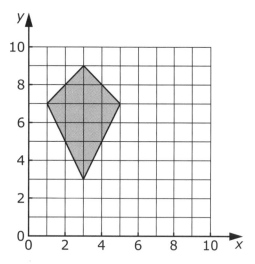

**a** **Two** statements below are correct.

Write down the correct statements.

- The shape is a **quadrilateral.**
- The shape is a **trapezium**.
- The shape is a **pentagon**.
- The shape is a **kite.**
- The shape is a **parallelogram**.

*1 mark*

**b** What are the co-ordinates of point **B**?

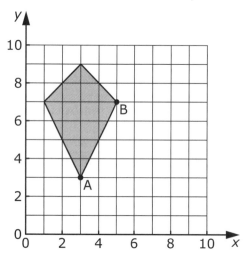

*1 mark*

*continued*

**c** The shape is **reflected** in a mirror line.

Point A stays in the same place.

Where is point **B** reflected to?

Copy the grid and shape, and put a cross on the grid to show the correct place.

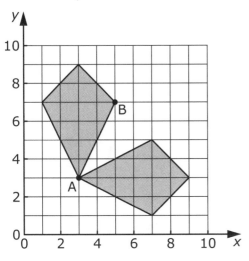

*1 mark*

**d** Now the shape is **rotated**.

Point A stays in the same place.

Where is point **B** rotated to?

Copy the grid and shape, and put a cross on the grid to show the correct place.

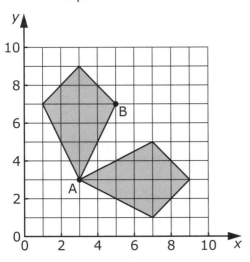

*1 mark*

73

**Level 5**

**a**   You can **rotate** triangle **A** onto triangle **B**.

Copy the diagram and put a cross on the **centre of rotation**.

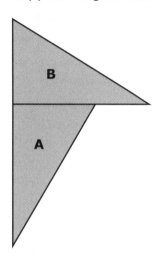

You may use tracing paper to help you.          *1 mark*

**b**   You can **rotate** triangle **A** onto triangle **B**.

The rotation is **anti-clockwise**.

What is the **angle** of rotation?          *1 mark*

**c**   Copy the diagram and **reflect** triangle **A** in the mirror line.

You may use a mirror or tracing paper to help you.

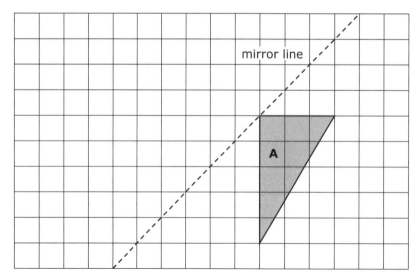

          *1 mark*

> **Remember:**
> ◆ Addition is the inverse of subtraction.
> ◆ Multiplication is the inverse of division.

**1**   Find the outputs for these function machines.

**a**
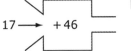
$17 \longrightarrow$  + 46

**b**

$13 \longrightarrow$  x 5

**c**
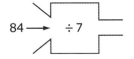
$84 \longrightarrow$  ÷ 7

**2**   Find the inputs to these function machines by working backwards. The first one is done for you.

**a**
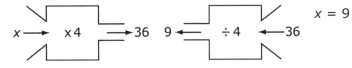
$x \longrightarrow$  x 4  $\longrightarrow 36$   $9 \longleftarrow$  ÷ 4  $\longleftarrow 36$   $x = 9$

**b**
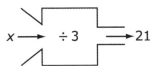
$x \longrightarrow$  ÷ 3  $\longrightarrow 21$

**c**
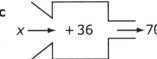
$x \longrightarrow$  + 36  $\longrightarrow 70$

**d**
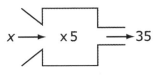
$x \longrightarrow$  x 5  $\longrightarrow 35$

**e**

$x \longrightarrow$  − 14  $\longrightarrow 37$

**3**   Make six correct function machines by matching an input, a fraction and an output for each.

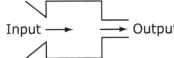
Input $\longrightarrow$  $\longrightarrow$ Output

|   | Inputs |     | Functions |       | Outputs |
|---|--------|-----|-----------|-------|---------|
| **a** | 6  | **i**   | +17 | **I**   | 8  |
| **b** | 7  | **ii**  | −16 | **II**  | 9  |
| **c** | 8  | **iii** | x4  | **III** | 24 |
| **d** | 24 | **iv**  | x6  | **IV**  | 26 |
| **e** | 36 | **v**   | ÷3  | **V**   | 32 |
| **f** | 42 | **vi**  | ÷4  | **VI**  | 36 |

**1** Write each of these equations as a function machine.
Use your machine to find the value of *x*.

The first one is done for you.

**a** 3*x* + 7 = 34

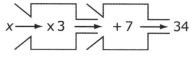

*x* = 9

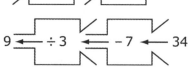

**b** 5*x* + 1 = 36          **e** 7*x* − 5 = 37

**c** 3*x* + 4 = 19          **f** 3*x* + 15 = 33

**d** 4*x* − 7 = 29          **g** 8*x* − 7 = 25

**2** Match each equation to the correct function machine and value of *x*.

**a** 2*x* + 7 = 25          **i** $x \longrightarrow \boxed{\times 7} \Rightarrow \boxed{-2} \longrightarrow 26$          **I** *x* = 3

**b** 7*x* + 2 = 23          **ii** $x \longrightarrow \boxed{\times 2} \Rightarrow \boxed{-7} \longrightarrow 23$          **II** *x* = 4

**c** 2*x* − 7 = 23          **iii** $x \longrightarrow \boxed{\times 2} \Rightarrow \boxed{+7} \longrightarrow 25$          **III** *x* = 9

**d** 7*x* − 2 = 26          **iv** $x \longrightarrow \boxed{\div 2} \Rightarrow \boxed{+7} \longrightarrow 23$          **IV** *x* = 15

**e** $\dfrac{x}{2}$ + 7 = 23          **v** $x \longrightarrow \boxed{\times 7} \Rightarrow \boxed{+2} \longrightarrow 23$          **V** *x* = 32

**3** Write this problem as a function machine.
Ian Sanity the maths teacher was thinking of a number. He
doubled it, added 17, divided by 3 added 4 and multiplied by 4.
His answer was 60.
Find the number he was thinking of.

> **Remember:**
> ◆ Imagine the equation as a set of scales. You must always do the same to each side.

**1** For each balance write down an equation.
Solve your equation to find the mass of each item.

**a** 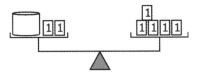 **b**  **c**

**2** **a** Show that the perimeter of this rectangle is 14x.

**b** Sketch two different rectangles with perimeter 10x.
Mark in the length of each side.

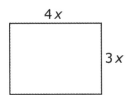

**3** **a** Write an expression for the perimeter of this shape.

**b** The perimeter is 44 cm. Write an equation and solve it to find the value of x.

**c** Use this value of x to draw the shape accurately.

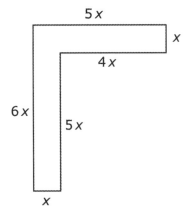

**4** Use the balance method to solve these equations.
Arrange the solutions in order of size, starting with the smallest.
The letters should spell a statement.

| | | | |
|---|---|---|---|
| **i** | $3d = 45$ | **iv** | $7h = 35$ |
| **ii** | $e + 4 = 10$ | **v** | $n - 7 = 3$ |
| **iii** | $e + 12 = 20$ | **vi** | $2t + 1 = 7$ |

1  Solve these equations using the balance method. The first one is done for you.

a  $3x + 1 = 16$

Imagine the scales:

Subtract 1 from both sides:
$3x + 1 - 1 = 16 - 1$
$3x = 15$

Divide both sides by 3:
$3x \div 3 = 15 \div 3$
$x = 5$

Check: $3 \times 5 + 1 = 16$

b  $5t - 3 = 22$

c  $4m + 1 = 13$

d  $2n - 7 = 13$

e  $5p + 8 = 13$

f  $3d - 8 = 19$

g  $4e + 7 = 27$

h  $6f - 3 = 15$

i  $10q + 7 = 77$

j  $9r - 3 = 87$

2  Copy the right hand empty table. Solve each equation in the left hand table. Write the value of $x$ in the same position in your copy of the right hand table. The first one is done for you.

**Hint:**
$x + 3 = 7$
$x + 3 - 3 = 7 - 3$
$x = 4$

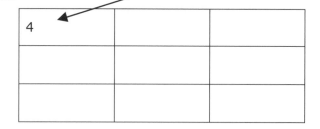

| $x + 3 = 7$ | $5x = 15$ | $2x + 3 = 19$ |
|---|---|---|
| $\dfrac{x}{3} = 3$ | $3x + 2 = 17$ | $8x = 8$ |
| $7x - 1 = 13$ | $3x + 4 = 25$ | $2x + 3 = 15$ |

| 4 | | |
|---|---|---|
| | | |
| | | |

When your square is complete:

Check that all of the horizontal, vertical and diagonal rows add up to the same total.

What is this total?

**1** **a** Draw the next matchstick pattern in this sequence.

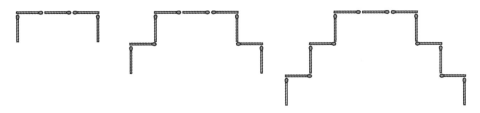

**b** How many matchsticks does the pattern grow by each time?

**c** Complete this table to show the number of matchsticks in each pattern.

| Pattern number | 1 | 2 | 3 | 4 | |
|---|---|---|---|---|---|
| Number of dots | 5 | | 13 | | |

**d** The general term for this sequence T($n$) is $4n + 1$.
Explain where the term $4n$ comes from.

**e** Use T($n$) = $4n + 1$ to find the 10th term of the sequence.

**2** Write the first five terms for each of these sequences:

**a** T($n$) = $2n + 7$

**b** T($n$) = $5n - 1$

**c** T($n$) = $3n + 5$

**3** 29 is a term in each of the sequences in question 2.
What position is the term 29 in each sequence?

**4** Here is a sequence of numbers 7, 13, 19, 25, 31, ... Which of these is the correct general term?

**a** T($n$) = $7n + 6$

**b** T($n$) = $n + 6$

**c** T($n$) = $6n + 1$

Explain how you know.

**1**   The formula for finding the mean of two numbers $m$ and $n$ is:

| The "mean" is an average. |

$$\frac{1}{2}(m + n)$$

You add the two numbers and halve the answer.

Find the mean of the these pairs of numbers:

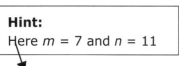

**Hint:**
Here $m = 7$ and $n = 11$

**a**   7 and 11      **c**   15 and 33   **e**     6 and 13

**b**   16 and 12      **d**   147 and 255   **f**     23 and 18

**2**   The formula to find the volume of a cuboid is

$$V = lwh$$

where $l$ = length, $w$ = width, $h$ = height.

Use this formula to find the volume of these cuboids:

**a**

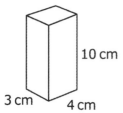

10 cm

3 cm   4 cm

**b**

1 cm

6 cm     10 cm

**c**   The volume of a cuboid is 60 cm³.
    $w = 5$ cm and $h = 2$ cm
    What is the length of this cuboid?

**3**   Match these formulae to the correct meanings:

$$d = 7w \qquad p = ln \qquad y = \frac{m}{12} \qquad 12y = m$$

**a**   Calculates the cost of petrol for a journey as the number of litres used multiplied by the cost per litre.

**b**   Finds how many months are in a number of years.

**c**   Finds the number of days in a number of weeks.

**d**   Calculates how many years are in a number of months.

─────────────────────────────────────────── Level 4

**a** Write down the answers to:

$(4 + 2) \times 3$

$4 + (2 \times 3)$ *1 mark*

**b** Work out the answer to:

$(2 + 4) \times (6 + 3 + 1)$ *1 mark*

**c** Copy the numbers and put brackets in the calculation to make the answer **50**.

4 + 5 + 1 × 5 *1 mark*

**d** Now copy the numbers and put brackets in the calculation to make the answer **34**.

4 + 5 + 1 × 5 *1 mark*

Level 5

Look at this table.

|  | Age (in years) |
|---|---|
| Ann | a |
| Ben | b |
| Cindy | c |

Write in words the meaning of each equation below.

The first one is done for you.

| $b = 30$ | Ben is 30 years old |
|---|---|
| $a + b = 69$ | |
| $b = 2c$ | |
| $\dfrac{a + b + c}{3} = 28$ | |

*3 marks*

Here is a question that you could investigate statistically.

> # Do older people and younger people watch different kinds of television programmes?

For this question:

**1**   Decide on some possible answers to this question.

**2**   Write down a hypothesis that you could test.

**3**   Explain what data you would need to test your hypothesis.

**4**   Explain where you would collect the data. Would you use primary data or secondary data?

**5**   Explain how you would collect the data that you need.

**6**   Design a data collection sheet for the data you would collect.

A comparative bar chart is a good way of showing two sets of data on the same chart. Here is an example:

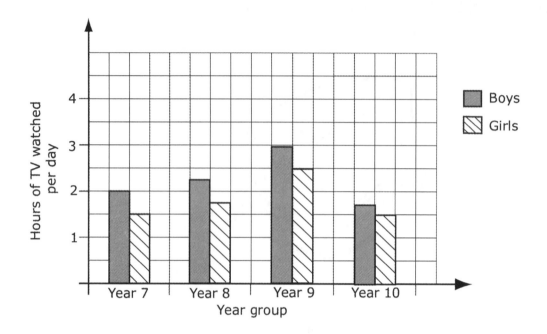

There are two screens in the cinema. The table shows how many tickets were sold for each screen over a five day period.

| Day | Monday | Tuesday | Wednesday | Thursday | Friday |
|---|---|---|---|---|---|
| Screen 1 | 48 | 32 | 64 | 110 | 192 |
| Screen 2 | 31 | 24 | 35 | 48 | 89 |

Draw a comparative bar chart to show the data from the table.

1   These two pie charts show information about driving test results
    for people tested at two different centres.

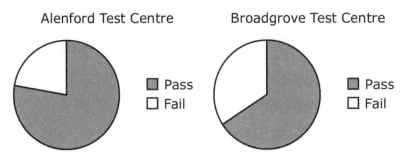

Alenford Test Centre        Broadgrove Test Centre

■ Pass          ■ Pass
□ Fail          □ Fail

Here are some statements about these charts.

**a**   More people passed their driving test at Alenford then
    at Broadgrove.

**b**   The driving examiners at Broadgrove are stricter than
    those at Alenford.

**c**   More than three quarters of the people tested at
    Alenford passed.

Explain whether you think that the charts justify each  statement.

2   The graph below shows the average monthly temperature in
    two capital cities.

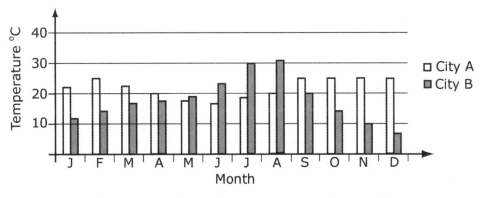

□ City A
■ City B

**a**   Write a description of how the temperature changes in
    each city through the year.

**b**   To grow coffee, you need a temperature
    between about 15°C and 24°C.
    Which one of the cities is the capital
    of a coffee-producing country.
    Explain your answer.

---

**Remember:**
◆ Range = maximum value – minimum value.
◆ Mode = value that occurs most often.
◆ Median = middle value, when the data is in order.
◆ Mean = $\dfrac{\text{total of data}}{\text{number of values}}$

---

**1** Twenty students were asked how many television sets they had at home. Here are their answers.

| 1 | 2 | 2 | 2 | 3 | 1 | 2 | 2 | 1 | 3 |
|---|---|---|---|---|---|---|---|---|---|
| 1 | 3 | 3 | 1 | 2 | 1 | 1 | 0 | 1 | 2 |

    **a** What was the range of the number of televisions?

    **b** What was the mode of the number of televisions?

    **c** Find the median of the number of televisions.

    **d** Calculate the mean number of televisions in a house.

**2** Solomon says:

> I have three number cards.
> The total of the numbers on my cards is 21.

With just this information, which average of the numbers on the three cards can you work out? Explain your answer.

**3** Kate says:

> I have five number cards.
> Three of them are marked with a 6.

Which average can you work out with this information?
Explain your answer.

**4** Dean says:

> I have 21 number cards. When I put them in order, the 11th one is marked with an 8.

Which average can you work out for Dean's numbers?
Explain your answer.

**Remember:**

◆ Mean = $\dfrac{\text{total of all the data}}{\text{number of pieces of data}}$

**1** The table shows the number of cars owned by the families living in a street.

| Number of cars | 0 | 1 | 2 | 3 |
|---|---|---|---|---|
| Number of families | 6 | 17 | 9 | 2 |

**a** How many families lived on the street?

**b** What was the total number of cars?

**c** Calculate the mean number of cars owned by family.

> **Hint:**
> 2 families have 3 cars. This makes 2 x 3 = 6 cars

**2** For the data shown in question 1, find:

**a** The median number of cars owned by a family.

**b** The modal number of cars owned by a family.

The local council wants to know if there is enough car parking space on the street.

**c** Which of the averages that you have worked out (mean, median or mode) would be most useful to the council? Explain your answer.

**3** The table shows the number of portions of fruit or vegetables eaten in one day by the students in a Year 8 class.

| Number of portions | 0 | 1 | 2 | 3 | 4 | 5 | 6 |
|---|---|---|---|---|---|---|---|
| Frequency | 5 | 9 | 6 | 4 | 4 | 3 | 1 |

**a** What is the range of the number of portions of fruit or vegetables eaten?

**b** What is the mode of the number of portions?

**c** Find the median number of portions eaten.

**d** Calculate the mean of the number of portions eaten.

**Remember:**
◆ You can use the statistics mean, median, mode and range to help explain your data.

Ken writes a food column for a magazine.
He is writing an article about Christmas puddings.

He decides to test three different types of pudding.

Ken asks eight people to test the puddings.
Each person has to taste each pudding, and give it a mark out of 10.

Here are the results:

| Taster | 1 | 2 | 3 | 4 | 5 | 6 | 7 | 8 |
|---|---|---|---|---|---|---|---|---|
| Pudding A | 5 | 6 | 5 | 5 | 4 | 3 | 5 | 1 |
| Pudding B | 8 | 9 | 7 | 8 | 6 | 7 | 9 | 7 |
| Pudding C | 7 | 7 | 6 | 7 | 6 | 7 | 6 | 7 |

Write a short report that Ken could use in his magazine column.

Your report should include appropriate statistics and diagrams.

Remember to state your conclusions carefully!

**Level 4**

Jim, Bob, Liz and Meg had a games competition.

They played two games, Draughts and Ludo.

Each pupil played each of the others at the two different games.

Meg recorded **how many** games each person won.

Jim recorded **who won** each game.

| Jim | /// |
|-----|-----|
| Meg | /// |
| Liz | //// |
| Bob | // |

| Draughts | Ludo |
|----------|------|
| Jim | Meg |
| Liz | Bob |
| Bob | |
| Jim | Meg |
| Jim | Liz |
| Liz | Meg |

**a**   Jim forgot to put one of the names on his table.
Use Meg's table to work out what the missing name is.    *1 mark*

**b**   Who won the **most** games of **Draughts**?    *1 mark*

**c**   Give one reason why **Meg's** table is a good way of recording the results.    *1 mark*

**d**   Give one reason why **Jim's** table is a good way of recording the results.    *1 mark*

Level 5

This graph shows the **range** in the **temperature** in Miami each month.

For example, in January the temperature ranges from 17°C to 24°C.

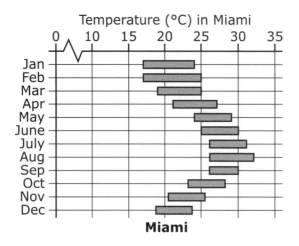

**Miami**

**a**   In which month does Miami have the **smallest range** in temperature?                                                         *1 mark*

**b**   In **July**, the **range** in the temperature in Miami is **5°**.

There are **five** other months in which the range in the temperature is 5°.

Which five months are they?                                    *2 marks*

**c**   This graph shows the range in the temperature in Orlando each month.

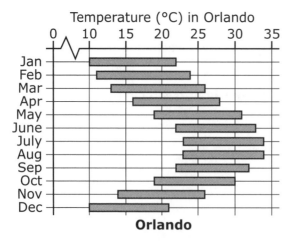

**Orlando**

In which **three** months is the **maximum** temperature in **Miami** **greater** than the maximum temperature in Orlando?        *1 mark*

Boxes A, B and C contain three questions and answers.
Work out what they are.

Use the method of compensation.

Example:

168 + 492 = 168 + 500 – 8

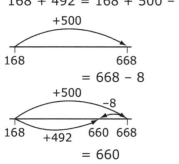

+500

168        668

= 668 – 8

+500
   –8

168  +492  660 668

= 660

660 is not in box C.
So this is not one of the questions.

| A | | B | | C |
|---|---|---|---|---|
| 168 | | 492 | | 513 |
| | + | | | |
| 769 | or | 278 | = | 451 |
| | – | | | |
| 235 | | 283 | | 277 |

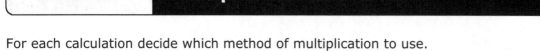

# N4.2HW    Multiplication and division

For each calculation decide which method of multiplication to use.
Write down the calculation you would do.
The first two are done for you.

**1**   31 × 11        partition        31 × 10 + 31 × 1

**2**   23 × 12        factor        23 × 3 × 2 × 2

**3**   23 × 9

**4**   42 × 6

**5**   35 × 21

**6**   41 × 8

**7**   16 × 29

**8**   43 × 19

**9**   72 × 4

**10**   38 × 20

**11**   31 × 31

**12**   40 × 62

Here is an expression:

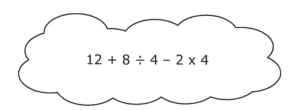

$$12 + 8 \div 4 - 2 \times 4$$

You work out the value of this expression using BIDMAS:

$$12 + 8 \div 4 - 2 \times 4$$

Brackets

Indices

Division          $= 12 + 2 - 2 \times 4$

Multiplication    $= 12 + 2 - 8$

Addition          $= 14 - 8$

Subtraction       $= 6$

You can put brackets in to show the order of the calculations.

$12 + (8 \div 4) - (2 \times 4)$

$= 12 + 2 - 8$

$= 6$

Putting brackets in different places in the expression gives different answers.

For example, $(12 + 8) \div (4 - 2) \times 4$

$= 20 \div 2 \times 4$

$= 10 \times 4$

$= 40$

Write brackets in the expression to give as many different answers as you can.

Work out your answers.

### Puzzle

Here are four digits:

| 3 | 4 | 5 | 6 |

◆   Combine the four digits to make a number with two decimal places a single-digit number.

For example:   3.54 and 6

◆   Multiply the numbers together.

To find 3.54 x 6:

3.54 = 354 ÷ 100

354 x 6 = 2124

**Grid method**

|   | 300 | 50 | 4 |
|---|-----|-----|-----|
| 6 | 1800 | 300 | 24 |

**Column method**

```
    354
x     6
     24
    300
   1800
   2124
```

So 3.54 x 6 = 2124 ÷ 100

         = 21.24

◆   Find the combination of digits that gives the answer closest to 20.
Show the method you use for each of the examples you try.

When you divide an amount of money between a number of people,
the remainder is a number of pence.

For example, to share £50 between 4 people:

$$50 \div 4 = 12\frac{1}{2}$$

```
  50
  40    4 x 10
  ──
  10
   8    4 x 2
  ──
   2
```

**Hint**

$12\frac{1}{2}$ means £$12\frac{1}{2}$.

$\frac{1}{2}$ of £1 is 50p.

so £50 ÷ 4 = 12 remainder 2

$$= 12\frac{2}{4}$$
$$= 12\frac{1}{2}$$
$$= £12.50$$

It costs £175 to hire a minibus for 2 weeks.
Work out how much it would cost each person if the cost
was shared equally between:

**a**    4 people

**b**    5 people

**c**    8 people

**d**    10 people

**e**    11 people

Give your answers in pounds and pence where necessary.

> **Remember:**
>
>    1 cm = 10 mm
>    1 m = 100 cm = 1000 mm
>    1 km = 1000 m
>
>   For example, 2873 mm = 287.3 cm = 2.873 m

Here are 10 measurements:

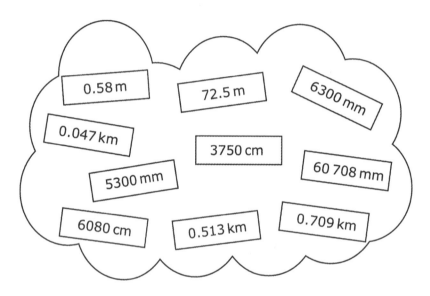

Put the measurements in order from smallest to largest.

> **Hint:**
> It will help if you convert them all to the same
> units in order to compare them.

Level 4

**a** Find the missing numbers so that the answer is **always 45**.

The first one is done for you.

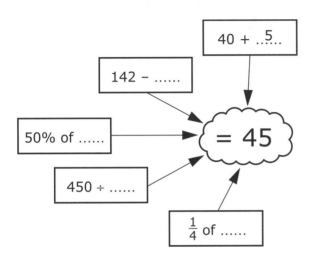

40 + ..5..

142 – ......

50% of ......

450 ÷ ......

$\frac{1}{4}$ of ......

= 45

*4 marks*

**b** Copy the numbers below and fill in the gaps to make the answer 45.

You may use any of these signs:   + − × ÷

28 ____ 2 ____ 31 = 45                              *1 mark*

**Level 5**

The table shows the lengths of some rivers to the nearest km.

**a**   Write down the length of each river rounded to the nearest **100km**.

| River | Length in km to the nearest km | Length in km to the nearest km |
|---|---|---|
| Severn | 354 | |
| Thames | 346 | |
| Trent | 297 | |
| Wye | 215 | |
| Dee | 113 | |

*1 mark*

Which two rivers have the **same length** to the nearest **100km**?

*1 mark*

**b**   Write down the length of each river rounded to the nearest **10km**.

| River | Length in km to the nearest km | Length in km to the nearest km |
|---|---|---|
| Severn | 354 | |
| Thames | 346 | |
| Trent | 297 | |
| Wye | 215 | |
| Dee | 113 | |

*1 mark*

Which two rivers have the **same length** to the nearest **10km**?

*1 mark*

**c**   There is another river which is not on the list.

It has a length of **200km** to the **nearest 100km,**
and a length of **150km** to the **nearest 10km.**

Copy and complete this sentence to give one possible length of
the river to the nearest km.

The length of the river could be _____ km.    *1 mark*

**d**   Two more rivers have **different** lengths to the nearest km.

They both have a length of **250km** to the **nearest 10km,**
but their lengths to the **nearest 100km** are **different.**

Copy and complete this sentence to give a possible length of
each river to the nearest km.

The lengths of the rivers could be _____ km and _____ km.   *2 marks*

**1** Expand these brackets.
Use the grid method to help you. The first one is done for you.

**a** $3(2x - 5) =$

|   | $2x$ | $^-5$ |
|---|------|-------|
| 3 | $6x$ | $^-15$ |

$3(2x - 5) = \quad 6x - 15$

**b** $5(3x + 2)$      **e** $7(2x + 5)$     **h** $5(2x - 7)$

**c** $6(2x - 7)$      **f** $3(6x - 5)$     **i** $4(9x - 2)$

**d** $4(3x - 1)$      **g** $2(7x + 3)$

**2** Match the pairs of expressions. The first one is done for you.

**a** $3(2x - 4)$          **i** $6x - 6$

**b** $2(3x - 3)$          **ii** $8x - 96$

**c** $4(2x - 3)$          **iii** $8x - 12$

**d** $2(4x - 5)$          **iv** $6x - 12$

**e** $6(x - 6)$           **v** $6x - 36$

**f** $8(x - 12)$         **vi** $8x - 10$

**3** Each expression is equivalent to the expression in the cloud
Copy and complete all the expressions.

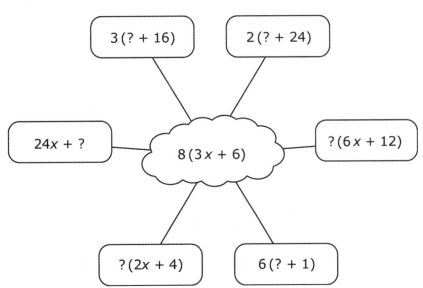

**1**  Simplify these expressions by collecting like terms.

**a**  $3x + 4 + 7x - 2$    **d**  $8x - 2y + 3x + 7y$

**b**  $x + 4 + 3x - 3 + 2x$    **e**  $5x + 3y - 7 - 3x - 2y + 3$

**c**  $5x - 2 - 3x + 4$    **f**  $9x - 7y + 15 + 10y - 3y + 7$

> **Hint:**
> Different letter terms cannot be collected.

**2**  Simplify expressions **a**–**e**. Match each expression with one of the expressions **i**–**v**.

**a**  $2x - 3y + 5x + 4$        **i**  $7x + y$

**b**  $4x + 8y + 3x - 7y$       **ii**  $7x - y$

**c**  $8 - 5x + 6y + 12x - 4$   **iii**  $7x + 3y$

**d**  $2x - 4y + 3y + 5x$       **iv**  $7x - 3y + 4$

**e**  $5y - 3x + 10x - 2y$      **v**  $7x + 6y + 4$

**3**  In these walls, each brick is the result of adding the two bricks underneath. Copy the walls and fill in the missing bricks.

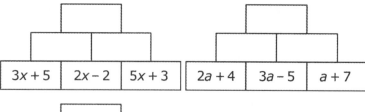

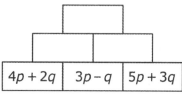

**4**  Copy this wall:

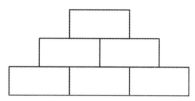

Copy the bricks into the correct spaces for this wall.

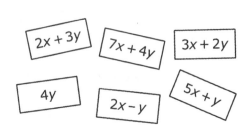

Ricki and Jenna are playing a game.
They each pick a card, and work out the answer to the question on it.
The answer nearest to 10 wins a point.

Work out the answer to each card and who is winning the game.

|  | Ricki's cards | Jenna's cards | Which is nearest to 10? |
|---|---|---|---|

**1** **a** I think of a number, multiply by 3 and add 4. The answer is 25. What is the number?    **b** I think of a number, double it and add 15. The answer is 31. What is the number?    R or J

**2** **a** $2m + 5 = 27$
What is the value of $m$?    **b** $3p - 7 = 29$
What is the value of $p$?    R or J

**3** **a** $x \rightarrow \boxed{+4} \rightarrow \boxed{\times 3} \rightarrow 39$
$x = ?$    **b** $x \rightarrow \boxed{\times 3} \rightarrow \boxed{+4} \rightarrow 40$
$x = ?$    R or J

**4** **a** $4(x - 5) = 20$
$x = ?$    **b** $5x - 7 = 33$
$x = ?$    R or J

**5** **a** I think of a number, halve it, add 4. The answer is 24. What is the number?    **b** I think of a number, multiply by 5, add 4. The answer is 9. What is the number?    R or J

**6** **a** $6p - 2 = 40$

What is the value of $p$?    **b** Write a card so that Jenna wins this game.    Ⓙ

**1**   This pack of three golf balls weighs 240 g.
Let $x$ be the mass of each golf ball.
Construct an equation and solve it to find
the value of $x$.

**2**   The perimeter of this rectangle is 18 cm.

    **a**   Construct an equation to find the
value of $x$.

    **b**   What is the area of this rectangle?

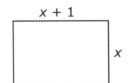

**3**   The perimeter of this hexagon is 52 cm.
Construct an equation and solve it to find
the value of $x$.

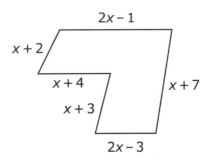

**4**   The angles of a quadrilateral (four-sided shape) add up to 360°.
Construct an equation for each of these quadrilaterals.
Solve your equation to find the values of the unknown angles.
The first one is done for you.

**a**

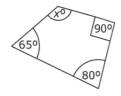

$$x° + 90° + 80° + 65° = 360°$$
$$x° + 235° = 360°$$
$$x° = 360° - 235°$$
$$x° = 135°$$

**b**

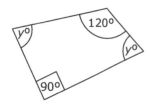

**c**

**d**

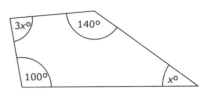

**1** Copy these axes.

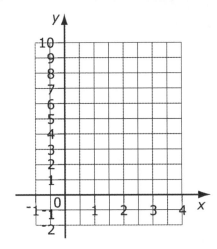

**a** Copy and complete this table to generate the coordinate pairs for each of these linear rules.

| $x$ | $^-1$ | 0 | 1 | 2 | 3 |
|-----|-------|---|---|---|---|
| $y$ |       |   |   |   |   |

   **i**   $y = x + 6$       **iii**   $y = 2x + 1$

   **ii**   $y = x + 4$       **iv**   $y = 2x - 2$

**b** Plot the points and join them to make a straight line.
Plot all your lines on the same set of axes.

**c** Look carefully at the lines you have drawn. Which lines are parallel to each other?
Look at the equations of these lines. What do you notice?

**2** For the linear rules $y = 2x + 2$ and $y = 8 - 2x$

  ◆ Copy and complete this table to generate the coordinate pairs.

| $x$ | $^-1$ | 0 | 1 | 2 | 3 |
|-----|-------|---|---|---|---|
| $y$ |       |   |   |   |   |

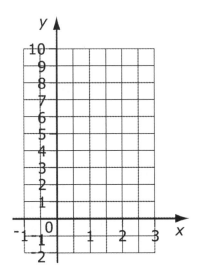

  ◆ Copy the grid

  ◆ Plot the points on the grid and join them to form a straight line.

  ◆ Write down the coordinates where the two lines intersect.

Jon is a plumber.
He uses this formula to work out the cost of each job:

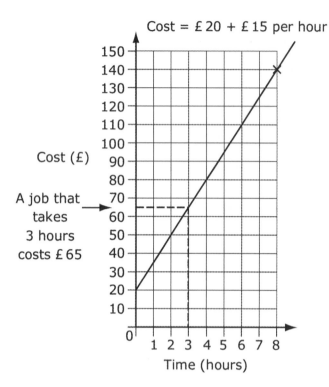

Cost = £ 20 + £ 15 per hour

Cost (£)

A job that
takes
3 hours
costs £ 65

Time (hours)

Use the graph to estimate the cost of a job that takes:

**a** 2 hours

**b** 6 hours

**c** $\frac{1}{2}$ hour

**d** $4\frac{1}{2}$ hours

Yesterday Jon did three jobs. The costs for these jobs were:

**e** £65

**f** £42.50

**g** £80

Use the graph to estimate the time each job took.

**h** Jon estimates that it will take 20 hours to install new radiators. How much will this job cost?

This graph helps you to convert measurements in feet and inches into metres and centimetres.

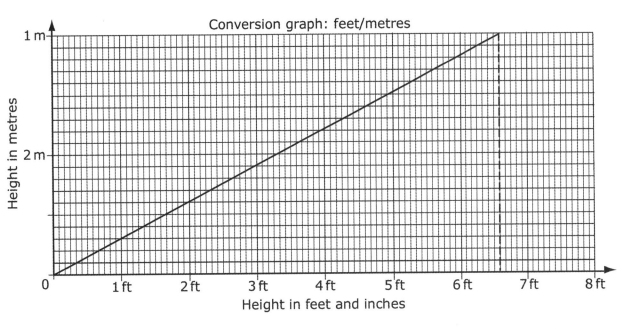

**Conversion graph: feet/metres**

Height in metres

Height in feet and inches

1 Use the graph to estimate these heights in metres and centimetres:

  **a**  6 feet             **c**  5 feet 6 inches

  **b**  5 feet             **d**  4 feet 10 inches

2 Use the graph to estimate these heights in feet and inches:

  **a**  50 cm             **c**  1 m 20 cm

  **b**  1 metre           **d**  1 metre 75 cm

3 At Alton Towers for some rides you must be 1 m 30 cm tall.
  How many feet and inches is this?

4 Kathryn is 1 m 40 cm tall.
  Can she go into this play centre?

Play Centre
Max Height 4 ft 6 inches

1    Match the distance–time graphs with the
     stated journeys.

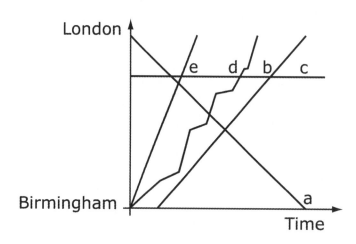

A:    An express train travelling from
      Birmingham to London.

B:    A steam train travelling from Birmingham
      to London.

C:    A signalman sitting in his box at Watford.

D:    A cargo train travelling from London
      to Birmingham.

E:    A passenger train travelling from Birmingham to London.

2    Explain what is happening in these graphs:

a

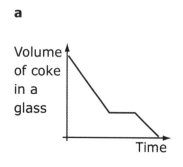

b

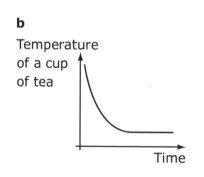

c

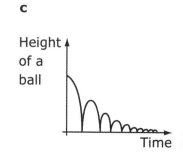

---

**Level 4**

Daniel has some parallelogram tiles.

He puts them on a grid, in a continuing pattern.

He numbers each tile.

The diagram shows part of the pattern of tiles on the grid.

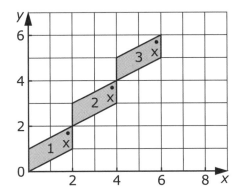

Daniel marks the **top right corner** of each tile with a ● .

The co-ordinates of the corner with a ● on **tile number 3** are (**6, 6**).

**a**   What are the co-ordinates of the corner with a ● on **tile number 4**?       *1 mark*

**b   i**   What are the co-ordinates of the corner with a ● on **tile number 20**?       *1 mark*

**ii**   Explain how you worked out your answer.       *1 mark*

**c**   Daniel says: *'One tile in the pattern has a ● in the corner at (25, 25).*

Explain why Daniel is wrong.       *1 mark*

**d**   Daniel marks the **bottom right corner** of each tile with a ✗.

Copy and fill in the table to show the co-ordinates of each corner with a ✗.

| tile number | co-ordinates of the corner with a ✗ |
|:---:|:---:|
| 1 | ( 2 , 1 ) |
| 2 | (__ , __) |
| 3 | (__ , __) |
| 4 | (__ , __) |

*1 mark*

Find the missing numbers below.

**e**   Tile number **7** has a ✗ in the corner at (___ , ___).       *1 mark*

**f**   Tile number ___ has a ✗ in the corner at (**20, 19**).       *1 mark*

Maria and Kay ran a 1500 metres race.

The distance-time graph shows the race.

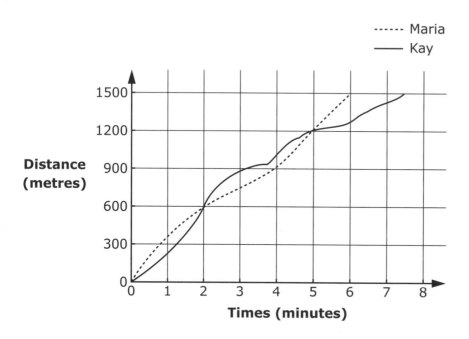

Use the graph to help you copy and fill in the gaps in this report of the race.

Just after the start of the race, Maria was in the lead.

At 600 metres, Maria and Kay were level.

Then Kay was in the lead for _____ minutes.

At _____ metres, Maria and Kay were level again.

_____ won the race.                    *2 marks*

Her total time was _____ minutes.

_____ finished _____ minutes later.          *1 mark*

To find a number in a box, you add the numbers in the two boxes below it.

Copy and complete these number pyramids.
You will need to work backwards!

**1**

| | |
|---|---|
| 13 | 12 |

| | 7 | |
|---|---|---|

**2**

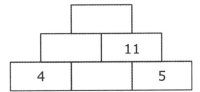

**3**

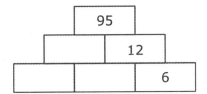

**4**

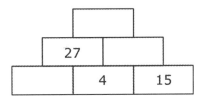

**5**

| 95 | |
|---|---|
| | 12 |

| | | 6 |
|---|---|---|

**6**

| 27 | |
|---|---|

| | 4 | 15 |
|---|---|---|

**7**

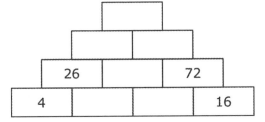

Copy and complete these number pyramids.
These are little different – they include negative numbers.

1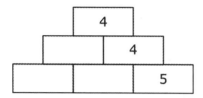

2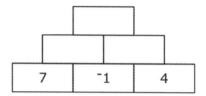

3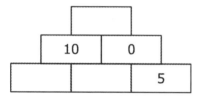

4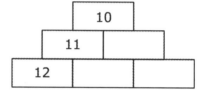

5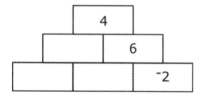

6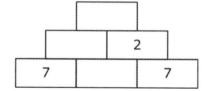

7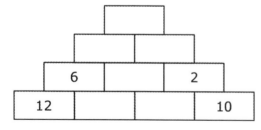

Here is a three-layer pyramid:

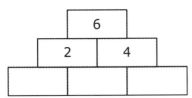

The numbers 6, 2 and 4 have been put into the pyramid. There are many different ways that you could fill the bottom row of numbers. They could be:

| 2 | 0 | 4 |
|---|---|---|

| 1 | 1 | 3 |
|---|---|---|

| 0 | 2 | 2 |
|---|---|---|

If you use negative numbers, you could have:

| 4 | ⁻2 | 6 |
|---|---|---|

| 10 | ⁻8 | 12 |
|---|---|---|

If you put the same set of numbers into a pyramid like this:

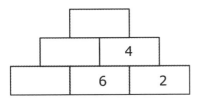

there is no correct way to fill in the pyramid!

If you put the numbers into the pyramid like this:

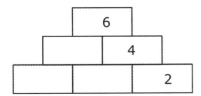

there is just one way to complete the pyramid.

◆ Pick a set of three numbers.

◆ Find different ways of putting your numbers into a three-layer pyramid.

◆ For each arrangement, explain whether there are:

  ◆ many ways to complete the pyramid,

  ◆ just one way, or

  ◆ no ways at all.

1   Draw a straight-line graph to show the data in each of these tables.

Use the top row of each table for the independent variable, and the bottom row for the dependent variable.

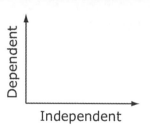

**a**

| x | 1 | 2 | 3 | 4 | 5 |
|---|---|---|---|---|---|
| y | 3 | 5 | 7 | 9 | 11 |

**b**

| p | 1 | 2 | 3 | 4 | 5 |
|---|---|---|---|---|---|
| q | 9 | 10 | 11 | 12 | 13 |

**c**

| v | 1 | 2 | 3 | 4 | 5 |
|---|---|---|---|---|---|
| w | 4 | 6 | 8 | 10 | 12 |

2   For one type of number pyramid, the rule connecting the starting number and the top number, in words is:

> To find the top number, multiply the starting number by 4, and then subtract 3.

In this table, $s$ is the starting number and $t$ is the top number.

| s | 1 | 2 | 3 | 4 | 5 |
|---|---|---|---|---|---|
| t |   |   |   |   |   |

**a**   Copy and complete the table.

**b**   Draw a graph to show the connection between $s$ and $t$.

3   Here are three more rules, in words. Make a table and then draw a graph for each one. Use values of the independent variable going from 1 to 5.

**a**   To find $n$, just double $m$.
(Hint: $m$ is the independent variable, $n$ is the dependent variable.)

**b**   To find $z$, multiply $x$ by 3 and then subtract 2.

**c**   To find $y$, add 3 to $x$ and then double the answer.

**1**   In these pyramid puzzles you are given some expressions.
Copy and complete each one.

**a**

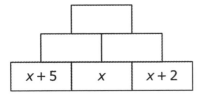

**b**

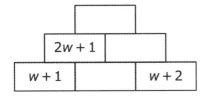

**c**

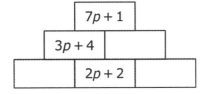

**2**   Check that each of your pyramids for question 1 works, by
substituting these values.

**a**   $x = 7$

**b**   $w = 8$

**c**   $p = 5$

You will need to draw a new copy of each pyramid, just showing
the numbers you get when you substitute the values shown.

1  Here are four recipes for pink paint.

| Recipe A | Recipe B |
|---|---|
| Take 4 litres of red paint. Add 3 litres of white paint. Mix thoroughly. | Add 5 litres of white paint to 7 litres of red paint. Stir until you have a nice pink mixture. |
| Recipe C | Recipe D |
| Mix together 6 litres of red paint and 9 litres of white paint in a large bucket. | You need 8 litres of red paint and 3 litres of white paint. Shake the mixture until it is mixed. |

Copy and complete this table.

| Recipe | A | B | C | D |
|---|---|---|---|---|
| Red paint (litres) | | | | |
| White paint (litres) | | | | |

2  If a new recipe used 10 litres of red paint and 4 litres of white paint, then the ratio of red to white paint would be 10 : 4 or 2.5 : 1, because 10 ÷ 4 = 2.5. (2.5 : 1 is a unitary ratio.)

Work out the unitary ratio of red : white for the four recipes in question 1. Add a row like this to your table to show your results:

| Red : white | | | |
|---|---|---|---|

3  Make a list of the four recipes from question 1 in order from the palest shade of pink to the darkest shade.
Explain in words how you decided on the correct order.

4  This table shows five different mixtures for grey paint.

| Mixture | V | W | X | Y | Z |
|---|---|---|---|---|---|
| Black paint (litres) | 3 | 11 | 7 | 4 | 8 |
| White paint (litres) | 5 | 4 | 8 | 4 | 1 |
| Black : white | | | | | |

a  Copy and complete the table.

b  Make a list of the five mixtures, in order from the palest shade of grey to the darkest shade of grey. Explain how you chose the correct order.

Level 4

**a** Carl is putting packs of biscuits into a box.
He said to put in the bottom layer.
The box holds **5 packs across** and is **4 packs wide**.

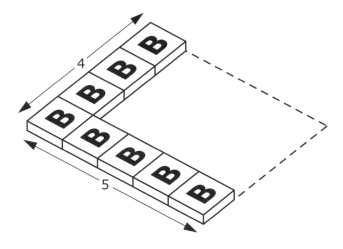

How many packs will fit altogether on the bottom layer? *1 mark*

The box holds **6 layers**.

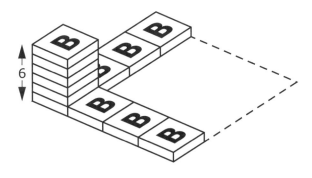

How many packs will fit in the box when it is **full**? *1 mark*

*continued*

**b**   Aziz is putting packs of tea into a box.

The box holds **5 packs across** and is **6 packs wide**.
The box holds **3 layers**.

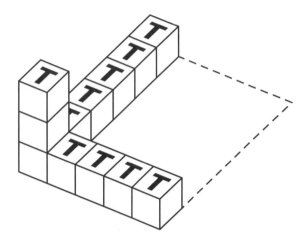

How many packs of tea will fit in the box when it is **full**?   *1 mark*

**c**   Write down how many packs across and packs wide you need to
fill a **different** box with **24** packs in **2** layers.

**total:   24 packs**

2 layers

*1 mark*

Jeff makes a sequence of patterns
with black and grey triangular tiles.

The rule for finding the number of tiles
in pattern number N in Jeff's sequence is:

**number of tiles = 1 + 3N**

pattern
number
1

pattern
number
2

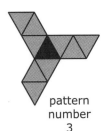

pattern
number
3

**a**    The **1** in this rule represents the **black tile**.

What does the **3N** represent?            *1 mark*

**b**    Jeff makes **pattern number 12** in his sequence.

How many **black** tiles and how many **grey** tiles
does he use?            *1 mark*

**c**    Jeff uses **61 tiles** altogether to make a pattern in
his sequence.

What is the number of the pattern he makes?            *1 mark*

**d**    Barbara makes a sequence
of patterns with **hexagonal** tiles.

Each pattern in Barbara's sequence
has **1 black** tile in the middle.

Each new pattern has **6 more grey**
tiles than the pattern before.

Write the rule for finding the number
of tiles in pattern number N in
Barbara's sequence.            *1 mark*

pattern
number
1

pattern
number
2

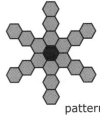

pattern
number
3

**e**    Gwenno uses some tiles to make a **different** sequence of
patterns.

The rule for finding the number of tiles in pattern number N in
Gwenno's sequence is:

**number of tiles = 1 + 4N**

Draw what you think the first 3 patterns in Gwenno's sequence
could be.            *2 marks*

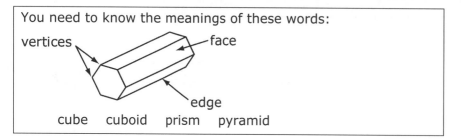

You need to know the meanings of these words:

vertices     face

edge

cube    cuboid    prism    pyramid

**1**    Write down how many faces, edges and vertices each of these shapes has.

**a**     **b**     **c**     square base

**2**    Write down the names of the shapes in question 1.

**3**    Copy and complete this table for as many different shapes as you can find at home.

| Product | Shape |
|---------|-------|
| match box | cuboid |
| cola can | cylinder |
|  |  |

**4**    Here are two identical squared-based pyramids.

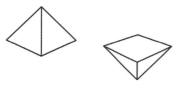

The square bases are stuck together to form a new shape.

   **a**     How many faces has the new shape?

   **b**     How many vertices has the new shape?

   **c**     How many edges has the new shape?

**5**    Copy this net of a cube.
When it is folded up, which edge will meet the edge marked A?
Mark it with a B on your diagram.

A

A

**1** **a** How many 1 cm³ cubes do you need to make each of these shapes?

A  B  C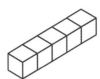

D  E  F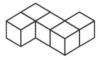

**b** What is the surface area of each shape?

**c** Which shapes have the greatest surface area?

**d** Which shapes have the smallest surface area?

> **Hint:** All the cubes are
> 1 cm 1 cm 1 cm

**2** These shapes are mirror images of each other.

On isometric paper draw the mirror images of:

**a**  **b**

**3** Draw the three different holes that each shape can pass through on a piece of squared paper.

**a**  **b**  **c**

**4** These are the three different holes that a shape can pass through.
The shape is made from four cubes.
Draw the shape on isometric paper.
There are several possible answers.
How many can you find?

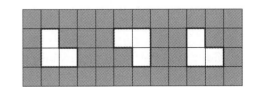

**1** These are the nets of some 3-D shapes. What are the names of the 3-D shapes?

**a**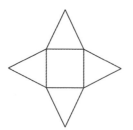
**b**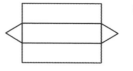
**c**

**d**
**e**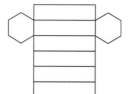
**f**

**2** State the dimensions and find the surface area of each of these cuboids. Each square cube is 1 cm³.

**a**
**b**
**c**
**d**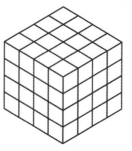

**3** For each of these nets, find:

**a** the length, width and height

**b** the surface area.

Hint:
Each square is 1 cm².

**A**
**B**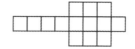
**C**

**4** Copy this net for a dice. Write the numbers 1 to 6 on the squares of your net so that the opposite faces of the dice add to 7.

**1**   In real life this mobile phone is 2 times larger than this picture.

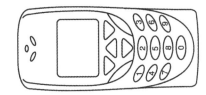

    **a**   What is the length of the real mobile phone?

    **b**   What is the width of the real mobile phone?

**2**   The real calculator is 3 times larger than this picture.

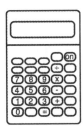

    **a**   What is the length of the real calculator?

    **b**   What is the width of the real calculator?

**3**   This Little Owl is 7 times larger in real life.

    What is the height of the real Little Owl?

**4**   Work out the real lengths of these musical instruments.

**a**

Clarinet                          x12

**b**

Flute                             x6

**c**
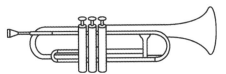
Trumpet                          x10

**d**

Viola                            x13

**e**

Violin                           x12

> **Remember:**
> For bearings:
> - Use the 360° scale.
> - Measure from North.
> - Measure clockwise.
> - Use three figures.

**1**

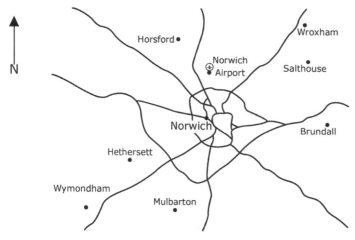

Write down the bearings of these places from Norwich.

**a**  Wroxham  **b**  Brundall  **c**  Mulbarton

**d**  Hethersett  **e**  Horsford  **f**  Wymondham

**g**  Salthouse  **h**  Norwich airport

**2**  Copy and complete this table.

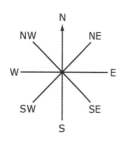

| Compass direction | N | NE | E | SE | S | SW | W | NW |
|---|---|---|---|---|---|---|---|---|
| Bearing | | | | | 180° | | | |

**3**  Put a cross to mark the centre point in the middle of a blank sheet of paper.
Plot these points and then join them up to form a picture.

| Bearing from cross | 000° | 050° | 020° | 080° | 070° | 110° | 160° | 170° | 190° | 200° | 250° | 290° | 280° | 340° | 310° | 00 |
|---|---|---|---|---|---|---|---|---|---|---|---|---|---|---|---|---|
| Distance from cross | 5 cm | 4 cm | 3 cm | 4 cm | 2 cm | 5 cm | 2 cm | 5 cm | 5 cm | 2 cm | 5 cm | 2 cm | 4 cm | 3 cm | 4 cm | 5 c |

**1** Each of these coordinates gives a letter on this grid.

(⁻2, ⁻2) (1, 2) (⁻1, 2) (3, ⁻2)
(1, 1) (⁻2, 1) (1, ⁻2) (⁻1, ⁻3)

Write down the letters to find the message.

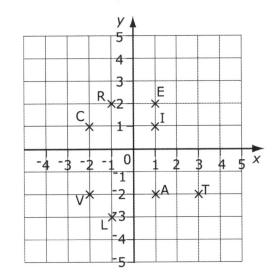

**2** Draw x- and y-axes from ⁻5 to ⁺5 on squared paper and plot these points on the same grid. Label the shapes A and B.

A (1, 5) (1, 0) (3, ⁻2) (3, ⁻3) (1, ⁻5) (0, ⁻5) (⁻2, ⁻3) (⁻2, ⁻2) (0, 0), (0, 2) (⁻1, 2) (⁻1, 3) (0, 3) (0, 4) (⁻1, 4) (⁻1, 5) (1, 5)

B (1, ⁻1) (2, ⁻2) (2, ⁻3) (1, ⁻4) (0, ⁻4) (⁻1, ⁻3) (⁻1, ⁻2) (0, ⁻1) (1, ⁻1)

**3** Copy this grid and plot the points A(4,2), B(0,2) and C(0,⁻2).

Write down the extra point that would make:

**a** square

**b** a parallelogram

**c** a kite

**d** a trapezium

Some shapes may have more than one answer.

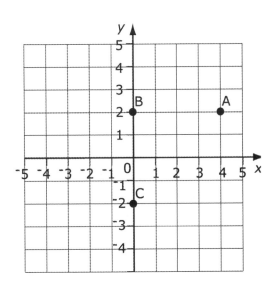

1   Draw the paths for these situations. If possible describe the path using mathematical terms.

   **a**   The lawn mower when cutting a square lawn.

   **b**   The end of the handle on a wheelbarrow as it is pushed along.

   **c**   The end of the handle on a wheelbarrow when the rubbish is tipped out.

   **d**   Your foot as you do a cartwheel.

   **e**   Your head as you do a forward roll.

   **f**   A child on a swing.

   **g**   A conker swung round on the end of a string.

   **h**   A conker swung round on the end of a string and then suddenly released.

   **i**   A golf ball as it is being putted into a hole.

   **j**   A rugby ball as it passes through the posts for a conversion kick.

   **k**   A person running from side to side on a ship's deck when the ship is stationary.

---

**Remember:**

◆ You can use LOGO to plot the path of the TURTLE.

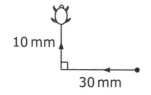

10 mm

30 mm

The LOGO path is:

FORWARD     30
RIGHT       90
FORWARD     10

---

2   Write down the LOGO instructions to draw these designs made of squares.

   **a**   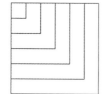     **b**

---

| S4.8HW | **Constructing triangles** |

**1** Construct each of these triangles.
Describe each triangle, explaining your answer.
Choose from this list:

- ◆ scalene
- ◆ right-angled scalene
- ◆ right-angled isosceles
- ◆ isosceles
- ◆ equilateral

**a**
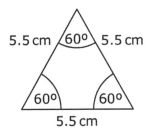

**b**
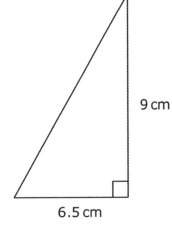

**c**
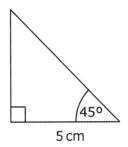

**2** A rhombus has four equal sides and can be drawn using two
congruent isosceles triangles. Construct each of these rhombuses.

**a**
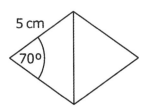

**b**
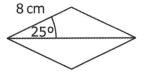

**Hint:**
The two triangles
are congruent.

**c**
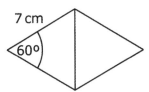

**d**
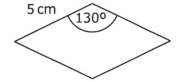

1 On a 3 by 3 grid you can make eight different triangles.

For example:

right-angled scalene

Draw all the possible triangles on squared paper. They must not be reflections, rotations or translations of each other.
Name each triangle.

2 Draw a rectangle measuring 3 cm by 8 cm. Cut it into four shapes as shown. Fit the four shapes together to make:

a a different rectangle

b a right-angled triangle

c a parallelogram

d an isosceles trapezium.

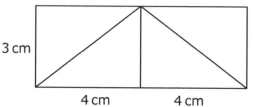

3 cm

4 cm    4 cm

Draw each diagram. You are allowed to turn the shapes over.

3 Explain why an angle in a triangle can never be reflex but an angle in a quadrilateral can be.

4 What shapes will these LOGO instructions draw?

| a | | | b | | |
|---|---|---|---|---|---|
| FORWARD | 200 | | FORWARD | 200 |
| RIGHT | 120 | | RIGHT | 120 |
| FORWARD | 100 | | FORWARD | 200 |
| RIGHT | 60 | | RIGHT | 60 |
| FORWARD | 200 | | FORWARD | 200 |
| RIGHT | 120 | | RIGHT | 120 |
| FORWARD | 100 | | FORWARD | 200 |

Level 4

The map shows the positions of seven towns, numbered 1 to 7.
The dashed lines show the roads between the towns.

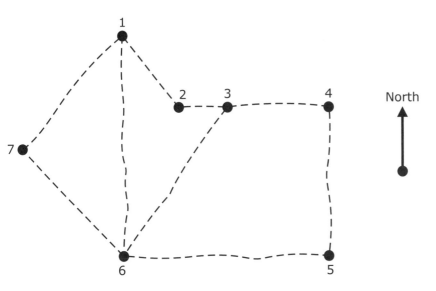

**a**   A girl cycled from **town 1**

She went **south** to a town.

Then she went **east** to a different town, where she stopped for a drink.

In which town did she stop for a drink?                *1 mark*

**b**   Copy and complete the missing directions in the boxes below.

> Start at **town 5**, go **north** to **town 4**,
>
> Then go _____ to **town 3**

*1 mark*

> Start at **town 6**, go **north–west** to **town 7**,
>
> Then go _____ to **town 1**

*1 mark*

**c**   Steve lives in one of these towns.

Town 3 is **west** of where Steve lives.

In which town does Steve live?                *1 mark*

─────────────────────────────────── [ **Level 5** ]

Here is a plan of a ferry crossing:

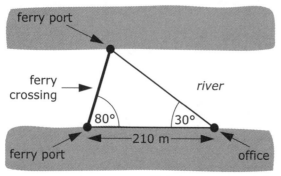

Not drawn accurately

**a**   Copy and complete the accurate scale drawing of the ferry
crossing below.

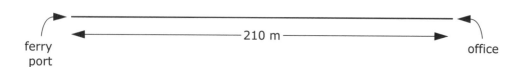

*2 marks*

**b**   What is the length of the ferry crossing in cm on **your**
diagram?                                                                                    *1 mark*

**c**   The scale is **1 cm** to **20 m**. Work out the length of the real ferry
crossing.

*Show your working and **write the units with your answer**.*
                                                                                                *2 marks*

A group of students are talking about their ideas for statistical projects.

David says:

My parents are always talking about house prices. I'd like to find out more about how they've changed in our area over the past ten years.

Shamina says:

I read an article about the amount of money people give to charity. It would be interesting to find out whether older people give more than younger people.

Alex says:

I've just got a new mobile phone for my birthday. I wonder which tariffs give the best value.

Either:

Pick one of the ideas above as a starting point.

Or:

Use an idea of your own.

For the idea that you choose:

1    Write a hypothesis that you could test.

2    Explain what data you would need to collect to test the hypothesis. Is this data primary or secondary data?

3    Explain how you would collect the necessary data.

**1**  Neil is doing a project about television programmes. He is convinced that most of the 'baddies' in soap operas are male.

Neil talks to Jenna about his project.

Jenna says:

You need to be a bit more specific. How do you know whether a character is a 'baddy'? Different people may have different ideas on who is a 'baddy'.

Explain how Neil should continue with his project.

◆  Do you think that his hypothesis needs to be clearer?

◆  How do you think that he should collect data to test his hypothesis?

**2**  In a census, the number of people living in each house in a street was recorded.

The results are shown in the table.

| House number | 1 | 3 | 5 | 7 | 9 | 11 | 13 | 15 | 17 | 19 | 21 |
|---|---|---|---|---|---|---|---|---|---|---|---|
| Number of people | 4 | 6 | 2 | 2 | 3 | 4 | 1 | 5 | 6 | 6 | 5 |

| House number | 2 | 4 | 6 | 8 | 10 | 12 | 14 | 16 | 18 | 20 |
|---|---|---|---|---|---|---|---|---|---|---|
| Number of people | 3 | 2 | 4 | 5 | 3 | 2 | 0 | 1 | 2 | 4 |

Organise this data into a frequency table.

**3**  Here are the heights (in cm) of 30 people.

| 160 | 175 | 176 | 173 | 171 | 172 | 167 | 179 | 142 | 182 |
|---|---|---|---|---|---|---|---|---|---|
| 182 | 173 | 171 | 176 | 160 | 161 | 159 | 188 | 155 | 160 |
| 166 | 146 | 172 | 157 | 149 | 173 | 176 | 156 | 162 | 170 |

**a**  Design a frequency table for this set of data. Your table should show grouped data.

**b**  Use the data to fill in the frequencies in your table.

**Remember:**
◆ Range = maximum value – minimum value
◆ Mean = total of the values ÷ number of values
◆ Median = middle value when the data are in order
◆ Mode = value that occurs most often

The tables show the number of letters a postman delivered to the houses in two different roads on one day.

Vancouver Avenue

| House number | 1 | 2 | 3 | 4 | 5 | 6 | 7 | 8 | 9 | 10 | 11 | 12 | 13 | 14 | 15 | 16 | 17 | 18 | 19 | 20 |
|---|---|---|---|---|---|---|---|---|---|---|---|---|---|---|---|---|---|---|---|---|
| Number of letters | 2 | 2 | 3 | 1 | 2 | 2 | 1 | 2 | 1 | 2 | 2 | 1 | 2 | 1 | 3 | 1 | 2 | 1 | 4 | 3 |

Toronto Road

| House number | 1 | 2 | 3 | 4 | 5 | 6 | 7 | 8 | 9 | 10 | 11 | 12 | 13 | 14 | 15 | 16 | 17 | 18 | 19 | 20 |
|---|---|---|---|---|---|---|---|---|---|---|---|---|---|---|---|---|---|---|---|---|
| Number of letters | 4 | 2 | 4 | 5 | 4 | 4 | 6 | 5 | 1 | 4 | 5 | 5 | 6 | 5 | 5 | 4 | 4 | 3 | 6 | 5 |

**a** Draw a frequency table for each road, showing how many houses had 1, 2, 3, … letters.

**b** For each road, find the range of the number of letters delivered to the houses.

**c** For each road, find the mode of the number of letters delivered.

**d** For each road, find the median number of letters delivered to the houses.

**e** For each road, find the mean number of letters delivered to the houses.

**f** The houses in one of the roads are mainly large, family homes. The houses in the other road are mostly bungalows, occupied by older people.
Which road is which? Use the statistics you calculated in b – e to help you decide. Explain your reasoning.

David was researching house prices. His hypothesis was:

> House prices are higher in this area than in most other places.
> They are also rising faster here than in most other places in the
> country.

As part of his research, David found this graph on the Internet.
It shows the average cost of houses in his local area (the top line),
and the average for the whole country (the bottom line).

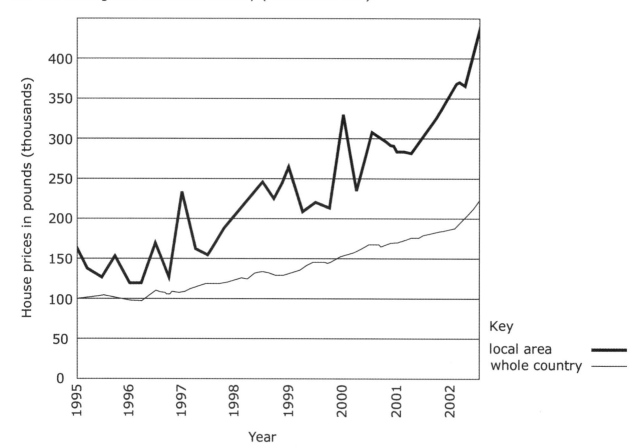

◆ Use the graph to write a conclusion for David's project.

Level 4

The diagrams show the number of hours of sunshine in two different months.

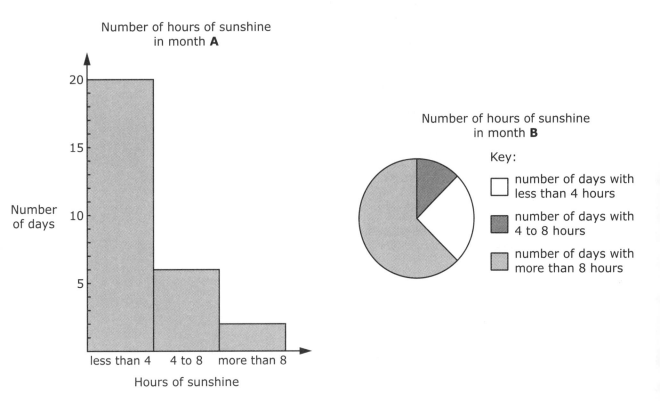

**a** How many days are there in **month A**?

Choose the correct answer.

28     29     30     31     not possible to tell     *1 mark*

**b** How many days are there in **month B**?

Choose the correct answer.

28     29     30     31     not possible to tell     *1 mark*

**c** Which month had more hours of sunshine?

Explain how you know.     *1 mark*

This advert was in a newspaper:

**93% of us drop litter every day.**

*Gang up on litter*

Do your bit. Use a bin.

It does not say how the advertisers know that 93% of people drop litter every day.

Some pupils think the percentage of people who drop litter every day is much lower than 93%.

They decide to do a survey.

**a**   Jack says:

> We can ask 10 people if they drop litter every day.

Give two **different** reasons why Jack's method might not give very good data.   *2 marks*

**b**   Lisa says:

> We can go into town on Saturday morning.
>
> We can stand outside a shop and record how many people walk past and how many of those drop litter.

Give two **different** reasons why Lisa's method might not give very good data.   *2 marks*

**Bottle top experiments**

Bottle tops come in different shapes and sizes.

Some bottle tops are tall and thin.
(Shampoo bottle tops are often like this.)

Other bottle tops are quite 'flat'.
(Plastic milk containers have this sort of cap.)

| When you drop a 'flat' bottle top on a table, you would expect it to finish up with a 'flat' surface on the table. | When you drop a 'tall' bottle top on a table, you would expect it to finish up with a curved surface on the table. |
|---|---|
|  |  |

1   Try to find a bottle top that is 'in between' – not too tall, and not too flat.

2   Carry out an experiment to estimate the probability of your bottle top landing 'flat'.

   ◆   You will need to decide how you are going to collect the data you need.

   ◆   You will need to design a table for your data.

   ◆   Use the formula:
       Probability of an event = $\dfrac{\text{number of favourable outcomes}}{\text{total number of possible outcomes}}$

   to work out the experimental probability.

---

**Important note**

Be careful which bottle top you choose. If it comes from a bottle that has something in it, make sure that you don't spill anything, and that you put the top back when you have finished with it. Don't use a bottle that contains anything dangerous.

---

**In the Money**

In the television show 'In the Money', a contestant is given £1000.

The host then spins a coin, and shows it to the camera. He then passes the coin to the contestant, who has to spin it four times.

Each time the contestant spins the coin:

◆ If the result is the same as the previous spin, £1000 is added to the prize.

◆ If the result is different to the previous spin, the prize money is halved.

For example, one game went like this:

| Spin | Result | Money |
|------|--------|-------|
| (By host) | Heads | £1000 |
| 1 | Heads | £2000 |
| 2 | Tails | £1000 |
| 3 | Tails | £2000 |
| 4 | Tails | £3000 |

**a** Carry out an experiment to model the 'In the Money' game.
Record your results in a table.

**b** Use your results to estimate how much a contestant could expect to win.

**c** Explain how you collected your data.
Show your calculations.

> **Hint:**
> How many trials will you do?

A computer simulation was carried out to estimate the amount of money a contestant on the television game show 'In the Money' would win. The results of the simulation are shown in the table.

| Prize money | Number of trials |
|---|---|
| £312.50 | 9 |
| £750 | 8 |
| £875 | 6 |
| £1125 | 6 |
| £1625 | 7 |
| £1750 | 7 |
| £2000 | 5 |
| £2250 | 6 |
| £2500 | 4 |
| £2750 | 6 |
| £3250 | 2 |
| £4000 | 7 |
| £4500 | 6 |
| £5000 | 9 |
| £5500 | 5 |
| £9000 | 7 |

1   What was the range of the amounts of prize money in the simulation?

2   How many trials were there in the simulation?

3   What was the median amount of prize money?

4   What was the total amount of prize money calculated in the simulation?

5   What was the mean amount of prize money in each trial?

Level 4

I throw a fair coin.

For each statement below, write down if the statement is
**True** or **False**.

a   On **each** throw, the probability of getting a head is $\frac{1}{2}$

Explain your answer.                                    *1 mark*

b   On **four throws**, it is **certain** that I will get two heads and two
tails.

Explain your answer.                                    *1 mark*

Level 5

A door has a security lock.

To open the door you must press the correct buttons.

The code for the door is one letter
followed by a single digit number.

For example: B6

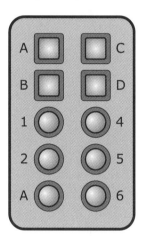

a How many **different** codes are there altogether?

Show your working. *2 marks*

b I know that the correct code begins with D
I press D, then I guess the single digit number.

What is the probability that I open the door? *1 mark*